PRATIQUES DE CONSCIENTISATION

Gisèle Ampleman, Gérald Doré, Lorraine Gaudreau
Claude Larose, Louise Leboeuf, Denise Ventelou

PRATIQUES DE
CONSCIENTISATION

Expériences d'éducation populaire au Québec

collection MATERIAUX
Nouvelle Optique

Le Fonds F.C.A.C., pour l'aide et le soutien à la recherche, a accordé une aide financière pour la rédaction et l'édition de cet ouvrage, dans le cadre de la politique visant à favoriser la publication
en langue française de manuels et de traités à l'usage des étudiants du niveau universitaire.

ISBN 2-89017-054-3
Dépôt légal : 1er trimestre 1983
Bibliothèque nationale du Québec
Bibliothèque nationale du Canada
© Éditions Nouvelle Optique, Montréal

Pour recevoir notre catalogue sans engagement de votre part,
il suffit de nous faire parvenir une carte avec votre nom et adresse :
Éditions Nouvelle Optique, C.P. 1477, Succ.B, Montréal, Canada. H3B 3L4

À tous ceux et celles
avec qui nous vivons
apprenons
et luttons

INTRODUCTION

Militant dans des organisations populaires depuis une dizaine d'années, nous nous préoccupions de la formation de la base de nos organisations. Comment faire de la formation en tenant compte du cheminement de la conscience politique des gens avec qui on travaille? Comment une lutte peut-elle être le terrain d'apprentissage d'une stratégie permettant d'atteindre des objectifs à court terme, en même temps que de faire un pas vers le projet social qu'on vise? Comment tenir compte à la fois de l'économique, du politique et de l'idéologique?

Impliqué-es dans des groupes de lutte ou de services, nous étions confronté-es au problème de la mobilisation. Comment assurer la relève? Comment intégrer de nouvelles personnes? Comment susciter et soutenir la mobilisation?

Voulant développer des rapports égalitaires, nous nous interrogions sur les structures de nos organisations. Comment développer des structures et un fonctionnement qui ne reproduisent pas des rapports d'imposition politique et idéologique? Comment avoir des attitudes conscientisantes plutôt qu'oppressives?

Nous constatons que les petits-bourgeois[1] détiennent très souvent le pouvoir dans les organisations populaires. Comment orienter notre travail en fonction des intérêts de la classe populaire[2]? Comment développer une capacité de prise en charge par celle-ci? Comment dépasser la division entre militants issus de la classe populaire et ceux qui lui sont extérieurs?

Nous avions entendu parler des pratiques pédagogiques de Paulo Freire et nous nous demandions comment développer en contexte québécois des expériences qui s'en inspirent. Nos outils pédagogiques tiennent-ils compte de la classe populaire dans ce qu'elle est? Comment assurer la prise de la parole de la classe populaire dans nos organisations? Qu'est-ce qui déclenche le processus de conscientisation? Comment tenir compte des personnes dans la démarche d'un groupe centré sur la tâche? Comment développer la confiance des gens entre eux?

Ces questions, nous nous les sommes posées et avons tenté de les résoudre dans notre pratique. La plupart d'entre elles restent encore ouvertes pour nous. Mais il nous a semblé important de partager le résultat de notre travail des dernières années avec d'autres, engagés ou susceptibles de s'engager dans des pratiques d'éducation populaire.

Certains peuvent être amenés à penser que la conscientisation n'est possible que dans certaines conjonctures particulières ou à l'intérieur de certains groupes privilégiés. Nous croyons au contraire que cette pratique n'implique pas un ensemble de conditions pré-requises idéales. Les organismes populaires, syndicaux, les coopératives de base sont évidemment des lieux privilégiés pour faire ce type de travail. Cependant, bon nombre de milieux institutionnels où se pratique l'intervention collective présentent des possibilités pour oeuvrer avec des opprimés dans une telle perspective. Encore faut-il rechercher, dans chaque situation donnée, dans l'institution où l'on est inséré, les espaces libres et les formes d'action spécifiques qui permettront d'épuiser le champ du possible.

On a vu, à l'intérieur d'organismes publics ou parapublics, des intervenant-es collaborer à la mise sur pied de nombreuses initiatives populaires qui visent à la transformation radicale de situations d'oppression. Qu'il s'agisse de regroupements d'assistés sociaux, de chômeurs, de femmes, de petits agriculteurs, de travailleurs forestiers, de victimes d'accidents de travail et de maladies industrielles, de personnes âgées, etc... on constate que, dans ces cadres, certains ont réussi à mener des actions significatives, alors que d'autres semblent attendre un mandat institutionnel pour travailler au changement de la société.

Dans ce livre, il sera question de pratiques de conscientisation au Québec. On y présentera des activités concrètes de formation dont le but est d'amener des personnes immergées dans des situations d'exploitation économique, de domination politique et d'aliénation culturelle à prendre une distance critique face à leur situation et à s'engager dans une action collective pour la transformer. Ces pratiques pédagogiques ont une source d'inspiration commune: la pensée de Paulo Freire, ce philosophe, éducateur et militant brésilien qui, dès le début des années soixante, mena dans son pays une expérience d'alphabétisation-conscientisation qui devait avoir une influence considérable aussi bien dans les milieux éducatifs et militants des pays industrialisés que dans ceux des pays du Tiers-Monde.

Nous parlerons donc de pratiques enracinées dans des démarches actives de connaissance des traits culturels de la classe populaire, déployant de multiples outils
pédagogiques pour retourner à des groupes leur situation sous forme de défi à
relever dans l'action. Des instruments seront proposés pour aller chercher le contenu de conscience des gens avec qui on travaille, des façons aussi de travailler
avec les mots qui expriment ce contenu de conscience. On présentera aussi bien
des activités de formation organisées que des interventions plus spontanées dans
la pratique quotidienne des luttes et des services. Le support concret du cheminement de la conscience n'y sera pas l'alphabétisation ni la post-alphabétisation,
mais bien plutôt la lutte sur des problèmes liés aux conditions de vie; et au premier plan, la lutte des assistées sociales et assistés sociaux pour défendre leurs
droits. Freire ne dit-il pas lui-même que ceux qui abordent la conscientisation
avec une attitude véritablement critique et dialectique viennent à elle "non afin
de répéter ce qui a été dit, mais pour le re-créer" [3]. C'est bien dans cette voie
que nous nous sommes engagés.

Les expériences présentées dans ce livre ont une histoire qui sera dévoilée au fil
des chapitres. Nous en tracerons pour le moment les grandes lignes pour permettre au lecteur de saisir le fil conducteur du réseau dans lequel elles se sont progressivement développées. Tout commence avec le travail de Gisèle Ampleman
au local Mercier de l'Organisation Populaire des Droits Sociaux de la Région de
Montréal (OPDSRM), à compter de 1972 [4]. Elle présente dans le chapitre 2 les
circonstances dans lesquelles elle a commencé à développer des outils pédagogiques de conscientisation en militant avec des assistées sociales. Cette activité de
formation s'est déroulée en étroite interaction avec le cheminement d'une lutte,
la lutte sur la taxe d'eau à Montréal, que Denise Ventelou a analysée dans une
recherche et qu'elle résume dans le chapitre un. Des militantes et militants impliquées dans cette lutte ou sympathisant avec elle ont commencé à organiser des
camps d'été qui ont débouché sur l'implantation d'une maison de campagne collective qui est devenue un lieu d'apprentissage de nouvelles valeurs et de nouveaux rapports sociaux. Louise Leboeuf nous en parle au chapitre 3. En 1978,
quelques-unes des membres du local Mercier de Montréal s'amenaient à Québec
pour animer une session de formation sur la loi d'aide sociale, à l'Association pour
la Défense des Droits Sociaux du Québec Métropolitain (ADDSQM). C'était le
coup d'envoi d'une pratique de conscientisation à Québec. Lorraine Gaudreau
y fait brièvement allusion au chapitre 7. La même année, le Regroupement des
Organisateurs Communautaires du Québec (ROCQ), qui n'arrivait pas à con-
crétiser son option pour une stratégie de conscientisation, était mis en contact
avec le local Mercier de Montréal par l'intermédiaire de Denise Ventelou qui
avait déjà engagé sa recherche sur la lutte de la taxe d'eau, avec Gisèle Ampleman et des militantes assistées sociales. Une longue démarche conjointe de for-

mation allait s'engager. Gérald Doré décrit le contexte de cette collaboration au chapitre 4. Dans les sessions de sensibilisation à la conscientisation organisées conjointement par le ROCQ et le local Mercier, Claude Larose allait puiser de nouvelles orientations de pratique à soumettre à l'équipe du journal populaire Droit de Parole. Il nous en parle au chapitre 5.

La première partie de ce livre présente des démarches de formation ou d'action où de multiples outils pédagogiques sont combinés dans un processus d'ensemble. La deuxième partie est davantage consacrée à des outils spécifiques. Le langage dans lequel nos expériences seront présentées est très près de celui dans lequel elles ont été vécues. Nous avons pris le parti d'adopter le langage vivant du récit pour parler de nos pratiques et de nos luttes dans une perspective de conscientisation. La troisième partie présente nos acquis théoriques: elle situe l'évolution du concept de la conscientisation chez Freire, elle en explique la méthode, elle en trace les grandes dimensions, elle en démontre le caractère dialectique et suggère des rôles et attitudes pour l'intervenant engagé dans cette pratique.

Le choix du niveau de langage et l'ordre de présentation du contenu reflètent notre intention d'actualiser concrètement dans ce livre la spécificité de la conscientisation. C'est une pédagogie inductive qui s'enracine dans un vécu et conduit à une perception plus globale et critique, à travers un cheminement où l'apprentissage se réalise dans les contradictions de l'action. En systématisant la théorie à la fin du livre, contrairement aux pratiques habituelles, nous rendons compte du chemin que nous avons réellement parcouru. Nous nous sommes approprié la théorie dans la pratique et nous invitons le lecteur à sortir des sentiers battus pour tenter la même expérience.

Ce livre présente d'abord et avant tout une description d'expériences et d'outils de conscientisation, plutôt qu'un bilan critique de nos pratiques. Il peut comporter des défauts de style et de composition, la majorité d'entre nous étant des gens d'action plutôt que des gens d'écriture. Nous avons crû bon de raconter simplement nos expériences récentes en souhaitant qu'elles apportent des éléments de réponse au questionnement actuel de nombreux militants et qu'elles stimulent leur implication et leur créativité dans d'autres milieux et sur d'autres enjeux.

PREMIÈRE PARTIE

PROCESSUS

CHAPITRE 1

LE POINT DE DÉPART: UNE LUTTE

Denise Ventelou

Les pratiques de conscientisation dont il sera question dans ce livre ont rayonné à partir d'une lutte où les activités de formation et la dimension culturelle ont occupé une place de premier plan [1]. Il s'agit en l'occurence de la lutte des assistées sociales et assistés sociaux de Montréal pour défendre leurs droits; et plus spécifiquement de leur lutte contre la taxe d'eau.

Le début du conflit sur la taxe d'eau

Les conditions objectives d'apparition d'un conflit sont mises en place de longue main, en catimini, par le ministère des Affaires sociales allié pour la circonstance à la Mairie de Montréal, qui bâtissent dès 1973 une stratégie visant à prévenir toute opposition à leur décision d'imposer, à partir du 1er janvier 1974, à tous les assistés sociaux locataires de Montréal, (ils sont 25,844 cette année-là) le paiement direct de la taxe d'eau. La procédure en vigueur jusque là avait été la suivante: lors de la réception de sa facture de taxe d'eau, émise par les services municipaux, chaque bénéficiaire d'aide sociale n'avait qu'à la renvoyer au bureau d'Aide Sociale dont il dépendait, et le ministère se chargeait du remboursement à la Ville de Montréal. Désormais, les assistés sociaux vont devoir payer eux-mêmes la taxe d'eau. Pour ce faire, une augmentation de 8.5 % de la partie de leur prestation réservée au loyer leur est concédée. Il faut bien voir cependant que le plafond de la prestation réservée au loyer est de $105. et qu'en réalité, les assistés sociaux ont besoin de cette augmentation pour faire face aux hausses de loyer, indépendamment du paiement de la taxe d'eau. Cette année-là, la hausse du coût du logement est de 26.5 %.

Pour le ministère il s'agit là d'une mesure parmi d'autres visant à limiter les coûts de l'aide sociale et à renforcer l'incitation au travail chez les assistés sociaux, tout en évitant de porter atteinte à l'image teintée d'humanisme d'une politique présentée comme une contribution à la "justice sociale".

Dans une entente signée entre les responsables au plus haut niveau du Ministère et de la Ville de Montréal, celle-ci se voit confier le mandat d'appliquer une procédure de répression graduelle et systématique pour contraindre les bénéficiaires d'aide sociale à payer leur taxe d'eau.

En face de cette coalition, en 1974, nous trouvons une organisation populaire implantée dans huit quartiers montréalais pour défendre les intérêts des assistés sociaux: l'Association pour la Défense des Droits Sociaux du Montréal Métropolitain (ADDSMM) qui va lancer un vaste mouvement de refus de payer cette taxe. À la suite d'une scission en 1980, la continuité de cette action est aussi assumée par une deuxième organisation d'assistées sociales et d'assistés sociaux: l'Organisation Populaire des Droits Sociaux de la Région de Montréal (OPDSRM) qui regroupe la moitié des locaux ayant appartenus à l'ADDSMM.

En 1974, la suppression du paiement direct de la taxe d'eau représentait une aggravation supplémentaire à la détérioration des conditions de vie d'une couche sociale qui subissait les effets d'une inflation non répercutée sur les taux des prestations dont elle vivait, doublés de ceux d'une série de coupures dans l'accès à divers suppléments, dits "besoins spéciaux" (la taxe d'eau en était un) prévus pour les cas de problèmes de santé, déménagement, etc.

Huit ans plus tard, la lutte a permis certains gains économiques mais la détérioration globale des conditions de vie des assistés sociaux se poursuit.

Ce que cette lutte semble avoir apporté de plus significatif nous paraît se situer à un autre niveau: celui de la revendication collective d'un droit au contrôle de leurs conditions de vie par les assistés sociaux eux-mêmes, et du développement d'une vision plus critique de la situation qui leur est imposée.

Une question économique

Se battre pour refuser de payer la taxe d'eau, pour l'ADDSMM, consistait en réalité en une tentative d'obtenir que les assistés sociaux disposent de plus d'argent chaque mois.

Aussi la proposition du ministre des Affaires Sociales en août 1974, de fournir un quart du montant de la taxe d'eau, a-t-elle été refusée: c'était bel et bien la totalité qu'on exigeait du gouvernement. Le maintien de cette position intransigeante a été suivi par neuf mille familles la première année, et par un nombre beaucoup plus considérable au cours de toutes les années qui ont suivi: le chiffre exact fut si élevé que la Ville de Montréal l'a dissimulé au ministère dès 1975, et celui-ci le lui a vertement reproché.

La somme totale que les assistés sociaux se sont attribués eux-mêmes malgré les pressions à leur encontre dépassait $500,000.00 la première année. Ce montant s'est considérablement accru les années suivantes, à cause du nombre croissant d'assistés sociaux qui ont refusé de payer. Voilà donc un gain économique non négligeable qui s'est élargi jusqu'en 1980. À ce moment-là, la ville de Montréal a mis en vigueur pour certains types de logements un nouveau mode de perception par le biais des propriétaires, et il a été prévu d'étendre ce mode de perception à l'ensemble des logements de manière progressive. Ce système rend les possibilités de riposte beaucoup plus difficiles: au lieu d'un seul adversaire, voici des milliers de percepteurs déguisés.

Les assistés sociaux ont arraché le droit (non pas formel mais dans les faits) d'auto-réduire leurs dettes à l'égard de l'État: la municipalité tente de contourner cette situation épineuse, qualifiée par un haut fonctionnaire de "hautement délicate".

L'enjeu est aussi politique, attention à la stratégie!

Dans son action à propos de la taxe d'eau, l'ADDS a voulu contester la perte d'un droit acquis et réclamer une augmentation des taux de l'aide sociale, mais aussi par delà et à travers ces deux aspects, provoquer l'éveil d'une conscience de classe chez les assistés sociaux: la taxe d'eau, d'objet de lutte devient moyen de pression, puis catalyseur d'une reconnaissance par les assistés sociaux de ce qu'ils vivent, et d'une recherche des causes de leur situation dans les structures sociales.

Des objectifs politiques se sont précisés:

> *"utiliser la lutte pour:*
> * *développer notre implantation dans les quartiers;*
> * *développer la solidarité des assistés sociaux dans le quartier et entre les quartiers;*
> * *élever le niveau de conscience;*
> * *développer la solidarité entre assistés sociaux et travailleurs pour briser l'isolement"* [2].

Tenter de réaliser des objectifs aussi ambitieux suppose une solide stratégie; elle se développe dans le cas de la taxe d'eau autour d'une orientation dominante: la politisation.

Briser l'isolement

La première étape sera de briser l'isolement où est enfermé chacun des assistés sociaux; le moyen utilisé: une pétition dans laquelle les assistés sociaux s'engagent à refuser de payer la taxe d'eau. Des comités de tâches se répartissent le travail dans les quartiers: diffusion de la pétition, réponses aux appels téléphoniques dans les locaux de l'association, invitations à des assemblées, recueil des signatures. En fait deux sortes de pétition circulent: l'une chez les "alliés" c'est-à-dire les sympathisants qui appuient la lutte, l'autre chez les assistés sociaux. Le mouvement veut vérifier combien d'assistés sociaux sont prêts à s'engager dans le refus de payer la taxe d'eau. La pétition en tant que geste collectif vise à faciliter l'adhésion à la lutte. Comme il est illégal de ne pas payer un compte, la crainte des représailles risque d'être un frein: l'ADDS s'organise donc pour combattre cette peur. En effet, sans une mobilisation large, le refus de payer la taxe d'eau aurait bien peu de portée. Aussi, avant de rendre publique sa position, le mouvement laisse s'écouler plusieurs mois, qu'il utilise à informer et mobiliser sa base. La propagande sur la lutte s'organise.

D'avril à août 1974, un comité d'organisation régional prépare des propositions pour la lutte, tandis que des assemblées dans les quartiers, et à l'échelle régionale, diffusent chez les assistés sociaux l'idée de refuser de payer la taxe d'eau.

Photo: ADDSMM

Signer la pétition proposée est significatif d'un double point de vue: chaque signataire s'identifiait comme assisté social sur la pétition et d'autre part, il adhérait à l'action d'un groupe qui se définissait comme une organisation en lutte contre une décision du gouvernement. S'identifier publiquement comme assisté social dans une société où la valeur du travail est primordiale, et où vivre de prestations est communément réprouvé, est un geste lourd de sens. Dans ces circonstances, oser s'opposer collectivement à une décision du ministère dispensateur de prestations constitue une prise de position importante pour un bénéficiaire.

Dès le début donc, pour l'ADDS, l'articulation entre le refus de payer et l'émergence d'une force collective était envisagée comme la condition nécessaire à l'efficacité de la lutte.

Créer une organisation forte

Un deuxième pas sera franchi avec la décision, entérinée à l'unanimité par les assemblées de quartiers des assistés sociaux de brûler collectivement les comptes de la taxe d'eau: une série de manifestations s'ensuivra dès l'automne 1974, où ces comptes seront brûlés solennellement aux cris de "La taxe d'eau, on la paye pas" puis "Forget, paye ta dette" et plus tard "Lazure paie tes factures"[3].

Ne pas régler une dette est illégal. C'est un geste d'autant plus menaçant que le créancier est membre de l'appareil gouvernemental. Mais brûler par milliers les factures en question sur la place publique, en réunissant pour l'occasion, de 400 à 1,500 assistés sociaux, voilà le signe de l'apparition d'une force collective. La force de l'organisation est une des clés de l'efficacité au plan politique.

La mobilisation réelle d'un grand nombre d'assistés sociaux a permis d'alerter l'opinion publique sur leur situation, créant des conditions défavorables à une répression brutale de la part du ministère ou de la Ville. De plus, elle a réussi une telle propagande que les "récalcitrants" (le terme vient du ministère des Affaires Sociales), c'est-à-dire ceux qui n'ont pas craint de refuser de payer, ont vu leur nombre croître et se maintenir.

À partir de l'automne 1975, des organisations d'assistés sociaux de plusieurs villes du Québec se sont regroupées pour fonder un Front Commun. Celui-ci s'est élargi et renforcé et compte une trentaine de groupes en 1982.

Résister aux pressions

Aucun geste ou prise de position de l'adversaire ne sera laissé en suspens; chaque fois il provoquera une réaction organisée. C'est à ce prix qu'on peut espérer des victoires. À chaque nouvelle pression, que ce soit une menace directe (bref d'assignation, avis de saisie, etc.), ou une tentative de récupération susceptible d'affaiblir le mouvement (proposition de remboursement du quart de la taxe; rencontre d'échange; participation à une commission parlementaire, …) des tactiques de résistance sont mises en route pour combattre la peur, l'envie de courber le dos chez les assistés sociaux, et faire ressortir chaque fois en quoi, concrètement, cette attitude du gouvernement ne sert pas leurs intérêts:

> *"Notre tactique, c'est de se servir des attaques de la ville (comme les mises en demeure) pour faire pression sur le Ministère des Affaires Sociales. À chaque attaque de la ville on prévoit une action de groupe pour faire bouger le ministère mais aussi pour ne pas être isolés face à ça, pour être tous ensemble, solidaires pour lutter [4]".*

La résistance passe notamment par la diffusion d'information sur les moyens de se défendre, en particulier si un huissier vient pour une saisie. Finalement, aucune saisie n'aura lieu, alors que l'entente entre les deux paliers de gouvernement prévoyait une savante progression des représailles à l'égard des "récalcitrants", qui aurait dû aller jusqu'à la mise en fiducie de leur chèque mensuel. Cette procédure, ni la Ville, ni le ministère n'oseront la mettre en branle, à cause de la force et de la crédibilité d'un mouvement d'opposition qu'ils n'avaient absolument pas pressenti. Pire, la Ville trahira son partenaire en dévoilant un accord mutuel stipulant qu'au delà des moyens de pressions "raisonnables", il n'y aurait pas de saisie. Or le ministère contestera violemment: non que cette entente soit fausse, simplement il avait été prévu que le nombre d'impayés serait un "résidu" et non une masse imposante. De manière plus générale, les tactiques de résistance perpétuelle visent à éviter de perdre de vue l'enjeu de départ et à conserver un aspect concret à la lutte.

Transgresser collectivement les lois

L'organisation ira plus loin dans la voie de l'illégalité en 1976, lorsqu'une douzaine de familles seront victimes de coupures d'eau.

Le 29 septembre, c'est massivement que l'assemblée régionale se transformant d'assemblée d'information en assemblée décisionnelle votera la résolution suivante: que des assistés sociaux aillent rebrancher l'eau aux familles victimes de coupures de la part de la ville. On ne consulte pas d'avocat, on opte pour une action autonome de défense, sur la place publique, accompagnée d'une manifestation. Qui plus est, la base de l'ADDS démontre qu'elle a développé une réelle confiance en ses nouveaux leaders, des assistés sociaux issus de ses rangs, puisque ce jour là ce ne sont ni des professionnels de l'organisation communautaire, ni des petits-bourgeois qui occupent l'estrade et animent l'assemblée. Cette date marque donc un moment-clé qui permet de mesurer le succès du travail idéologique significatif entrepris au cours de la lutte. La cohésion de la base autour de l'enjeu s'est progressivement renforcée, et même lorsque les prises de position, l'analyse, et les moyens d'action se sont radicalisés, la masse, loin de reculer, a approuvé et montré son appui.

Développer la solidarité

L'évolution du réseau de solidarité de l'ADDS se fera en trois étapes relativement distinctes, qui correspondent à un élargissement progressif des appuis à la lutte contre la taxe d'eau.

De mars à septembre 1974, l'accent sera mis essentiellement sur l'organisation des assistés sociaux sur leurs propres bases plutôt que sur la constitution d'un front d'organisations alliées. Pendant cette période, c'est sur une base individuelle que l'association cherchera des appuis, notamment en faisant signer aux personnes qui ne sont pas assistées sociales, une pétition spéciale de soutien au refus de payer la taxe d'eau.

À partir de septembre 1974, chaque local de quartier, et le mouvement régional lui-même obtiendront des appuis à leur lutte de la part de groupes populaires et de groupes de travailleurs. Dans le mouvement populaire, l'ADDS sera soutenue par des garderies, des associations coopératives d'économie familiale (ACEF), des coopératives de logement, des comptoirs alimentaires, des associations de locataires, de chômeurs, des groupes d'action populaire. Il est impossible de déterminer avec exactitude, pour l'ensemble du mouvement, le nombre total de groupes solidaires. Certains locaux avaient l'appui de quinze groupes de leur quartier, ce qui donne une idée de l'ampleur du phénomène. Le soutien avait sa réciproque: l'ADDS a manifesté son support à plusieurs de ces groupes, notamment les locataires évincés par la compagnie "Clermont Motors" en 1975; en 1974 l'ADDS a participé à la lutte des garderies, à des manifestations et à l'occupation des bureaux des services sociaux, et a appuyé la lutte des travailleurs agricoles unis. Du côté du mouvement ouvrier, l'ADDS reçoit l'appui de travailleurs d'usines, notamment des compagnies Gibson, United Aircraft, Carter, White Head, Domtar, Québec-Carton, Dominion Textile, Uni-Royal et Shell Cast Foundries. Cet élan de solidarité se traduit par une participation aux manifestations de l'ADDS, à certaines assemblées, à des activités spéciales, telle la pièce de théâtre dont il sera question plus loin. En retour, les assistés sociaux sont allés faire du piquetage avec au moins quatre syndicats en grève. Quand la lutte se fera plus corsée, que les menaces de répression seront plus fortes, l'ADDS ira chercher le support de groupes plus larges, qui ne sont pas tous identifiables au mouvement ouvrier ou populaire, mais qui tous peuvent être définis comme "groupes démocratiques".

Ce troisième stade de l'évolution de la solidarité sera marqué le 3 mars 1975, par la publication d'un communiqué de presse commun à: l'ADDSMM, le module des sciences juridiques de l'UQAM, le Rassemblement des Citoyens de Montréal (RCM), le Conseil du Travail de Montréal, le Parti Québécois, la Ligue des Droits de l'Homme, et le Conseil Central des Syndicats Nationaux. Ce communiqué dénonce les avis de poursuite émis par la Ville de Montréal, réclame l'intervention du ministère sur la question de la taxe d'eau, explique pourquoi les assistés sociaux ne la paient pas, et décrit l'aide sociale comme un "décret de la misère".

Au moment plus grave encore de la coupure d'eau à Pointe-aux-Trembles, à l'automne 1976, les appuis seront encore plus nombreux: la Ligue des Droits de l'Homme (devenue depuis la Ligue des Droits et Libertés) organisera une conférence de presse pour dénoncer cette mesure comme: "un geste barbare... un geste politique... une geste répressif... un geste planifié..." avec l'appui et la signature de représentants de vingt groupes démocratiques. Six sont du milieu syndical: l'Alliance des professeurs de Montréal, les syndicats de travailleurs de CLSC, le Conseil central de la CSN, le Conseil du travail FTQ, la CEQ-Montréal, et l'alliance des infirmières de Montréal. Parmi les autres on trouve: trois groupes de femmes (carrefour des associations monoparentales, mouvement des femmes chrétiennes et Centre de la Femme Nouvelle); le caucus du parti municipal d'opposition (RCM), trois services juridiques de quartier (St-Louis, Pointe St-Charles et Petite Bourgogne), trois groupes de professionnels (la Corporation des travailleurs sociaux, l'Association des centres de services sociaux du Québec, et le Module des sciences juridiques de l'UQAM) et un CLSC (Centre Sud). Syndicats, groupes de femmes, parti municipal et clinique populaire constituent plus de la moitié des appuis.

Des appuis d'un autre ordre viendront aider très concrètement l'ADDS: le 21 novembre 1974, le syndicat des huissiers de Montréal (10 huissiers) déclare que ceux-ci sont prêts à donner des renseignements à l'ADDS et même à contester les saisies chez les assistés sociaux comme illégales s'ils sont requis d'en exécuter. Même si aucune saisie ne sera prononcée, l'appui donné par ce groupe particulier est significatif de la réaction suscitée par la mobilisation des assistés sociaux.

Dans le même style d'appui, il faut souligner la démarche du syndicat des officiers de "Bien-Être" de Montréal qui, le 28 novembre 1974, encouragera ses membres à référer les assistés sociaux préoccupés par la taxe d'eau au local ADDS de leur quartier. Dans un milieu plus éloigné encore, du moins habituellement, des préoccupations de la classe ouvrière viendra un appui spectaculaire: le journal "The Gazette" dans un éditorial, en septembre 1976, donnera raison d'avance à l'ADDS de préconiser le rebranchement illégal de l'eau aux victimes de coupures.

La lutte contre la taxe d'eau a suscité un mouvement très important de solidarité, de la part d'organisations de la classe ouvrière, et aussi de plusieurs autres. Même lorsque les appuis commenceront à venir d'un secteur plus large, le soutien concret donné par les syndicats et groupes populaires continuera d'être effectif.

La solidarité a aidé à gagner une place sur la scène politique, à limiter la volonté de répression chez l'adversaire, mais elle a aussi permis de tisser des liens: des ouvriers et des assistés sociaux se sont rencontrés, ont échangé sur leurs luttes respectives, ont réfléchi sur leurs points communs. Ces acquis, moins palpables, sont essentiels à long terme, dans une perspective de remise en cause globale des situations d'exploitation.

La participation active aux manifestations du 1er mai, fête internationale des travailleurs permet de souligner la solidarité et de se définir en tant que membres du prolétariat.

D'un autre côté l'implication dans les manifestations et activités diverses à l'occasion du 8 mars, mettent en évidence l'identification aux luttes des femmes, et plus particulièrement des travailleuses, toujours plus exploitées que leurs compagnons, et qui justement sont plus nombreuses à "tomber sur le bien-être" [5].

Quand l'action s'enracine dans la culture...

Un des buts essentiels de la lutte, indissociable des objectifs économiques et politiques, a été de contribuer à transformer la vision que les assistés sociaux avaient d'eux-mêmes et du monde.

Pour que les idées évoluent, soient profondément modifiées, dans un milieu donné, la pédagogie doit s'ancrer sur une connaissance de la culture de ce milieu: la progression au plan idéologique passe par le respect de cette culture.

La lutte contre la taxe d'eau a suscité une production culturelle d'une grande richesse: cette éclosion ne s'est pas exprimée de manière parallèle ni secondaire, mais au coeur même de l'action.

Dans la plupart des organisations populaires que nous connaissons, les stratèges ignorent la dimension idéologique et culturelle, ce qui rend inintelligibles bien des échecs et des stagnations. Dans d'autres, un dogmatisme tranchant plaque des slogans à teneur révolutionnaire sur des problèmes immédiats de manière tout à fait bancaire [6], sans que les populations se soient appropriées des outils d'analyse critique qui permettraient de voir les liens avec la réalité vécue: l'organisme vivant rejette le corps étranger qu'il est incapable de digérer, de "faire sien". Que peut vouloir dire un slogan comme "Luttons classe contre classe" pour un assisté social non-politisé pour qui le mot "classe" évoque spontanément et à prime abord la division des niveaux scolaires à l'école?

Les leaders du mouvement des assistés sociaux ont su s'appuyer sur les éléments libérateurs de la culture populaire et mettre les capacités créatrices de tous au service de la lutte.

Une formation politique à partir du vécu

Lors de son Congrès de 1972, l'ADDS a voté des résolutions qui étaient en vigueur lorsque débute la lutte contre la taxe d'eau:

> *"Identification au mouvement ouvrier québécois, pour s'attaquer aux problèmes communs et contester le système qui nous exploite; politisation de la classe ouvrière pour en arriver à un changement social;*
>
> - *formation des membres par une réflexion sur les luttes et sur le système; que les membres aillent aux causes profondes de la situation;*
> - *que l'ADDS soit:* • *un mouvement populaire structuré,*
>   - *accessible au maximum de personnes qui répondent à la définition de membre,*
>   - *qui lui permet de s'engager dans un processus de politisation,*
>   - *à travers une formation orientée sur la législation sociale et ce qui en découle.*
> - *que le service ne soit pas un service d'intégration, mais qu'il atteigne les objectifs de formation"* [7].

Mais ces objectifs en 1972 et 1973 étaient restés de l'ordre du discours: la pratique n'avait pas suivi, et lorsque s'engage la lutte contre la taxe d'eau, la position de classe réelle de l'association telle qu'elle se traduit dans ses actions ne montre pas "l'identification au mouvement ouvrier québécois"... ni la "politisation... pour en arriver à un changement social" qui sont préconisés. La lutte contre la taxe d'eau va lui faire franchir un saut qualitatif important.

Avant la lutte contre la taxe d'eau, des cours sur le "bill 26" (loi d'aide sociale) ont commencé à être donnés aux assistés sociaux. Ces cours vont être multipliés à partir de 1974, car la lutte fait ressentir plus vivement la nécessité de former de nouveaux militants, et amène aux différents locaux du mouvement un nombre croissant d'assistés sociaux, tous néophytes en matière d'engagement militant. Le chapitre 2 du présent ouvrage porte sur ces cours.

L'ADDS, de 1974 à 1976, va développer une pratique de formation de leaders, en deux étapes. Au cours de la première partie, trois objectifs sont poursuivis: que les assistés sociaux s'approprient la loi d'aide sociale, qu'ils s'approprient l'analyse de classe, qu'ils s'outillent en techniques de travail.

Pour répondre au premier objectif une version vulgarisée, simplifiée, de la loi est diffusée, qui explique clairement les droits, les cas spéciaux, les recours. La réponse aux questions des participants aux sessions éclaire les points obscurs et facilite la compréhension. Tout est fait dans la présentation pour que les possibilités qu'offre la loi soient considérées comme des droits et non des "cadeaux".

Le second objectif, transmettre une analyse de classes, passe par une démarche systématique de "conscientisation" à partir du vécu individuel et collectif. Des "tours de table" où chaque assisté social exprime pourquoi il a eu recours à l'aide sociale, comment il s'est senti lors de sa demande, et dans un deuxième temps quel genre d'emploi il a exercé dans le passé, lui ou son conjoint, permettent de découvrir, dans une démarche de "mise en situation" significative que les assistés sociaux ont un vécu commun, celui de l'exploitation, et de remonter à ses causes. À partir de là, un apport plus théorique sur la division de la société en classes, illustré d'exemples, peut être fait.

Photo: OPDSRM

Le troisième objectif est essentiel à la formation de futurs leaders d'une organisation populaire: il concerne l'outillage technique. Notons d'abord que le niveau de scolarité de la plupart des assistés sociaux est très bas. Les apprentissages nécessaires couvrent donc une gamme très large de domaines. Ils seront faits de deux manières: d'une part dans des séances de formation, d'autre part, au jour le jour, au fil du déroulement des activités des locaux de quartier, par l'expérience et par des explications sur la forme et le contenu de ce qui se déroule. Ainsi progressivement, des assistés sociaux apprendront: à prendre des notes lors d'un comité, à en faire rapport à leurs pairs; ce qu'est un processus démocratique en réunion, en assemblée; ce que signifie défendre une position minoritaire; le sens d'un vote; la manière de débattre des propositions; celle de se préparer à défendre la position du groupe qu'on représente. De longues analyses, après chaque activité (réunions, manifestations, etc.) aident à clarifier comment s'est mené un débat, quelles propositions s'affrontaient, quels enjeux étaient soulevés, et à aborder le problème de l'unité d'action.

La deuxième partie de la formation des leaders, qui sera donnée plus spécialement dans un quartier en 1976, se fera à partir des cahiers de Marta Harnecker et Gabriela Uribe, publiés par le Centre de Formation Populaire, qui traitent de l'analyse de classes, de l'exploitation, de l'organisation politique. Elle se poursuivra par l'étude de divers concepts tels que: réactionnaire, révisionniste, réformiste, anarchiste, État, appareil, cadre, etc.

Il apparaît clairement que dispenser semblable formation est un gain très notable en matière d'autonomie idéologique, car elle rend possible concrètement, même si le processus est très long, la prise en main de l'organisation par des personnes issues de la base.

Un petit fait, qui pourrait paraître anodin, mérite d'être signalé car il fait ressortir un aspect de cette formation: un souci particulier est porté dans le contenu et le déroulement des assemblées régionales, pour qu'aucun mot "nouveau" pour des personnes peu instruites ne soit utilisé sans être défini, expliqué, illustré, et accompagné d'un synonyme plus connu, qui disparaîtra au bout de plusieurs utilisations. Ce type de démarche sera surtout employé pour faciliter l'utilisation progressive de termes relevant de l'analyse de classes, et situer la lutte contre la taxe d'eau dans un rapport entre les forces sociales.

Des temps d'arrêt sont pris sur le vif pendant les activités pour travailler des sujets significatifs pour des personnes de la classe populaire, à partir de leur vécu personnel. Par exemple, au retour des fins de semaines ou du congé des fêtes où les membres actifs ont été exposés aux préjugés du milieu familial, on prend le temps d'échanger sur les questions soulevées par ces confrontations: "mon beau-frère m'a dit qu'il est tanné de payer des taxes pour me faire vivre", "ma soeur m'a vu à la TV dans une manifestation et elle me traite de communiste", etc. Si on passait à côté de ce questionnement, on manquerait de bonnes occasions de favoriser le cheminement d'une conscience critique. Il ne faut pas avoir peur des digressions. Ce travail plus diffus sert à renforcer l'organisation.

Dans certains quartiers, la formation a été encore plus poussée, pour un certain nombre d'assistés sociaux qui représentaient leur local de quartier dans des comités du mouvement où siégeaient des membres de groupes marxistes-léninistes. Elle a porté sur les groupes politiques présents dans le mouvement au cours de la lutte contre la taxe d'eau, et leur idéologie. Le programme de formation abordait les notions de: contradiction, contradiction fondamentale, stratégie, les lignes tactiques des groupes "En lutte", et "la Ligue communiste marxiste-léniniste", le marxisme, la propagande, l'agitation communiste, les tâches des militants politiques, et l'analyse des classes sociales en général.

"La lutte nous a permis de clarifier les positions politiques de certains groupes, de reconnaître (tant au plan local que régional) nos véritables alliés, nos alliés tactiques, et nos ennemis, et d'ajuster notre mode d'intervention"[8]. L'impact de la lutte sur l'autonomisation idéologique est ici évident. Il faut souligner que 1975 et 1976 furent des années où l'ADDS fut très courtisée par les groupes politiques d'extrême-gauche. En 1976, les textes diffusés à l'ADDS comprenaient les journaux suivants: En Lutte, La Forge et d'autres textes de la Ligue communiste, de la Librairie Progressiste, dont la revue Mobilisation, ceux de Bolchevik Union, du Groupe Marxiste Révolutionnaire, et le journal Canadian Revolution.

Si les débats entre tenants de lignes politiques divergentes ont pu constituer une entrave au fonctionnement de l'ADDS, notamment lors de choix sur l'orientation du mouvement et de la lutte, ils ont eu par ailleurs un autre type d'effet: dans les quartiers où une démarche systématique de formation politique se faisait, les questions suscitées par ces débats de ligne, étaient l'occasion d'une formation intensive pour les assistés sociaux, par une analyse approfondie des diverses prises de position. Ce type de formation existait dans les quartiers qui développaient une position de classe prolétarienne, sans être alignés sur la ligne d'un groupe politique, soit trois locaux sur huit en 1976.

Dans certains quartiers la politique d'intégration au local au plan du partage des tâches, de la formation, et des compensations a été articulée de façon systématique: à chaque nouvelle tâche à accomplir correspond un processus de formation spécifique de type technique ou politique, ce qui permet de s'assurer de l'aptitude de chacun à assumer les responsabilités qui lui sont confiées.

Rares sont les groupes populaires qui ont introduit un lien direct entre l'implication régulière de leurs membres et la nécessité d'une formation préalable, donnée à la fois au cours de sessions spéciales, et "sur le tas" par l'expérience du quotidien de l'organisation.

Les manifestations: un "théâtre de l'opprimé[9]"

À l'ADDS, les manifestations s'inscrivaient dans un continuum, articulé au vécu quotidien relié à la question de la taxe d'eau. Elles prenaient en quelque sorte la forme d'une expression dramatisée de l'oppression vécue par les assistées sociales et assistés sociaux sur cet enjeu.

Par quoi se traduisait le problème de la taxe d'eau pour une assistée sociale au fond de sa cuisine? Par un compte, puis une mise en demeure de payer, éventuellement un avis de saisie: bref une menace inquiétante. Il fallait donc partir des comptes d'eau, et agir sur la perception, les sentiments qu'ils inspiraient.

Dans un premier temps, et le processus s'est répété chaque année, les assistées sociales et assistés sociaux étaient invités à les apporter à leur local de quartier: c'était l'occasion d'un premier contact chaleureux, d'un échange avec des pairs. Puis lors des manifestations on liquidait la peur, dans un rituel symbolique: les comptes étaient brûlés ensemble et en très grand nombre dans un gros bidon.

Ce geste sera répété à plusieurs reprises, mais bien d'autres voies seront trouvées pour tourner en dérision la menace représentée par les comptes de taxe d'eau, lors des diverses manifestations:

- le responsable lointain, le ministre Forget, sera pendu en effigie, puis brûlé au milieu des comptes d'eau;
- des banderolles seront fabriquées avec les comptes d'eau;
- en 1977 un sapin décoré de comptes d'eau sera remis au bureau du Maire de Montréal;
- des colis de Noël remplis de comptes d'eau seront livrés à l'Hôtel de Ville;
- les participants à une manifestation se coifferont de chapeaux faits de comptes d'eau;
- deux assistés sociaux déguisés l'un en ministre des Affaires Sociales, l'autre en Maire de Montréal, conduiront une marche en se renvoyant une grosse balle faite de comptes d'eau, reproduisant la "patate chaude" qu'ils se renvoyaient sans

cesse depuis des années, aucun des deux ne voulant prendre
la responsabilité d'une solution...

Photo: OPDSRM

Tous ces symboles, en plus de frapper l'imagination, rendent la participation plus
captivante, non seulement le jour de la manifestation, mais à toutes les étapes
de sa préparation. Dans les comités de tâches indispensables pour en assurer le
succès, tout un travail de formation se réalise. Ainsi le comité responsable du
service d'ordre d'une manifestation est aussi chargé de prévoir le contenu des slogans qui l'animeront: encadrer la marche, éviter les heurts qui décourageraient
les manifestants néophytes, sont bien sûr les premières raisons de l'existence d'un
tel comité, mais à cet aspect technique se greffe la diffusion de ce qui est la raison d'être de la mobilisation: les revendications. Ainsi les membres du service
d'ordre, tout au long d'une manifestation ont une fonction d'animation: ils insuf-
flent du dynamisme en veillant à répercuter et faire reprendre en choeur des chansons et des slogans qui ne sont pas parachutés de l'extérieur, mais au contraire
qu'ils ont eux-mêmes créés. **"La taxe d'eau, on la paie pas"**, **"Forget paye ta dette"**,
"C'est à nous de décider de nos besoins". Lors de la première grande manifestation en 1974, le mot d'ordre " **Le 8% on l'a mangé** " a été lancé et les mani-

festants l'ont spontanément complété : " **C'est ben d'valeur mais on avait faim** " . Les slogans apparus par la suite témoignent d'une progression de la politisation:

- "**La taxe d'eau une bataille à gagner, contre les boss une guerre à terminer.**"
- "**Solidaires, nous vaincrons.**"
- "**Luttes populaires, luttes ouvrières, solidarité.**"
- "**Informés, organisés, armés pour continuer.**"
- "**Nous exigeons de Drapeau, l'abolition de la taxe d'eau.**"
- "**Pour gagner nos droits, à bas l'État bourgeois.**"
- "**Des piscines pour les olympiques, des coupures pour les assistés sociaux.**"
- "**Les assistés sont ben tannés, de se faire exploiter.**"

La compréhension du sens des manifestations est facilitée par une démarche collective dont le déroulement est soigneusement planifié. Tout d'abord les manifestants sont réunis dans une grande salle. Là, les objectifs de la manifestation sont expliqués, situés par rapport aux actions précédentes, et aux pressions de la ville et du ministère. Chaque quartier se présente, avec les slogans et chansons préparés pour la manifestation; le sens politique des slogans et chansons est expliqué.

Les groupes populaires ou syndicats alliés se présentent en mentionnant quelques fois un exemple des luttes qu'ils mènent. Puis les participants procèdent à une répétition générale des slogans et des chansons. Ensuite la marche commence soit vers l'Hôtel de Ville, soit vers un bureau important d'aide sociale ou un bureau du Ministère des Affaires Sociales.

Au point d'arrivée, une action d'éclat symbolique a lieu (nous les avons énumérées plus haut). À la fin de la manifestation, tous retournent dans la salle qui a servi de point de rencontre, pour commencer à élaborer des perspectives, et lancer des mots d'ordre pour la poursuite de la lutte. En guise de clôture, les assistés sociaux chantent en choeur tantôt leur chant "Solidaires, assistés sociaux", tantôt l'Internationale. Puis chacun rentre chez soi, après que la date de la prochaine assemblée ou activité ait été rappelée.

En résumé, une attention soutenue à la manière dont l'action est vécue par la base, porte des fruits. Il est difficile de les évaluer bien sûr à court terme, mais à long terme cette démarche est garante d'une plus profonde adhésion à la lutte.

Photo: OPDSRM

En schématisant, on peut dire que dans les manifestations on tenait réellement compte des conditions de vie et de l'univers culturel des assistés sociaux dans le sens suivant:

- un horaire adapté (aux mères de famille surtout, qui doivent être à la maison pour le retour de l'école);
- une durée assez brève (à cause de la mauvaise santé d'un grand nombre);
- le maintien d'un certain calme (la présence de la police est provocante: il faut éviter que la peur ne s'empare des manifestants);

Photo: OPDSRM

- les tracts et les textes des slogans et chansons du jour distribués à tous;
- dynamisme et rythme soutenu dans l'animation;
- explications claires des objectifs dans un langage simple;
- utilisation de symboles significatifs;
- appel bien coordonné à la participation par le biais des comités de tâches;

La chanson politique et la lutte

Des dizaines de chansons ont été composées pendant la lutte contre la taxe d'eau.
Comme pour les slogans on peut noter dans les chansons une évolution de la perception que les assistés sociaux ont de leur situation et de la question de la taxe
d'eau. En 1974 on chante: "On dépend du gouvernement", mais au fur et à mesure
du développement de la lutte on en arrive à: "Aux côtés des ouvriers nous luttons
contre l'État", paroles d'une chanson créée en 1975, qui deviendra l'hymne des
assistés sociaux.

Nous présenterons ici quelques-unes des chansons les plus significatives.

Première manifestation, 9 octobre 1974.
(Air: Ya Ka Dou)

Assistés sociaux,
On ne peut pas payer la taxe d'eau,
Assistés sociaux,
Nous on veut garder notre eau,
On n'a pas d'argent,
On dépend du gouvernement,
C'est en combattant,
Qu'on ne sera pas perdants.

ADDS Hochelaga-Maisonneuve: 1975
La bataille est commencée, faut la continuer...

Pour gagner faut se battre,
Pour gagner faut se battre,
Contre l'État des boss,
Contre l'État des boss,
Notre taxe d'eau, on l'a pas payée,
Le 8% on l'a mangé,
Forget paye ta dette (bis).

Pour gagner faut se battre (bis),
Contre l'État des boss (bis),
On va continuer dans nos quartiers,
À s'informer, à s'organiser,
Pour qu'on puisse avoir,
encore d'autres victoires!

Chanson de Mercier sur la taxe d'eau
2ième manifestation, octobre 1975.
(Air: La Molson de Tex Lecor)

1. Un vrai combat on sait c'que c'est...
   L'ADDS MERCIER est là...
   Pour combattre nos ennemis,
   Pour nous il n'y a pas de prix,
   Car l'eau c'est ça qu'on boit chez-nous!

2. Nous convaincrons ti-jean drapeau,
   Que la taxe d'eau pour nous c'est trop,
   Vu que Forget est entêté,
   Alors il ne faut pas lâcher,
   Car l'eau c'est ça qu'on boit chez-nous!

3. Les saisies c'est bien plus critique,
   Ce n'est pas les jeux olympiques,
   Drapeau lui, a ses subventions,
   Nous, nous avons des sommations,
   Car l'eau, c'est ça qu'on boit chez-nous!

CHANSON DES ASSISTES SOCIAUX

REFRAIN:

SO-LI-DAIRES AS-SIS-TÉS SO-CIAUX
AUX CÔ-TÉS DES OU-VRI-ERS

NOUS LUT-TONS CON-TRE L'É-TAT
FIN LUT-TONS CON-TRE LES BOUR-
GEOIS

SOLIDAIRES, ASSISTES SOCIAUX

NOUS LUTTONS CONTRE L'ETAT,

AUX COTES DES OUVRIERS

LUTTONS CONTRE LES BOURGEOIS

COUPLETS:

On est plus de 200,000
Anciens ouvriers
Des mères chefs de famille
Des handicapés;
On est plus de 200,000
Parce que les patrons
Nous ont rendu inutiles
Pour s'faire des millions
oui, mais... (refrain)

L'Etat nous jette des miettes
Tout comme à des chiens
On est pris avec des dettes,
Les menottes aux mains,
L'Etat nous jette des miettes,
Le Bien-Etre social;
On est une main-d'oeuvre toute prête
Pour le Capital,
oui, mais... (refrain)

Mais notre colère monte;
Après la taxe d'eau,
On se bat contre la refonte
Et la loi Trudeau
Oui, notre colère gronde
Ensembles, luttons
Il faut rebâtir un monde
Sans exploitation,
toujours... (refrain)

Changer le sens des fêtes et des temps libres

La période de Noël est un moment de fête important dans les milieux populaires. Une organisation de lutte se doit de contester le cycle infernal de la surconsommation dont Noël est entouré: mais faut-il pour autant refuser de fêter?

En 1974 les assistés sociaux ont fêté Noël de manière inusitée. En assemblée générale une pièce de théâtre a été créée, mettant en scène un Père Noël porteur de "cadeaux" de la part du gouvernement: à des représentants des compagnies multinationales, il remettait de gros cadeaux: des chèques de subventions; aux assistés sociaux, il remettait de minuscules cadeaux qui symbolisaient l'augmentation de 10.4 % des taux d'aide sociale annoncée pour janvier, accompagnés des mises en demeure de payer la taxe d'eau. À travers le jeu et les rires, on explique que les subventions dont il est question sont des exemples réels, on situe les compagnies et les sommes versées, et on dénonce le rôle de l'État et l'utilisation injuste des fonds publics.

Une pièce de théâtre "Des femmes s'organisent" a été entièrement montée et jouée par des assistées sociales le 8 mars 1975, dans le quartier Mercier. Son contenu montrait le passage de l'isolement au regroupement, la nécessité de la solidarité, de la défense des droits. Cette pièce filmée sur bande vidéo, servira d'instrument de sensibilisation à la lutte contre la taxe d'eau pour les assistés sociaux et pour des groupes alliés.

En juin 1975, lors d'une autre assemblée, une pièce de théâtre, entièrement montée par des représentants de tous les quartiers fait ressortir la dépendance de l'État vis-à-vis des grandes compagnies canadiennes et américaines, l'écart entre la pratique et le discours du gouvernement, la nécessité de la solidarité entre assistés sociaux et travailleurs en grève. Ce contenu est très articulé avec la réalité du moment: des grévistes de la compagnie Domtar sont présents, et après la pièce on explique et commente le fait que l'État québécois vient d'accorder une très grosse subvention à la compagnie américaine ITT pour investir sur la Côte-Nord.

D'autres activités: sorties, vacances collectives, spectacles, seront l'occasion de lier peu à peu l'engagement politique et la vie privée. En effet, les membres de l'ADDS avaient réalisé la nécessité de développer ces nouvelles possibilités de loisirs à cause des ruptures dans les réseaux habituels de relations, que provoque pour des personnes du milieu populaire le choix de militer dans une organisation située à gauche. Au chapitre 3, Louise Leboeuf parle de façon plus détaillée de l'expérience des camps et de la maison de campagne collective. Après des journées comme le 8 mars ou le 1er mai, ou après les manifestations et les actions importantes, les membres actifs se rassemblent chez l'une ou chez l'autre pour écouter ensemble les nouvelles à la T.V., lire l'interprétation des média, discuter et fêter.

Photo: Local Mercier OPDSRM

Des activités d'un caractère plus exceptionnel peuvent aussi intervenir dans la vie de l'organisation. En août 1975, deux militantes de l'ADDS, une assistée sociale, et une ex-assistée sociale devenue coordonnatrice du mouvement, seront envoyées en Chine pour un voyage d'études. Elles en ramèneront un diaporama qui sera diffusé dans des assemblées d'assistés sociaux. Le but de ce voyage est de permettre à des personnes de la classe ouvrière de réfléchir sur les aspects concrets du socialisme, et de faire connaître leurs réactions aux membres de leurs organisations.

Développer la conscience de classe

L'option de l'ADDS en faveur des intérêts de la classe ouvrière, s'est de plus en plus affirmée au cours de la lutte contre la taxe d'eau. Un nombre sans cesse croissant d'assistés sociaux a été rejoint d'une manière ou d'une autre, par abonnement à son journal, distribution de tracts et de journaux dans les bureaux d'aide sociale, par des assemblées, par des communiqués ou conférences de presse.

Il est difficile d'évaluer si cette sensibilisation a réellement élevé le niveau de conscience de classe, à quel point, et dans quelle proportion.

Dans un bilan de la lutte, effectué en 1978, l'ADDS d'un quartier souligne:

> *"La lutte nous a permis de clarifier nos objectifs et d'avancer des revendications plus appropriées.*
>
> *La lutte a permis d'assurer une formation plus politique et plus avancée qu'en tout autre temps aux membres du comité de stratégie. Cependant, il ne nous a pas toujours été possible de reprendre le contenu avec la masse des assistés sociaux. À l'heure actuelle, nous constatons qu'il nous est difficile de mesurer comment passe le contenu politique par rapport à la masse* [10]*."*

Certains gestes posés par les militants les plus actifs de l'organisation ont concrétisé leur conscience du lien entre les divers enjeux des luttes: participation à des lignes de piquetage, appui à des travailleurs en grève, célébration du 8 mars, fête internationale des femmes en commémoration d'une dure bataille menée par des ouvrières, participation à la manifestation du 1er mai avec un grand nombre d'organisations de la classe ouvrière.

Sans s'impliquer directement, une bonne partie de la masse des assistés sociaux a été régulièrement tenue au courant de ces activités et de leur raison d'être. Certains quartiers ont vérifié à plusieurs reprises l'intérêt des abonnés au journal "l'Organisation Populaire" envoyé gratuitement, pour un renouvellement de leur abonnement: un nombre très restreint ne se réabonnaient pas.

La lutte sur la taxe d'eau a fait découvrir à un grand nombre d'assités sociaux: "... les structures injustes, (...) la domination, les mensonges, les préjugés" et leur a apporté: "... revalorisation, solidarité..., combativité, redécouverte d'un sens à la vie, créativité". On a commencé à "croire en une société nouvelle, croire que la vie peut être plus juste" [11].

Conclusion

Comme toutes les luttes, la lutte contre la taxe d'eau a connu ses limites sur lesquelles nous n'avons pas jugé essentiel de nous appesantir, dans un contexte où la gauche est prolifique en rétrospectives désabusées. Nous avons voulu plutôt faire ressortir en quoi cette lutte constitue un exemple réussi de stratégie de politisation articulée sur des problèmes concrets pour lesquels on a su trouver un moyen de pression efficace, tout en s'organisant de manière autonome. C'est une nouvelle voie d'action qui devrait pouvoir inspirer nombre de groupes populaires qui se sont enlisés dans des luttes à court terme.

Les victoires et notamment les effets politiques de cette lutte viennent remettre en question les préjugés et le dédain affiché par certains théoriciens et militants à l'endroit des assistés sociaux considérés comme un groupe social incapable de s'insérer dans un processus de transformation sociale (dédain attribuable à une assimilation, à la fois hâtive et dépassée, à ce que Marx appelait le "lumpenprolétariat"). Selon nous, d'une part l'intervention de l'État pour le maintien du minimum de subsistance des assistés sociaux a créé les conditions d'une mobilisation de cette couche sociale, d'autre part ce surplus de population est plus ou moins temporairement exclu du marché du travail, mais néanmoins toujours partie intégrante de la classe ouvrière. Et cette lutte révèle qu'une action menée à partir des besoins et intérêts réels de cette couche du prolétariat est mobilisatrice.

Soulignons enfin une dimension importante qui a influencé sans aucun doute la lutte contre la taxe d'eau: ce sont essentiellement des femmes, à tous les niveaux, qui l'ont menée, et ce sont surtout des femmes qui se sont mobilisées. L'approche et les moyens d'action ont été colorés de cette réalité. En particulier les liens entre lutte politique et vie privée n'ont pas été laissés de côté: ne peut-on trouver là une source d'inspiration féconde pour la pratique de bien des organisations populaires?

La pratique originale développée au cours de cette lutte a su faire jaillir un dynamisme et un potentiel de solidarité dont il sera de plus en plus nécessaire de tenir compte dans le mouvement ouvrier et populaire, en ces temps où la masse des assistés sociaux s'accroit sans cesse, dans un contexte de crise économique généralisée.

CHAPITRE 2

LE BIEN-ÊTRE SOCIAL,
PAS UN CHOIX, MAIS UN DROIT!

Session de formation sur la loi d'aide sociale

Gisèle Ampleman

Mon expérience de la loi d'aide sociale, appelée communément le bill 26, s'éche-lonne sur une période de 9 ans.

Elle a commencé en juin 1972 lors de mon inscription à une session de formation sur la loi 26 afin de pouvoir travailler dans un local d'avocats populaires. Cette session de formation fut donnée par deux assistées sociales du quartier Mercier (Longue Pointe - Tétreautville). Ces mères-chefs de famille avaient elles-mêmes suivi ce cours au local de Centre-Sud. Elles désiraient à leur tour ouvrir un local pour la défense des droits sociaux. Ce fut une expérience pédagogique très enrichissante.

À l'école des assistées sociales

Dès le premier contact, l'accent mis sur l'aspect visuel m'a frappée: la loi était écrite sur de grandes pancartes avec de grosses lettres bien colorées. La raison de cet instrument pédagogique est contenue dans cette phrase lapidaire: "moi, dit l'une d'elle, je comprends quand je vois et une autre de rajouter moi, je com-prends quand on me donne des exemples". Ces deux commentaires seront pour moi le point de départ d'une recherche constante: comment rejoindre les masses populaires dans leur réalité concrète et dans leur univers culturel. Ce qui m'a aussi fort interpelée, ce fut le degré de participation: tout le monde parlait, tel-lement que les animatrices avaient de la difficulté à maintenir un certain ordre. Tous y allaient de leurs questions, de leur expérience. À la fin de la journée, vers 22 heures, on entendait des "pas déjà fini". Et au seuil de la porte, on continuait à partager ce qu'on avait gardé pendant ces trente, cinquante ans de vie, pleine de labeurs, d'enfants et d'expériences de toutes sortes.

Pourquoi ça se passait-il ainsi? Les raisons, pour moi, sont multiples. Un climat de confiance y régnait. Les questions posées et l'expérience partagée rejoignaient celles des animatrices. Tout ce qui se disait devenait important autant pour les participantes que pour les animatrices. Ces premières constatations ont été pour moi le début d'une recherche de ce qu'est la classe ouvrière. Je me suis posée des questions non pas uniquement sur le système capitaliste, mais aussi sur mes techniques d'approche, sur mes façons d'expliquer les choses. Et, ensemble, depuis neuf ans, nous nous posons les mêmes questions parce qu'ensemble, nous avons besoin de libération, parce que même si nous appartenons à des classes et couches sociales différentes, nous sommes aux prises avec les mêmes exploitations économiques, les mêmes dominations politiques et les mêmes aliénations culturelles et religieuses.

Remontons dans l'histoire

Pour mieux saisir l'évolution de cette session de formation, situons brièvement les grandes étapes de l'A.D.D.S.M.M. (Association pour la défense des droits sociaux du Montréal-Métropolitain).

Dès 1970, des bureaux d'avocats populaires naissent dans certains quartiers de Montréal: Pointe St-Charles, St-Henri, Petite Bourgogne et Centre-Sud. Des jeunes animateurs sociaux venant des projets comme "Initiatives locales" et "Perspective Jeunesse" ouvrent des bureaux d'avocats populaires. Très vite "on devient des maîtres", on fait du bureau et on règle des cas. Même si tous ces modèles sont empruntés à l'idéologie bourgeoise, il se passe un phénomène nouveau: les assistés sociaux s'informent de leurs droits. La loi d'aide sociale devient accessible. On rédige un texte de loi qui s'intitule: Bill 26 simplifié. Dans ces quartiers on donne des cours, il y a un maître et des élèves reçoivent des diplômes de la Commission des Écoles catholiques de Montréal (C.E.C.M.). L'information transmise est plutôt de type légal, mais populaire.

De 1972-1974, les différents bureaux d'avocats populaires se donneront une charte sous le nom de: Association de défense des Droits sociaux. Les avocats populaires s'appelleront désormais des A.D.D.S. Les bureaux deviennent des locaux. On ne se défend plus seul mais avec d'autres. Au local Mercier, la session de formation sur la loi 26 se modifie et les objectifs à cette période se définissent ainsi:

1. Apprendre à l'assisté social à se défendre;
2. Connaître ses droits;
3. Lui faire connaître les causes de son exploitation;

4. Se politiser;
5. Avoir de nouveaux militants.

Le cours prend un tournant et les sessions font découvrir qui sont les assistés sociaux. Cette approche à partir de la réalité concrète, du vécu économique, politique et culturel affine notre connaissance.

De 1975 à 1981, voici les objectifs que nous poursuivions:

1. Briser l'isolement des assistés sociaux;
2. Abattre les préjugés, la peur, la honte;
3. Développer une solidarité de classe entre les assistés sociaux et les travailleurs;
4. Connaître ses droits en tant qu'assistés sociaux;
5. Apprendre à se défendre personnellement et collectivement;
6. Que des nouveaux membres s'impliquent dans l'organisation;
7. Que l'information débloque sur une action collective.

Le travail d'équipe est privilégié. Nous avons presque toujours donné les sessions à deux: une militante assistée sociale et une militante personne-ressource. Chaque rencontre a été pour nous l'occasion d'un approfondissement de ce qu'est l'assistée sociale dans son mode de vie, dans son oppression, dans le contrôle de l'État sur tous les recoins de sa vie privée. C'est pourquoi après neuf ans de rencontres nous en arrivons à mettre l'accent sur les facteurs de l'aliénation plutôt que ceux de l'exploitation.

S'ouvrir à un savoir qui n'est pas dans les livres

L'expérience nous révèle que les assistés sociaux sont fiers, même très fiers. Ils ne vont pas affirmer du premier coup qu'ils sont sur le BES, qu'ils sont endettés et bien d'autres choses difficiles à dire. Or, si nous voulons qu'ils prennent la parole, qu'ils aient confiance en ce qu'ils sont, il faudra faire attention à une série de petites choses qui pour certains paraissent quétaines voire même ridicules. Mais l'expérience nous démontre que ce n'est qu'à travers ces mêmes petites choses que bien souvent commence une prise de la parole... une main qui se lève timidement... partageant une expérience d'exploitation. Si l'animatrice ne sait pas écouter ou poser une question faisant prolonger cette prise de la parole, on se privera d'un savoir qui traduit dans le quotidien la dure réalité des dominations et des oppressions.

Dire sa vie dans son exploitation économique et ses aliénations culturelles n'a pas

de valeur ni d'intérêt pour plusieurs, car cette expérience n'a rien de scientifique, ces données, cette réalité ne se trouvant pas dans les livres. D'où les conflits
idéologiques entre militants car certains privilégient la méthode déductive, c'est-
à-dire partir des connaissances théoriques pour politiser. Loin de nous l'idée de
mépriser cette connaissance, mais nous la critiquons quand elle reproduit les schémas de ce que l'on appelle l'école "bancaire", les modèles de "maître-élève". Sans
se poser de questions, on reproduit les rapports sociaux de domination.

Si on veut devenir tous et toutes des maîtres de l'Histoire, de sa propre histoire
personnelle et collective... il est alors important, là où on est, de mettre sur pied
des structures s'efforçant de traduire notre projet de société. Là-dessus, nous avons
fait beaucoup d'erreurs et nous avons beaucoup de chemin à parcourir pour continuer ce processus de libération. C'est pourquoi nous vous livrons ces quelques
acquis et limites de notre expérience en espérant que ces quelques lignes suscite-
ront chez vous intérêt, dynamisme et questionnement.

Plan de la session

La session de formation se répartit habituellement sur une période de trois jours
consécutifs avec différents thèmes:

1er jour: 1. Ma réalité d'assistée sociale: mon vécu c'est important. Pourquoi suis-
je tombée sur le Bien-Être Social?
2. Mon expérience d'ex-travailleuse. L'expérience de mon conjoint, c'est
quoi? Pour qui ai-je travaillé? Et dans quelles conditions?

2e jour: 3. La connaissance de nos droits.
Le "Bien-Être" n'est pas un choix mais un **droit**.

3e jour: 4. Pour se défendre, il faut s'organiser, sinon on se fait organiser.

1er jour:

1. Ma réalité d'assistée sociale
Mon vécu c'est important
Pourquoi suis-je tombée sur le Bien-Être?

Objectifs	Contenu	Outils pédagogiques

1. se connaître
2. briser l'isolement
	-mot de bienvenue
	-présentation des
	  personnes
	-qui suis-je? Assistée
	  sociale, travailleuse
	  sans emploi
		jeu: je pars en voyage

3. ajuster nos attentes:
  participantes et
  animatrices
	-présentation de la
	  session
	-pourquoi je viens
	  à la session
	-quelles sont mes
	  questions?
		pancarte
		
		-tour de table
		
		-les écrire sur une
		  feuille

4. prise de parole
  dans son histoire
  personnelle
 	
5. identification à sa
  couche sociale
  éveiller à la solidarité
  de classe
  découverte du caractère
  collectif de son vécu
	-ma réalité d'assistée
	  sociale, mon vécu,
	  c'est important
	-pourquoi suis-je tombée
	  sur le BES?
	
	-analyser les données
		-le jeu des mots:
		1. pourquoi suis-je allée
		  au BES la première fois?
		2. comment ai-je vécu
		  cela?
		3. comment ai-je perçu
		  mon agent?
		-faire faire la synthèse
		  par les participantes
		-pancarte synthèse

Vous constaterez qu'à chaque objectif formulé, nous mettons un contenu tenant compte de la conscience de classe et à ce contenu correspond un outil pédagogique approprié. Cela évite que les objectifs demeurent généraux et abstraits. L'outil pédagogique s'efforce de s'adapter à la connaissance ouvrière. De plus, on essaie de varier les approches.

Prise de la parole et identification à sa couche sociale

La session commence toujours par un mot de bienvenue. Après nous abordons l'étape de la connaissance des personnes. Cela se fait sous forme de jeu permettant de "dérider les plus gênées". Il existe plusieurs manières de présenter les personnes, nous retenons ici le jeu du "je pars en voyage". Il consiste à dire son prénom et si on est assistée sociale, chômeur ou personne-ressource et depuis combien d'années?

Je pars en voyage: je suis Nicole, assistée sociale depuis 5 ans. La suivante dit: je pars en voyage avec Nicole, je suis assistée sociale depuis 3 mois et je suis Monique, l'autre dit: je pars en voyage avec Nicole et Monique, je suis Marie, personne-ressource à l'O.P.D.S. depuis 6 ans, etc... Ce n'est pas un jeu de mémoire, c'est pourquoi le prénom est écrit sur le macaron... c'est aussi un autre objectif du macaron. Si nous voulons que les participantes prennent la parole, une atmosphère chaleureuse doit être créée. Chacune au début reçoit un macaron avec son prénom. Ce geste simple permettra d'entrer en contact personnellement avec ces personnes, d'établir un dialogue et de mémoriser le prénom, de porter attention aux nouvelles arrivantes.

C'est important pour une assistée sociale sortant de sa cuisine pour la première fois de se dire assistée sociale devant d'autres et d'entendre 10-15 fois: assistée sociale, assistée sociale. Elle constate qu'elle n'est pas la seule à vivre dans cette situation. Un des premiers pas dans ce processus de libération n'est-il pas cette prise de la parole et cette identification à sa couche sociale?

Au cours des années, nous avons réalisé qu'il était important pour les assistées sociales de savoir qui sont les autres membres de l'assemblée, qui sont les animateurs, qui sont les chômeurs, etc... et de constater que la réunion se compose d'une majorité d'assistés sociaux - on fait partie de la même gang.

De plus, ce petit tour de table permettra de connaître les plus gênées et les moins timides. Connaissance utile pour l'étape prochaine. Rappelons que ce jeu, sous des dehors anodins, demande un effort considérable de la part des participantes... car s'identifier comme assistées sociales n'est pas chose facile quand cela fait quelques années qu'elles vivent des sentiments de honte et d'humiliation. De plus, ce jeu veut briser l'isolement des assistés sociaux et faire connaître aux animatrices la perception de leur identité.

Objectifs de la session -
Attentes des participantes

Après avoir dit qui on est, il y a présentation des objectifs. L'animatrice demande aux participantes pourquoi elles sont venues à la session. Quelles sont leurs attentes? Quelles sont leurs questions? Il ressort généralement du tour de table: désir d'information sur les droits, trouver des moyens de vivre et non d'exister, développer des liens entre nous, se regrouper pour mieux se défendre. Pendant que chacune s'exprime, l'animatrice écrit au tableau les attentes et les questions de chacune. Cela nous servira tout au long de la session et au cours de l'évaluation. Ensuite il y a l'explication des objectifs poursuivis par le groupe et les animatrices. Modifications du programme et de l'horaire s'il y a lieu. Après cette première heure de mise en route, nous passons au premier thème qui sera une des étapes les plus importantes de la session.

La réalité et mon vécu d'assistée sociale

Ensemble on s'interroge:

- pourquoi suis-je tombée sur le BES?
- qui sommes-nous les assistés sociaux?

Jeu des mots.

L'outil pédagogique utilisé se compose d'une série de mots faisant référence à trois questions posées. (P. Freire parle de mots générateurs). Les questions sont les suivantes:

1. Pourquoi suis-je allée au BES la première fois?
2. Comment ai-je vécu cela?
3. Comment ai-je perçu l'agent du BES?

Une série de 40 mots apposés sur des cartons de différentes couleurs correspondent aux 3 questions: meubles, argent, nourriture, dettes, vêtements, T.V., prêt, chauffage, déménagement, divorcée, séparée, veuve, maladie, prison, mortalité, feu, accidents, chômage, honte, humilier, pleurs, charité, attente, droit, révolte, dépression, insécurité, gentil, zélé, bon, dur, sympathique, sévère, écocurant, roulotte, voyage, Floride, bijoux, bateau, fourrures.

Ces mots sont déposés sur la table et les participantes circulent autour de la table plutôt en silence. Chacune choisit de 3 à 5 mots décrivant sa réalité. Les participantes laissent les cartes sur la table. Elles écrivent sur un papier les mots utilisés. Il arrive souvent que plusieurs peuvent utiliser le même mot. Il y a aussi des cartons sans aucun mot, ce qui laisse la possibilité d'ajouter d'autres mots à son choix.

Puis à tour de rôle, ici pas de tour de table, on respecte le rythme, la spontanéité de chacune. Ce retour à son histoire d'hier, pas toujours "rose"... la verbaliser en présence de plusieurs est lourd de sens. Si quelqu'une hésite à s'exprimer, l'animatrice ne force pas l'échange. À mesure que les unes et les autres se racontent dans ce vécu économique, politique et culturel, une des deux animatrices écrit au tableau selon une grille (présentée plus loin) les éléments les plus importants.

Dans la synthèse, les participantes gardent le premier rôle

Cette grille aidera à faire la synthèse de cette première étape. Synthèse élaborée par les participantes et non par les animatrices. Celles-ci apporteront leur contribution comme les autres. Les animatrices se sont aussi impliquées dans le jeu des mots. Il est toujours possible pour les participantes non-assistées sociales de partager une situation d'injustice vécue. La question sera: la première fois que tu as reçu une prestation d'assurance-chômage, d'accident du travail, que tu as fait un séjour à l'hôpital, comment as-tu vécu cela? Comment as-tu perçu le fonctionnaire? Pourquoi as-tu demandé de l'aide?

L'important ce n'est pas ce que disent les responsables, mais ce que les participantes découvrent, les liens qu'elles font avec leur situation et celles des autres. Et là on découvre que notre histoire rejoint celle de l'autre... qu'on n'est plus seule... qu'on a vécu les mêmes sentiments de honte, de révolte, de peurs, d'atteinte à sa dignité.

Un fois que l'ensemble des participantes se sont exprimées, on relit les pancartes et puis on enlève de la table les mots choisis. On classifie les autres mots non choisis. Il reste alors sur la table les mots suivants: roulotte, bijoux, chalet, Floride, bateaux, et le mot droit. Même si ces mots sont écrits sur des cartons jaunes, rouges et que le droit est écrit sur un carton vert, seul de son espèce, aucune des participantes ne l'a remarqué.

Spontanément, en voyant ces mots, les réflexions suivantes circulent:

> "ça c'est pas pour nous autres..."
> "c'est pour les gros boss..."
> "juste les gens bien peuvent se payer cela..."

et la discussion fait réaliser que nous pouvons mettre tous ces mots sous la réalité des préjugés ou des rêves. "Si je pouvais donc gagner le million"... "je n'en veux pas autant..."

Mais, il y a toujours quelques participantes qui avancent: "mais moi, j'en connais des assistés sociaux qui ont de gros chars et qui se promènent en Floride l'hiver..." Une autre de dire: "ma voisine est sur le BES et elle a un ami recevant de l'aide sociale et faisant du taxi"... Puis à la fin, toutes en connaissent, des voisins, des parents, des amies et pendant quelques instants c'est l'avalanche de tous les préjugés. L'animatrice fait verbaliser tout ce qu'on entend dire sur les assistés sociaux. Les réponses sont claires et rapides:

> "C'est nous qui vous font vivre"...
> "Vous êtes des fraudeurs"
> "Vous êtes les déchets de la société"
> "Les assistés sociaux ne veulent pas travailler"
> "Ils sont ben... ils ont leur T.V. couleur et leur caisse de bière"...
> "Les jeunes, ça veut pas travailler"...

À cette étape-ci, l'animatrice passe la copie d'une déclaration de l'ex-ministre Claude Castonguay affirmant que le taux de fraudeurs varie entre 1.5 et 2%. Ensemble nous lisons le texte, et nous commentons quelques paragraphes, surtout celui qui affirme: "quand on compare avec le nombre de gens qui essaient de tricher l'impôt et la douane, on se rend compte que la situation n'a rien d'alarmant". (voir page 50)

L'animatrice pose une question: c'est qui les fraudeurs de l'impôt? de la douane? En général, les participantes ne sont pas dupes et répondent sans hésitation: les riches. L'animatrice de reprendre: qui sont les riches? Ce sont les propriétaires de multinationales, les avocats, les commerçants, les communautés religieuses, etc. Puis un autre outil vient compléter ces dire. Quand on est assistée sociale, médecin, travailleur, ou qu'on s'appelle juge un tel, la justice sera différente, et on prend conscience des préjugés véhiculés par les médias. Régulièrement les journaux reproduisent les mêmes données soulignées dans l'outil présenté à la page 51.

Pour résumer et faire l'analyse de cette première prise de parole, une grille d'interprétation du jeu des mots sera affichée au tableau. À mesure que les participantes exprimeront leur réalité, l'animatrice inscrira l'essentiel des données dans les colonnes appropriées. (voir page 52)

ENTREVUE EXCLUSIVE AVEC

M. Claude CASTONGUAY

ANCIEN MINISTRE DES AFFAIRES SOCIALES

● **On dit souvent que la proportion de ceux qui abusent de l'assistance sociale est très élevée.**

Vous savez que depuis quelques années l'administration de l'assistance sociale se fait par ordinateur. L'une des premières démarches a été de vérifier tous les dossiers. Cela a permis de déceler certains cas où des personnes s'étaient qualifiées dans deux bureaux sous des noms différents. Leur nombre était beaucoup moins élevé que les gens le pensaient. En mai 1972, on a demandé aux assistés sociaux de venir chercher leur chèque aux bureaux. Cela a permis de découvrir certains cas de fraude. Mais la proportion était de 1.5%, ce qui est assez faible. Les enquêteurs spéciaux qui vont d'un bureau à l'autre ont constaté que souvent les assistés sociaux qui se sont trouvé un travail vont attendre un mois ou deux avant de le déclarer. C'est une façon pour eux de faire le pont, et on le comprend aisément. A tout prendre, je dirais que les cas de fraudes voulues et bien organisées sont de l'ordre de 2%. Quant on compare avec le nombre de gens qui essaient de tricher l'impôt ou la douane, on se rend compte que la situation n'a rien d'alarmant. D'ailleurs, il y a une chose qu'il faut bien avoir en tête dans l'approche de ce problème. La majorité des bénéficiaires de l'aide sociale aimeraient beau-coup mieux se tirer d'affaire par leurs propres moyens. Si, à un système qui les humilie et les rend souvent malheureux, on ajoute une série de contrôles à n'en plus finir, je trouve que ce serait inhumain. Maintenant, est-ce que beaucoup d'assistés sociaux ne pourraient pas travailler? Nous avons fait des relevés à deux reprises pour savoir ce qu'il en était exactement. Nous avons dénombré à peu près 65,000 bénéficiaires de l'aide sociale qui seraient théoriquement capables de travailler. Mais précisément, il s'agit là d'une capacité sur papier. Parmi eux, bon nombre ont un état de santé, un âge ou encore un manque de compétence qui les empêche pratiquement de garder un emploi. D'autres ont travaillé jusqu'à 45 ou 50 ans pour une entreprise qui a fermé ses portes. Il leur est à peu près impossible de se recycler pour entrer dans un nouveau métier. Au bout du compte, on peut dire qu'il y a environ 35,000 bénéficiaires de l'aide sociale qui seraient vraiment aptes au travail. Ce chiffre peut paraître énorme, mais il ne faut pas oublier que bon nombre de ces gens vivent dans des régions où il n'y a presque pas d'emploi: Gaspésie. Nord-Ouest québécois, Basse Côte-Nord etc. Bien sûr, vous pourriez toujours les déraciner pour les amener dans les grands centres, mais cela réglerait-il vraiment le problème? Est-ce qu'au contraire cela n'aggraverait pas la situation? Je pense qu'à vouloir tout régler par des mesures drastiques et simplistes, on aboutit simplement à créer des problèmes différents, mais tout aussi insolubles.

Je comprends qu'à prendre les choses pour ce qu'elles paraissent à première vue. les payeurs de taxes aient parfois l'impression d'être volés par des profiteurs. Mais après une analyse serrée, on se rend compte que la grande majorité des assistés sociaux ont réellement besoin d'aide. Ça n'aurait vraiment pas de sens de ne rien faire pour eux, sous prétexte qu'il y a une part de fraudes et d'abus.

Un médecin réussit à justifier une pratique présumée abusive

par Guy Bourdon

Dans un jugement d'appel d'une décision de la Régie de l'assurance-maladie, la Commission des affaires sociales a donné raison hier à un gynécologue de Montréal à qui le régime étatique avait réclamé une remise de $13,801.50 que le médecin avait perçus pour des soins jugés injustifiés et abusifs.

Le Dr R.F. qui tient un cabinet de consultation, rue Saint-Denis, et qui pratique également dans un hôpital de Montréal, avait perçu ce montant pour 3,111 cathétérismes vésicaux pratiqués sur des patientes, entre le premier juillet 1974 et le 31 décembre 1975. Or, pendant la même période, les confrères de son groupe en avaient pratiqué moins de 10... à eux tous.

La comparaison, relevée par la Régie incita donc le Dr R.F. à soumettre le cas du Dr R.F. à un conseil d'experts qui conclut que les cathétérismes vésicaux « n'étaient pas requis aussi fréquemment et qu'ils avaient été dispensés de façon abusive ou injustifiée ».

En conséquence, la Régie réclama, à son tour, le remboursement de $13,801.50 de ce gynécologue.

En appel, le Dr R.F. a reconnu que la facturation à la Régie pour les traitements de cette nature était supérieure à la moyenne de son groupe ainsi qu'à la moyenne des obstétriciens et urologues de tout le Québec et il a dit ne pas vouloir critiquer la pratique de ses confrères mais que, pour lui, il doit faire à plusieurs de ses clientes un cathétérisme vésical afin de poser un bon diagnostic.

À l'appui de sa prétention, il a fait témoigner d'autres médecins et il a soumis plusieurs ouvrages scientifiques de réputation internationale pour appuyer son témoignage.

De leur côté, les témoins de la Régie avaient reconnu qu'un bon examen gynécologique nécessite que la vessie soit vide mais qu'une miction spontanée suffit généralement et qu'il y a danger d'infection lors d'un cathétérisme.

Finalement la Commission s'est rendue aux arguments du Dr R.F. de ses témoins et de la doctrine soumise pour reconnaître qu'une quantité de 40 à 50 c.c. d'urine dans la vessie peut conduire à un diagnostic erroné. Or, le Dr R.F. affirme retirer, lors des cathétérismes, entre 5 et 300 c.c. d'urine de la vessie de ses patientes.

Quant à la prétention que ce médecin avait agi dans l'intention de profiter du système, la Commission retient qu'il pratiquait ainsi avant l'existence du régime d'assurance-maladie et qu'il a continué à dispenser cet acte aussi fréquemment après que la Régie ait cessé de le compenser.

En conclusion de leur jugement, Me Isabelle Lafontaine, Me Georges Wurtele et le Dr Léo-Paul Landry, membres et assesseur de la Commission, déclarent que le Dr R.F. est peut-être un perfectionniste mais qu'il n'en demeure pas moins qu'il pratique suivant les conseils d'éminents spécialistes, professeurs et praticiens en gynécologie. « Ce n'est pas, écrivent-ils, parce qu'aucun autre ne pratique de cette façon que sa manière de procéder doit être condamnée, surtout quand elle est conforme aux données de la science médicale actuelle et que la nécessité de l'acte a été faite. »

[Annotations manuscrites:]
M+L Devrai 7/02/79
« On nomme L'ASSISTÉ Social , Pas le DOCTEUR
• POUR L'ASSISTÉ SOCIAL • POUR le DOCTEUR
 IL FRAUDE • IL ABUSE
• PAS DE CAUTION • PRATIQUE INJUSTIFIÉE
• À NOTER $4,275.00 le montant → $13,801.00
• PAS de PRISON
" " TOUS les PRÉJUGES IL EST "SALUÉ"

6 mois pour avoir perçu frauduleusement $4,275 du Bien-être social

[Annotations manuscrites:] LA JUSTICE 1978 POUR QUI ? — Le Devoir 30 mai 1974 — ? ? ?

Le juge Paul Papineau, des Sessions de la paix, a condamné à six mois d'emprisonnement un individu de 49 ans qui avait reconnu avoir fraudé les Services des affaires sociales de la Ville de Montréal d'une somme de $4,275 en encaissant des chèques de bien-être social même s'il n'était pas admissible à cette aide.

Le magistrat a tenu compte du fait que l'accusé, Vito Sciangula, avait remboursé les $4,275, mais il a qualifié ce genre de fraude d'odieux en rappelant que tel crime s'exerçait aux dépens du trésor public et par conséquent à même les taxes payées par les citoyens plus fortunés pour aider ceux qui ont vraiment droit aux prestations d'aide sociale.

Vito Sciangula, 49 ans, pesant 420 livres, a fait valoir son obésité et son asthme pour faire appel à la clémence, mais le juge Papineau a objecté que cet état de santé prévalait au moment des crimes et qu'il n'avait pas empêché l'accusé de faire les démarches nécessaires pour s'approprier les sommes auxquelles il n'avait pas droit.

L'accusé est père de quatre enfants. Il est propriétaire d'une maison, rue Legendre, à Montréal, et sa femme gère un commerce. Les revenus de la famille Sciangula étaient tels que M. Sciangula ne pouvait d'aucune façon être admissible à l'aide sociale.

En imposant cette sentence relativement sévère étant donné que l'accusé à remboursé les montants de la fraude, le juge Papineau a insisté sur la nécessité de faire exemple afin de dissuader tous ceux qui seraient tentés de percevoir frauduleusement des chèques de bien-être social.

D'après le juge Papineau, une enquête instruite par Québec a démontré qu'en 1972, 7 p.c. des assistés sociaux n'avaient pas droit aux prestations et percevaient ainsi sans droit une somme globale de $20 millions qui aurait pu servir à aider davantage les concitoyens dans le besoin.

Le magistrat a cité quelques cas semblables, dont celui de Lise Bergeron, "condamnée à six années de réclusion pour avoir fraudé ainsi le trésor public de quelque $11,000. Dans cette cause toutefois l'accusée n'avait rien remboursé.

À l'appui de son jugement, le juge Papineau a fait siennes les remarques du juge Jean Turgeon, de la Cour d'appel du Québec, qui écrivait en 1972 au sujet d'une fraude semblable:

« Le régime des bénéfices sociaux impose des sacrifices monétaires aux payeurs d'impôts et plus particulièrement aux travailleurs honnêtes qui ont le droit d'exiger que ces bénéfices profitent à ceux qui sont dans le besoin seulement. La fraude en cette matière a pour effet de déséquilibrer le budget de l'assistance sociale et d'obliger l'État à augmenter le fardeau fiscal. »

Grille d'interprétation du jeu des mots

L'aide sociale n'est pas un choix, mais un **droit**
Pourquoi ai-je demandé de l'aide?
Comment ai-je vécu cela?

Pourquoi ai-je demandé de l'aide sociale?		Comment ai-je vécu cela?	
Besoins essentiels	**Situation personnelle**	**Mes sentiments**	**Perception de l'agent**
nourriture	séparation	honte	sévère
chauffage	divorce	révolte	humain
déménagement	maladie	peur	écoeurant
vêtements pour enfants	mortalité	dépression	gentil
pas d'argent	accident de travail	attente	zélé
électricité coupée	feu	humiliation	méprisant
besoins de médicaments	chômage	colère	
(avant la carte)		charité	
Les préjugés	**À quoi rêvons-nous?**	**Mes droits quels sont-ils?**	
roulotte	d'avoir un bon frigidaire		
chalet	des couvertures, des	À noter la colonne est vide.	
bateau	oreillers	À cette étape, les assistés sociales ne perçoi-	
Floride	un bon lit	vent pas l'existence de leurs droits	
fourrures	renouveler mes draps		
bijoux	et serviettes		
	faire un salaire		
	convenable		
	que les gens connaissent		
	leurs droits		
	donner de l'information		
	pour sortir de		
	l'humiliation		
	regrouper d'autres assis-		
	tés sociaux de ma		
	région		

Intervenir à partir d'éléments d'analyse importants

L'ensemble du tableau synthèse comprend les éléments importants à faire ressortir pour mieux comprendre la situation de l'assistée sociale.

1. *L'aide sociale n'est pas un choix, mais un droit.* On tombe sur le BES à cause

de besoins essentiels, vitaux: nourriture, vêtements, chauffage. Ce sont pour les besoins de premières nécessités et non pour des voyages en Floride, pour l'achat de roulotte ou de manteau de fourrure. On tombe aussi sur le BES à cause d'une situation de vie non désirée: divorce, mort d'un conjoint, maladie industrielle. Première prise de conscience que le fait d'être sur le BES n'est pas le fruit du hasard ou de limites personnelles, mais plutôt le résultat d'une série de causes qu'il faut rechercher à l'extérieur de nous.

"Décoder le langage populaire est très utile: quand on tombe, on ne fait jamais exprès, c'est aussi toujours humiliant de tomber... Pourquoi c'est humiliant demandera l'animatrice. Quelqu'une de répondre: "l'homme est grand quand il est debout"... ici on peut se rappeler le slogan des bûcherons en lutte: "vaut mieux manger une tranche de pain debout, qu'une tranche de steak à genoux". Un peu plus tard dans la session nous reviendrons sur ces données.

2. *L'aide sociale n'est pas de la charité, mais un droit.* Un autre point à souligner c'est le niveau des sentiments. La majorité vit cette démarche comme de l'humiliation, de la honte. Cette demande est vue comme une atteinte à la dignité de la personne. Se présenter au bureau de l'aide sociale, c'est être traité comme un numéro; dans certains bureaux c'est un garde de sécurité qui accueille les gens. C'est vivre un dépouillement, quand tu vas là... disent-elles, tu ne t'appartiens plus...; ils fouillent dans tes revenus, dans tes dettes. Ils veulent tout savoir: tes biens... ton carnet de banque. Si tu es une mère chef de famille, attention ta vie affective sera contrôlée. Face à ce contrôle, à cette répression, on éprouve des sentiments d'agressivité, de révolte... mais ces sentiments sont vite étouffés par la crainte d'être refusée... peur de l'officier ou de l'agent... Et cette peur a bloqué toute possibilité de contester... et puis si on est seule... qu'est-ce qu'on peut faire?

C'est une des raisons pour lesquelles depuis des années nous avons axé le travail de conscientisation sur les pôles suivants: abattre les préjugés, vaincre la peur et la honte. Travailler d'abord sur l'axe de l'aliénation plutôt que celui de l'exploitation. Aussi longtemps que l'assistée sociale subira la gêne, l'humiliation, elle sera difficile à mobiliser. La lutte sur la taxe d'eau a démontré que les militantes assistées sociales sont celles qui ont suivi plus qu'une fois cette session, et les autres activités à contenu similaire. Là où cette session a été donnée, ces journées de formation ont été un temps fort soit pour démarrer un groupe soit pour consolider des acquis ou pour amener des nouvelles personnes. Dans une région, après une session, huit personnes sur 23 se sont engagées à donner du temps à l'organisation.

3. *Le rôle de l'agent de bien-être.* La synthèse amène les participantes à remarquer que les perceptions sont diverses et quelques fois aux antipodes les unes des autres. Certaines ont apprécié l'agent, d'autres l'ont détesté.

Ensemble, on se pose des questions: pourquoi tel agent agit ainsi? "On dirait qu'il nous donne l'argent de sa poche". Quel est le rôle de l'agent dans le bureau du BES? C'est quoi un fonctionnaire? Qui fait les lois... qui les interprète? Qui décide? Pourquoi certains agissent avec discrimination et d'autres pas?

Une fois qu'il y a un peu de déblayage sur ces questions, les animatrices en profitent pour parler *des victoires des groupes* comme l'ADDS-Québec, l'OPDS-Mercier face à des "agents policiers" méprisant les assistés sociaux. D'où l'importance d'un regroupement pour faire respecter ses droits et vivre sa dignité.

Nous reviendrons sur les attitudes des fonctionnaires quand nous aborderons la loi d'aide sociale comme telle. Car bon nombre de questions se situent par rapport aux agents. Exemple: A-t-il le droit de fouiller dans ma maison? Peut-il venir à n'importe quelle heure? Suis-je obligée de le recevoir chez moi? Malheureusement, notre travail nous prouve que lorsque les assistées sociales sont timides, écrasées, les agents sont plus arrogants. Nous réalisons aussi que là où il n'y a pas de regroupement d'assistés sociaux, la loi s'interprète d'une façon arbitraire. Nous venons de le vivre avec la nouvelle loi sur les pensions alimentaires.

4. *La dure réalité des préjugés ou des rêves.* Les cartons laissés sur la table, même s'ils sont écrits en jaunes et rouges ne correspondent pas à ce pourquoi les assistés sociaux sont allés chercher le bien-être social. Les mots roulotte, chalet, bijoux, voyage peuvent être des rêves pour certains, mais pour d'autres les rêves sont encore des désirs comblant les besoins quotidiens de la vie: "moi, je rêve d'un bon réfrigérateur, l'autre de dire je me contenterais de quelques bonnes couvertures et une troisième de rajouter, changer mon mobilier de 20 ans, ça dormirait mieux. Moi dit une autre, je désire faire un salaire convenable. Convenable veut dire quoi? et l'assistée sociale de répondre: avoir des fruits et des légumes la 5e semaine, s'acheter un morceau de linge neuf". D'autres rêvent que l'organisation rejoigne beaucoup d'autres assistés sociaux pour les informer de leurs droits, devenir une organisation forte. Pour d'autres, ces réalités seront des préjugés transmis par leur famille, les amis, les voisins et les médias.

Agir sur les facteurs de l'aliénation

Tout au long de la session et pour l'ensemble de nos activités, ce travail de désaliénation (vaincre la peur, la honte, abattre les préjugés, redonner la confiance, garder sa dignité) demeure un moment capital dans le développement des solidarités à bâtir entre assistés sociaux et travailleurs. Il est déplorable de rencontrer des ouvriers et ouvrières militant dans les syndicats qui véhiculent bon nombre de préjugés sur cette couche sociale. Certes, il est plus facile à des assistés sociaux de comprendre la situation des travailleurs, car eux-mêmes l'ont déjà été et le demeurent en faisant du "travail au noir" pour ne pas crever quand la santé le permet encore. Mais combien plus difficile pour des travailleurs et travailleuses de comprendre les assistés sociaux quand un travail de désaliénation n'est pas fait dans leur syndicat.

Il en est de même pour certains groupes populaires. Si ce travail de base n'est pas fait, la solidarité ouvrière et populaire demeurera une illusion.

Quand le nombre de participantes le permet, nous passons un questionnaire pour mieux cerner les préjugés entretenus chez les assistés sociaux face à d'autres couches sociales: les travailleurs, les immigrants, les détenus, les jeunes, etc... C'est du matériel qui joue le rôle de mémoire et qui peut être utilisé pour bâtir d'autres activités de conscientisation. Avec ce questionnaire, c'est le dernier outil utilisé (voir page 55). Le deuxième thème veut aborder l'expérience de travail des assistés sociaux.

Questionnaire: Session de la loi d'aide sociale

		Vrai	Faux
1.	Les assistés sociaux sont des paresseux.		
2.	Les assistés sociaux ont peur de dire qu'ils sont sur le Bien-être social.		
3.	Les assistés sociaux sont pour la plupart des anciens travailleurs (travailleuses).		
4.	Les assistés sociaux vivent au crochet de la société.		
5.	La loi d'aide sociale nous permet d'avoir un ami ou une amie.		
6.	L'aide sociale est un droit.		
7.	L'aide sociale répond à nos besoins.		
8.	Les agents d'aide sociale défendent nos intérêts.		
9.	L'anglais c'est important. Il faut que mes enfants l'apprennent s'ils veulent avoir une bonne job.		
10.	Les syndicats sont trop exigeants, ils font augmenter les prix.		
11.	C'est vrai, on l'a dit à la télévision.		
12.	Les jeunes ne veulent pas travailler.		
13.	Les immigrés viennent nous voler nos jobs.		
14.	Ça sert à rien d'aller voter, c'est du pareil au même.		
15.	C'est l'argent qui mène le monde.		
16.	Les syndicats sont trop puissants. C'est pour cela qu'on a tant de grèves au Québec.		

17. Tous les assistés sociaux qui voudraient travailler pourraient le faire. _____
18. Les assistés sociaux vivent 50% sous le seuil de pauvreté. _____
19. Les assistés sociaux doivent se regrouper et revendiquer leurs droits. _____
20. Il y aura toujours des pauvres. _____

2. Mon expérience d'ex-travailleuse
ou d'ex-travailleur
c'est quoi?
Pour qui ai-je travaillé?
Dans quelles conditions?

Au début de l'après-midi, on reprend la démarche du matin en se demandant: qui sommes-nous les assistés sociaux? Cette pancarte résume une partie du vécu partagé. Nous, les assistées sociales, nous sommes des femmes, mères chefs de famille, des travailleuses toujours en attente d'un emploi. Nous sommes des ex-travailleurs, ex-travailleuses toujours à la recherche d'un emploi pénalisés par un taux de chômage de plus en plus grandissant. Nous sommes aussi des malades chroniques ayant une certaine capacité de travail et qui pourraient la développer si le système tenait compte de la dignité humaine, plutôt que de la loi du profit. (Voir tableau).

Qui sommes-nous les assistés sociaux?		
Des femmes, mères, chefs de famille	veuves séparées légalement séparées de fait divorcées mères célibataires	toutes des travailleuses en attente
Des ex-travailleuses, travailleurs	accidentés de travail handicapés partiels victimes de maladies industrielles cardiaques chômeurs, chômeuses de 40 ans et plus jeunes sans emploi de 18 à 25 ans ex-détenus alcooliques	toujours à la recherche d'un emploi
Des malades chroniques	handicapés de naissance aveugles sourds-muets paraplégiques malades mentaux	des travailleurs-euses ou qui pourraient l'être si...

Comme on n'a pas été sur le bien-être social toute sa vie , la mise en commun de ses 30-40 ans de vie de travail est un autre point d'ancrage pour éveiller la conscience naïve et lui poser des questions sur cette vie d'exploitation. Ce rappel historique de son expérience de travail se fera à partir des questions suivantes:

> 1. Mon expérience de travail, c'est quoi?
> 2. Mon expérience de travail au service de qui?

Nous utilisons un questionnaire que chaque participant a à compléter individuellement. Nous donnons environ 15 minutes pour remplir ce questionnaire et chacun fait son portrait personnel.

> 1. À quel âge ai-je commencé à travailler?
> 2. Le genre de travail que j'ai fait?
> 3. Pour qui ai-je travaillé?
> 4. Quels salaires ai-je gagnés?
> 5. Combien d'heures de travail par semaine?
> 6. Avais-je des vacances payées?
> 7. Avais-je des congés de maladie payés?
> 8. Étais-je syndiquée? Le nom du syndicat?
> 9. Quand je pense aux boss que j'ai eus, quels qualificatifs me viennent à l'esprit?

Selon la grandeur du groupe, la mise en commun des expériences se fait soit en ateliers ou en plénière. Pendant que les participantes partagent leur histoire, tout est inscrit sur un immense tableau. On brosse ainsi un portrait collectif. (Voir tableau-synthèse, p. 58).

Après une heure ou deux de mise en commun, nous faisons ensemble l'analyse de ces données. Si la mise en commun a pu se faire en ateliers, la conclusion, la synthèse de l'échange se fait toujours en plénière et toujours par les participantes elles-mêmes. Ce sont elles qui analysent, font les liens avec l'histoire passée et celle d'aujourd'hui. Ce sont elles qui se conscientisent, qui découvrent, qui passent d'une conscience naïve à une conscience critique. Notre évaluation de la session essaie de mesurer le bout de chemin fait dans ce processus de construction. Cette manière de conclure est un acquis important de notre pratique-terrain.

Très rapidement, d'un premier coup d'oeil, de grandes ressemblances sautent aux yeux. Le tableau parle de lui-même. D'où l'importance de toujours visualiser. Comme la classe ouvrière est concrète, l'abstrait ne la rejoint pas; son attention sera plus retenue si au fur et à mesure les idées sont fixées sur une pancarte.

TABLEAU-SYNTHÈSE   EXPÉRIENCE DE TRAVAIL

ÂGE	TRAVAIL	POUR QUI?	SALAIRE PAR SEMAINE	HEURES PAR SEMAINE	VACANCES PAYÉES	CONGÉS DE MALADIE	SYNDIQUÉ?	EN PENSANT AUX BOSS!
16 ans	Abatteur-bûcheron	Dex Froust	$80.	40	2 semaines	oui	oui	Smatt!
15 ans	Femme de ménage	Grand motel	$30.	35	non	non	non	Terrible! Croche!
17 ans	Coiffeuse	Salon de coiffure	$20.	Fins de semaine	non	non	non	Gentil!
27 ans	Commis	AVCO Finance	$100.	37 1/2	non	non	non	Écoeurant!
					S'est fait mettre à la porte. Pas de chômage. Il manquait une semaine.			
13 ans	Commis	Épicerie	$9.	13	non	non	non	Gentille!
34 ans	Plieuse	Voisine	30¢ la douzaine	?	Payée en dessous de la table			Bien dure!
?	Agriculteur	Sa ferme	$500. à $1,080. par année	70	non	non	non	Bon!
23 ans	Organisateur communautaire	C.L.S.C.	$250. à $345.	35	oui	oui	oui	Bon!
20 ans	Waitress	Hôtel	$10. + pourboires	9h a.m. à 3h la nuit	non	non	non	Fin!
25 ans	Bonne d'enfants	Avocat	$25. par mois	Restait là tout le temps	non	non	non	Très bon!

Passage d'une conscience naïve à une conscience critique

Voici une synthèse faite par les participantes:
- On remarque la grande disponibilité des travailleurs qui acceptaient de faire n'importe quoi. On constate que l'apport de la technologie a réduit le nombre de travailleurs. La spécialisation a pris le dessus. Le système a évolué sans tenir compte des êtres humains.
- "Le temps que tu travailles, tu ne le voyais pas, c'est un besoin de travailler."
- "Gros travailleurs, petits salariés."
- "Trop d'heures pour le salaire."
- "La valeur de l'argent a diminué."
- "On est comme des robots, les machines remplacent les hommes."
- "Les syndicats, bonne chose, ça apporte la sécurité d'emploi."
- On remarque que les gens ont commencé à travailler à 11-12-13 ans.
- On avait pas besoin de carte de compétence, les boss vous employaient à bas âge.
- 60 % non-syndiqués / 15 % - taux de chômage dans la région / 11 %   taux de chômage au Québec
- "Je n'avais pas réalisé que j'ai été exploité toute ma vie."
- "Faut continuer de se battre pour s'en sortir."
- Aucune sécurité d'emploi.
- Conditions de vie écoeurantes.
- Pas de congé, pas de diplôme.
- Travail des femmes pas reconnu.
- On est pas des paresseux.
- Sentiment par rapport aux boss basé sur la personne plutôt que sur les conditions de travail.

Ces neuf ans d'expériences un peu partout à travers le Québec nous démontrent que l'ensemble des assistés sociaux et assistées sociales ont commencé très jeunes à travailler, faisant de longues heures à des salaires de misère dans des entreprises où les travailleurs ne sont pas syndiqués. Comme pour l'agent du bien-être social, on est peu critique face à son patron. Dans l'ensemble, on dit qu'on a eu de bons boss, qu'ils vous ont donné du travail. Ils sont gentils parce qu'ils vous parlaient doucement. Dans toutes les sessions, il y a toujours quelques participantes un peu plus conscientes et leur perception du boss, de l'agent apporte une confrontation serrée.

Après ces trois heures de discussion, on a mis bien des questions sur la table. Les outils pédagogiques, le climat de confiance ont fait sortir des participantes de la majorité silencieuse. Plus on se connait, plus on prend la parole - le temps des rencontres est toujours trop court disent-elles - c'est bon signe, elles poursuivent la démarche jusqu'à la fin de la session.

Le tableau-synthèse fait aussi ressortir pour qui on a travaillé. C'est qui le propriétaire du restaurant? de l'hôpital? de l'usine? Comment il vit lui et sa famille? Dans quel quartier demeure-t-il? Ensemble on cherche, on complète nos informations.

On visualise les classes sociales

Après ces deux heures de réflexion, l'animatrice fera circuler un autre outil appelé la pyramide sociale (voir page 61). Elle donnera quelques explications sur les différentes classes sociales. Avec beaucoup d'humour elle reprendra l'expression populaire: tomber sur le bien-être social, tomber sur le chômage. Lorsque nous étions travailleurs non-syndiqués, nous logions au 3e échelon, maintenant on est descendu au 2e, puis si les conditions de vie continuent de se détériorer, on sera dans le tiers-monde. Toujours à l'aide de la pyramide on place sur le bon échelon les propriétaires d'usines, de commerces, des mines, le docteur ou la communauté religieuse pour qui on fait le ménage ou la maintenance.

Certes, il y aurait encore beaucoup à dire sur l'utilisation de cette pyramide sociale. Je l'utilise depuis cinq ans, je n'ai jamais eu un commentaire disant: c'est exagéré, ce n'est pas comme ça; au contraire, si parfois il manque des copies on me la réclame, on en demande pour un fils étudiant, ou pour la donner à une voisine.

Voici quelques commentaires entendus au cours de cette activité.

- "C'est drôle on engraisse en montant."
- "On est ben plus de monde qu'eux-autres."
- "On devrait changer la pyramide."
- "Nous autres, on est presque morts."

Comme l'heure avance et que beaucoup de choses ont été dites, pour clore cette journée très riche d'expériences, on termine sur une note chantante: Solidarité Assistés sociaux. Cet hymne ramasse tout le contenu des deux premiers thèmes: ma réalité d'assistée sociale et mon expérience de travail. (Voir le texte de la chanson au chapitre 1, page 35).

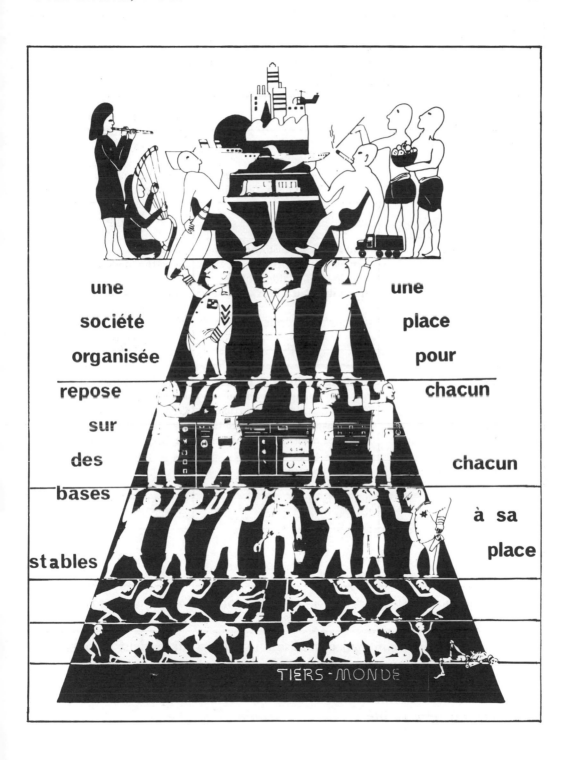

2e jour:

3. La connaissance de nos droits
Le Bien-Être n'est pas un choix,
mais un droit.

Objectifs	Contenu	Outils pédagogiques
1. refaire mémoire de notre histoire	rappel: Qui sommes-nous les assistés sociaux? -la classe ouvrière c'est *nous* -la classe capitaliste c'est *qui?*	pancarte-synthèse pancarte-synthèse pyramide sociale
2. connaître nos droits Le BES c'est un droit, pas un choix	-présentation de la loi de l'aide sociale -situer cette loi historiquement -explication du principe de la loi d'aide sociale -qui a droit au BES? -comment se calcule le barème?	loi sociale simplifiée pancarte pancarte "notion de besoin" barême aide sociale & salaire minimum barême d'aide sociale et seuil de pauvreté coupure de besoin
3. connaître nos droits démocratiques: *Droit au travail* *Droit à la santé* *Droit au logement* *Droit à sa dignité*	-situer ces droits dans l'expérience des échanges précédents. Étudier dans la loi les articles se rapportant au travail. -situer ce droit dans des données plus globales -étudier les articles droit à la santé besoins divers assurances feu vol funérailles	Bill 26 simplifié Pancartes Questions des participantes dépliants sur les ressources du milieu questions soulevées questions soulevées

À *noter: pour cette journée, nous possédons une bonne batterie d'outils. Ils seront utilisés selon les intérêts et besoins des participantes.*

Cette deuxième étape commence en faisant un rappel sur les deux premiers thèmes avec l'aide de pancartes-synthèse.

La pancarte: Qui sommes-nous les assistés sociaux? rappelle les trois heures d'échange sur cette réalité.

La pancarte: La classe ouvrière, c'est nous! commémore la démarche faite sur l'expérience de travail.

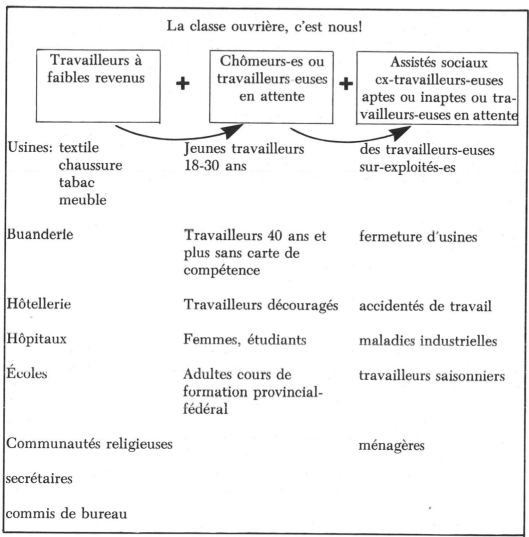

La classe ouvrière, c'est nous!

Travailleurs à faibles revenus	**+**	Chômeurs-es ou travailleurs-euses en attente	**+**	Assistés sociaux cx-travailleurs-euses aptes ou inaptes ou tra-vailleurs-euses en attente
Usines: textile chaussure tabac meuble		Jeunes travailleurs 18-30 ans		des travailleurs-euses sur-exploités-es
Buanderie		Travailleurs 40 ans et plus sans carte de compétence		fermeture d'usines
Hôtellerie		Travailleurs découragés		accidentés de travail
Hôpitaux		Femmes, étudiants		maladies industrielles
Écoles		Adultes cours de formation provincial-fédéral		travailleurs saisonniers
Communautés religieuses				ménagères
secrétaires				
commis de bureau				

Certes, nous sommes bien conscientes qu'il faudrait tenir compte de beaucoup d'autres données. La réalité de la classe ouvrière est complexe. Nous reprenons la pyramide sociale en mettant l'accent cette fois-ci sur les travailleurs syndiqués et leurs organisations. Nous rappelons aussi la petite-bourgeoisie pour qui certaines ont travaillé. L'État et son armée a droit à quelques commentaires, de même que la grande bourgeoisie. Ce sont des amorces d'analyse. Cette session s'adresse habituellement à des assistées sociales qui sortent de leur cuisine. D'autres rencontres et activités poursuivront ce travail amorcé. La lutte est une bonne école de conscientisation. Une autre session de formation de 4 jours sur le revenu minimum garanti a vu le jour en mars 1982. Elle est un suivi à la première session. Elle permet de faire une percée sur les réalités économiques de notre système capitaliste en période de crise, de mieux situer les politiques sociales dans leur contexte historique pour mieux articuler les revendications de lutte.

Reconnaître le "Bien-Être" comme un droit

À la fin de la première journée, la loi d'aide sociale simplifiée a été distribuée en demandant aux participantes de la lire pour la prochaine rencontre. On leur recommande de noter les passages obscurs, les mots difficiles et leurs nouvelles questions.

On relit les questions posées lors de la première rencontre et l'animatrice les regroupe par thèmes: Droit à sa dignité
Droit au bien-être social
Droit au travail
Droit au logement
Droit à la santé

Ceci a pour but de sensibiliser les assistées sociales à la notion de Droit. Parler de ses droits, réclamer des revendications, c'est possible quand l'assistée sociale devient critique face à la loi, à l'ordre établi et à ses représentants. Il est important d'affranchir les assistées sociales de leur culpabilité, de leurs peurs, de leur dépendance face à toute figure d'autorité. Très rapidement, on réalise qu'on a eu les mêmes sentiments face à son père, son mari, son patron, son agent de bien-être et si on continue voire même avec "le Bon Dieu". Notre expérience nous démontre que les femmes divorcées ayant eu des démêlés avec la justice sont en général mieux armées pour affronter leur agent de bien-être ou leur propriétaire.

Pour bien situer cette loi d'aide sociale et voir ce qu'elle apporte de nouveau, nous faisons un bref rappel historique. Cette démarche de l'histoire des politiques sociales se fait avec les participantes en racontant des faits ou des événements:

qu'est-ce que nous savons du secours direct?
de la crise de 1929?
peut-on faire des liens avec aujourd'hui, qu'est-ce qu'il y a de semblable? de différent?
que savons-nous de la loi des mères nécessiteuses?

et de la loi de l'assurance-chômage?
qu'est-ce que la loi d'aide sociale apporte de nouveau en 1969?
quelle idée avons-nous du revenu minimum garanti?

Après ce bref rappel de l'histoire, nous abordons les préjugés de la loi d'aide sociale. Nous insistons sur la notion de *besoin*. C'est la grande nouveauté de cette loi. L'État veut répondre aux besoins de toute personne n'ayant pas de moyen de subsistance. Comment répondra-t-il à ces besoins? Et quels seront ces besoins?

Points importants de la loi d'aide sociale de 1969

Article 3 de la loi: "l'aide sociale est accordée sur la base du déficit qui existe entre les *besoins*... et les revenus dont elle dispose pourvu qu'elle n'en soit pas exclue en raison de la valeur des biens qu'elle possède."

Ici, on précise que la notion de besoin correspond à la norme gouvernementale, et non aux *besoins réels de la vie des assistés sociaux*. Ce sont les besoins tels que définis par l'État. Un petit tableau aidera à faire saisir que la répartition des impôts est fort différente selon sa classe sociale. Les pensions dites de régimes universels sont loin d'être justes. Lorsqu'une assistée sociale ou pensionné avec supplément de revenu fait des économies, ces économies sont déduites du montant octroyé par l'État. Si on est assistée sociale et qu'on reçoit une petite pension de la régie des rentes, ce sera le montant du BES *moins* le montant versé par la régie des rentes. Même procédé pour recevoir le supplément accordé à la pension de vieillesse. Si on est du côté de la classe ouvrière, les économies seront déduites, mais attention, si on est dans la classe des bourgeois, les revenus seront des surplus.

Voir venir le Revenu Minimum Garanti

Avec ce tableau, nous en profitons pour faire un lien avec le premier thème et le première journée. Quels sont nos besoins, quels sont nos désirs, nos rêves?

Le barême de l'aide sociale, le montant du salaire minimum, le chèque de la pension de vieillesse permettent de constater qu'on est tous dans le même bateau! On passe de travailleur à travailleur sans emploi, à assistée sociale. Parfois on redevient travailleur à temps partiel comme garde de sécurité. Puis si on atteint l'âge de 65 ans, ce sera la pension avec le supplément.

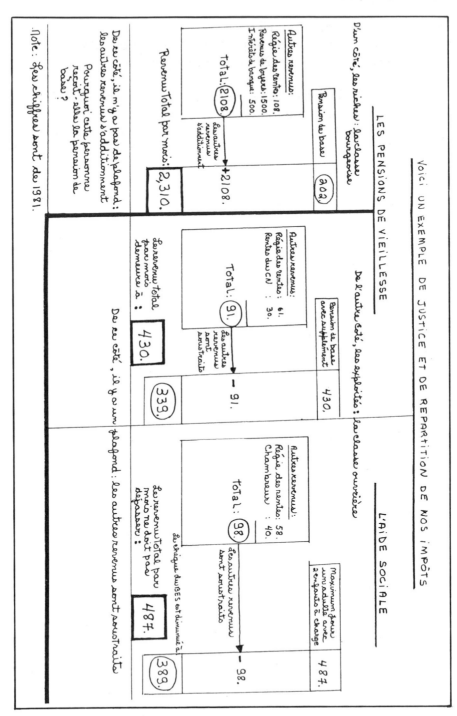

Que vous promet le revenu minimum garanti? Un mieux-être? Avec la loi de l'aide sociale, il y a eu un pas en avant: toute personne privée de moyens de subsistance a droit à de l'aide sociale. C'est la notion de *besoin* qui importe.

Avec la loi du revenu minimum garanti on revient à "recatégoriser" les assistés sociaux entre les aptes et les inaptes (retour aux années 1930, et on dit que c'est une loi progressiste...).

Voici un petit schéma qui nous aidera à saisir les enjeux de ce programme social. Avec l'explication du schéma, nous terminerons les 3 heures de rencontre.

Le *Revenu Minimum Garanti* est à deux volets: le soutien de revenu et le supplément de revenu. Le revenu minimum garanti ne tient plus compte des besoins mais du revenu familial.

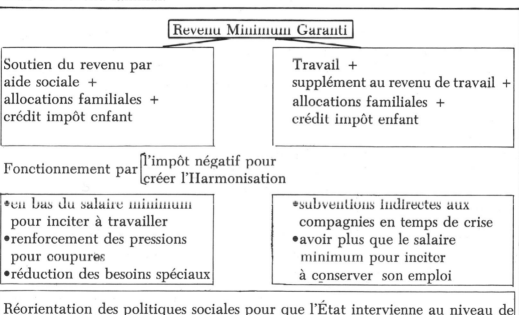

Partir des questions et répondre par l'expérience des participantes

Pour ce qui est de la deuxième partie de la journée, la session se veut très souple s'adaptant aux besoins des participantes. Nous procédons par questions en ayant soin de regrouper les questions sous différents thèmes:

Le droit au travail, le droit à la santé, le droit au logement.

De la même manière que les rencontres précédentes, nous prenons toujours *le temps d'aller chercher l'expérience des participantes concernant les différentes questions abordées.* Malheureusement parfois, on a reproduit le modèle de "maître-élève" - en ne redonnant pas la parole aux participantes. Une fois de plus, je suis émerveillée de réaliser tout le bagage apporté par les unes et les autres et de constater une réelle combativité mais qui demeure trop souvent isolée et individuelle. Selon les besoins exprimés, cette rencontre suscite de l'intérêt à connaître les ressources du milieu; des dépliants sont remis aux participantes sur différents organismes: locataires, pharmacies populaires, garderies, personnes retraitées.

À noter: cette journée sur la loi de l'aide sociale s'adapte tous les ans à la conjoncture de la réalité des assistés sociaux.

Les sessions données au cours de 1980-81 ont tenu compte de la politique du retour au travail et de la loi 183 sur la perception des pensions alimentaires. Pour la région de Montréal, il a été aussi question du fameux règlement de la Ville de Montréal concernant le paiement de la taxe d'eau par les propriétaires.

3e jour: 4. **Pour se défendre, il faut s'organiser sinon on se fait organiser**		
Objectifs	**Contenu**	**Outils pédagogiques**
1. refaire mémoire de notre histoire	rappel des deux jours précédents	pancartes synthèses
2. apprendre à se défendre individuellement	Droit de revision et d'appel	faire appel aux participantes ou à l'animatrice
3. apprendre à se défendre collectivement	c'est quoi l'O.P.D.S. -le front commun -parler des victoires de ces groupes -parler de la lutte en cours	dépliant pancarte: victoires de luttes vidéo: des femmes s'organisent
Nous réservons toujours une heure à deux heures pour l'évaluation de la session		

4. connaître chez les partici-pantes celles qui veulent s'engager. Celles qui ont fait le passage au collectif.	l'évaluation se fera autour de 3 questions: Comment je me sentais avant la session? Qu'est-ce que je veux faire? Véfification des objectifs, attentes et les questions.	photolangage questions sur la table spontanément.

Développer le sens du collectif

Toujours brièvement, à l'aide des pancartes, il y a retour sur les données des jours précédents. Ce dernier jour sera marqué soit par un dîner communautaire ou par un goûter un peu plus spécial pour souligner le bout de chemin fait ensemble. Cette note de fête varie selon les groupes et ce n'est pas la créativité qui manque!

Le droit de revision et d'appel: défense individuelle

Selon un principe pédagogique, nous allons chercher dans un premier temps l'expérience des participantes. Si personne n'a exercé ce droit, ce qui arrive dans bien des cas, nous expliquons ces deux points de la loi en montrant les limites d'une défense individuelle, mais qu'il faut absolument utiliser quand les droits sont lésés.

Ici nous apportons les nombreuses victoires remportées depuis 9 ans par les A.D.D.S. et O.P.D.S. de Montréal et des régions.

Exemple: l'utilisation massive de ce droit d'appel et révision comme mode de pression a fait reculer le gouvernement Lévesque face aux dernières coupures des 35,800 assistés sociaux en 1980.

Apprendre à se défendre collectivement:

La lutte
Les organisations des assistés sociaux

Une grande pancarte: rappellera les victoires obtenues par les différentes organisations que se sont donné les assistés sociaux à travers le Québec. Une liste de toutes les organisations appartenant au Front commun des assistés sociaux sera remise aux participantes. Il n'y a pas de meilleur moyen de communication que le "Télégueule" et puis "on est 6 millions, faut s'parler"; pourquoi ne pas dire à mon ami d'une autre région, à une parente du quartier voisin, qu'il existe dans son patelin un organisation pour défendre les intérêts et les droits des assistés sociaux.

Victoires gagnées par les organisations d'assistés sociaux

La plus grande victoire depuis 1969: il y a en 1981, vingt-six groupes d'assistés sociaux dans le Québec.

1973:   Le $25.00 donné à chaque enfant d'âge scolaire et remis automatiquement avec le chèque de septembre;

1973:   Des officiers du B.E.S. du quartier Centre-Sud de Montréal ne seront plus en contact avec les assistés sociaux à cause de leurs attitudes inhumaines;

1974   Depuis 7 ans, plus de 10,000 assistés sociaux de Montréal brûlent leur
à 1981:   compte d'eau. Des groupes de Verdun, Laval suivent le mouvement;

1978:   ADDS-Québec réussit à faire déplacer un directeur d'un bureau régional à cause de ses attitudes répressives à l'égard des femmes divorcées ou séparées;

1979:   O.P.D.S.-Mercier fait déplacer un officier du B.E.S.;

1980:   Non aux coupures: 35,800 assistés sociaux récupèrent leur coupure de chèque $25.00 - $15.00 -$10.00 Victoire du Front commun;

1981:   Victoire du Front commun: les assistés sociaux obtiennent l'indexation des chèques aux 3 mois.

Mesurer le bout de chemin parcouru par les unes et les autres

Un temps assez long doit être consacré à l'évaluation de l'ensemble de la session. Dans notre pratique, nous considérons cela comme un point majeur que d'essayer de mesurer le bout de chemin parcouru par les unes et les autres. Il est donc important de saisir où en sont les participantes dans cet éveil et maturation de conscience des situations. Quels liens on a fait? Comment on réagit maintenant? Qu'est-ce qu'on veut faire face à cette réalité?

Pour le groupe organisateur, il sera important de saisir ceux et celles qui désirent s'engager et veulent passer à l'action, de poursuivre le travail avec les autres. C'est pourquoi tout au long de la session nous ferons attention aux situations d'oppression apportées par le groupe. Quelques réalisations intéressantes ont été menées à Québec, Lac St-Jean, Rivière des Prairies après une session sur la loi d'aide sociale:

- visite en groupe au Bien-Être Social
- participation à une manifestation, c'est un 1ère dans la région
- demande de déplacer un officier harcelant les mères, chefs de famille.

Si nous voulons que l'information donnée dans une organisation soit différente d'une information transmise par un organisme gouvernemental ou autre, l'information doit débloquer sur de l'action, sinon c'est une "information-consommation". Et tout travail de conscientisation ne doit-il pas garder ces différents pôles: formation-action, conscientisation-organisation.

Nous avons essayé tout au long de ces diverses expériences plusieurs outils d'évaluation: questionnaire, dessin, sketches, photolangage. Nous retiendrons l'expérience des photolangages.

Photolangage:

Tout comme le jeu des mots, il s'agit de déposer une quarantaine de photos. À noter le choix des photos demeure important. Pas trop d'images abstraites, mais des photos représentant la réalité concrète des participantes.

Trois questions sont posées:

1. Comment je percevais ma situation avant la session?
2. Comment je vois ma réalité aujourd'hui?
3. Qu'est-ce que je veux faire maintenant?

Méthode d'utilisation

Il s'agit de choisir 3 à 5 photos correspondant aux trois questions. Comme pour le jeu des mots, on laisse les photos sur la table. Chacune note sur un papier les

photos choisies. Lorsque toutes les participantes ont terminé le choix, spontanément on commence l'échange. Une des deux animatrices écrit au tableau selon
les trois questions posées et l'autre anime.

À noter: les animatrices choisissent elles aussi des photos. Puis ce sera la conclusion: comme pour les conclusions des autres outils pédagogiques, *l'interprétation des données se fait par tout le groupe.* Voici un exemple de ce qui a déjà
été apporté.

Photo: montage regroupant des photos d'un photolangage

Évaluation:
(outil: photolangage)

Comment je me sentais avant la session?	Aujourd'hui comment je me sens?	Qu'est-ce que je veux faire?
1. gênée-même très gênée	renseignée sur mes droits	se tenir ensemble pour lutter
2. gênée-renfermée	libérée	informer les autres
3. femme morte	je danserais, heureuse	regrouper les autres

4. bloquée	éclairée	force pour me battre
5. prisonnière avec mes enfants	heureuse avec d'autres	être utile pour d'autres
6. un mouton, un numéro	une travailleuse	continuer à lutter
7. seule, isolée	vivre plus gaiement	participer-informer
	BES - un droit	
8. résignée	renseignée	se regrouper
9. seule	s'organiser	bâtir un regroupement
10. mêlée-peur	décidée	m'embarquer avec d'autres
11. seule-apeurée	plus forte	travailler au regroupement
12. humiliée	mieux armée pour se défendre	s'engager pour changer des choses
13. mêlée, découragée	informée	s'armer, se battre
14. tiraillée, confuse	informée-libérée	militer
15. seule	découverte de la solidarité	s'organiser
16. triste	bien dans ma peau	être solidaire
17. insécure	réponses à mes questions	travailler avec le groupe
18. seule	force d'être avec d'autres	s'organiser dans la région
19. honte découragée	fière-renseignée	informer d'autres
20. méfiante	s'unir	lutter pour se défendre
21. gênée	plus rassurée	lutter avec d'autres
22. mécontente-seule	découverte de se battre à plusieurs	m'impliquer
23. gênée-préjugés	valeurs changées	travailler sur les comités

De plus si le temps le permet, il y a présentation du vidéo: *Des femmes s'organisent*. Vidéo fait en 1975 sur la lutte de la taxe d'eau par l'OPDS-Mercier. Ce vidéo résume bien le niveau de conscience des femmes assistées sociales qui s'est développé pendant la première année de cette lutte. C'est une invitation à la mobilisation et la solidarité.

Ce tableau nous montre que plusieurs désirent s'engager, continuer à s'informer. Plusieurs ont fait ce premier pas: *le passage de l'individuel au collectif*. Les verbes utilisés sont pour la plupart des verbes actifs: travailler, lutter, battre, s'embarquer, organiser, bâtir. D'où l'importance de l'action, c'est pourquoi nous essayons ensemble de bâtir une action dans la dernière après-midi de la session. Un exemple d'une action déjà faite: aller occuper le bureau du BES pour demander le déplacement d'un officier du BES. Dans une autre région: l'abolition d'une carte de visite menaçante quand les assistés sociaux étaient absents du foyer. Un autre groupe: lors de la semaine des assistés sociaux du Québec, tout le groupe qui avait suivi la session a organisé, pour la première fois une manifestation dans la région.

Si des actions ne sont pas toujours possibles, il demeurera capital que le groupe organisateur planifie une rencontre pour canaliser assez rapidement les forces vives.

Que d'amateurisme dans les organisations populaires et d'improvisation, lorsqu'après une bonne rencontre, comme mot d'ordre, on dit aux membres "on vous téléphonera..." et trop souvent malheureusement, ce téléphone vient des semaines plus tard. Après chaque rencontre, il faut donc prévoir la prochaine activité, d'où l'importance d'avoir des plans de travail, des plans de luttes qui tiennent compte de la pratique et de la théorie.

Vérifier si les objectifs ont été atteints

Un autre point important dans l'évaluation, c'est de vérifier si les objectifs ont été atteints: d'abord ceux des participantes, et leurs questions ont-elles trouvé une réponse? puis les objectifs des animatrices et du groupe organisateur. Exemple: lors d'une évaluation on souligne que deux objectifs ont été atteints de façon remarquable "briser l'isolement des assistés sociaux et connaître ses droits en tant qu'assisté social. De plus, il semble que les assistés sociaux se sentent plus prêts *à se défendre collectivement*. L'occasion de le vérifier s'est présentée assez rapidement lorsque treize assistés sociaux sur 18 ayant suivi le cours se retrouvaient pour préparer, réaliser et évaluer une intervention au bureau de l'aide sociale de la région.

Quand aux deux derniers objectifs: abattre les préjugés et développer une solidarité de classe, c'est le travail à poursuivre. La session a apporté un contenu suffisamment riche pour continuer ce lent et fructueux processus de conscientisation.

Voici quelques autres commentaires:

"c'est constructif le fait d'exprimer ses idées, son vécu, je me pensais toute seule."
"ce que j'aime, ce sont les exemples..."
"j'apprécie le langage pas compliqué, les mots plus difficiles sont expliqués."
"stimulant, encourageant de voir que d'autres se réveillent."
"les pancartes, ça m'a aidé à comprendre."

"j'ai bien aimé le repas collectif... on devrait faire ça plus souvent..."
"on a passé trop rapidement sur l'expérience de travail."
"je n'ai pas ben aimé cela revenir à mon histoire de misère..."
"j'aurais aimé qu'on parle du droit des locataires."
"j'ai beaucoup appris, j'ai le goût de revenir vous voir."
"j'ai ben apprécié la photo avec les différents bonhommes, c'est bien cela ce que j'ai vécu."
"je ne m'attendais pas à ce genre de session, je pensais que j'aurais à écouter."

Avant de terminer, on reprend la chanson des Assistés sociaux:

> Refrain: *Solidaires, assistés sociaux*
> *Nous luttons contre l'État*
> *Aux côtés des ouvriers*
> *Luttons contre les bourgeois*

CHAPITRE 3

UNE MAISON DE CAMPAGNE COLLECTIVE

Une affirmation du droit aux vacances pour tous
Un milieu de vie pour les militants

Louise Leboeuf

L'histoire de la botte de foin

"Il était une fois des assistés sociaux, des travailleurs, des militants qui s'unirent pour améliorer leurs conditions de vie et croire qu'il était possible de vaincre l'ennemi et bâtir une société égalitaire."

"*Ces hommes et ces femmes résolus se donnèrent des vacances ensemble afin de devenir plus solidaires et faire un arrêt momentané pour mieux travailler, unir et organiser la lutte l'année durant.*"

"Reconnaissant les vacances comme un droit que la société nous refuse, nous nous sommes donnés une maison de campagne collective où nous pouvons vivre ensemble le repos, le sport, la réflexion, le partage de nos richesses et la solidarité."

"Que la Botte de Foin soit un milieu de vie, qu'elle apprivoise ceux qui craignent cette société qui sera leur, qu'elle soit un peu le miel dans cette lutte qui sera longue."

Cette petite histoire de *La Botte de Foin*, accompagnée de jolies tapisseries, vous la trouverez à l'entrée d'une maison de campagne dans les Cantons de l'Est. Cette maison fût bâtie il y a un peu plus de cent ans pour une famille bourgeoise ayant à son service des domestiques: c'est ce que nous révèle son architecture. Aujourd'hui, elle est un lieu de vacances et de réflexion pour la classe populaire et ses alliés. Les tapisseries ont été réalisées à partir de dessins d'enfants et ont été confectionnées au cours d'un des premiers camps d'été à *La Botte de Foin* avec des familles ouvrières. Cela se passait en 1977! Le texte qui accompagne les tapisseries a été composé par une alliée travaillant à l'organisation des camps.

Depuis quelques années, nous étions des militants petits-bourgeois travaillant dans une organisation de défense des droits et intérêts des assistés sociaux. Nous aspirions à une société égalitaire et notre implication au sein de la classe populaire nous permettait de travailler concrètement à cet idéal. Nous vivions la lutte avec les assistés sociaux et étions rattachés à des programmes de recherche, de formation et d'information.

Nous étions quelques uns parmi ces militants ainsi que quelques assistés sociaux à penser qu'il était également important de travailler à la mise sur pied de projets qui, dans le quotidien, sont une réponse aux besoins de la classe populaire, permettent la remise en question du système capitaliste et contribuent à modifier les rapports sociaux existants. Nous savions que ces projets seraient d'une portée limitée mais nous pensions qu'il ne fallait pas attendre "le grand jour" pour voir la mise sur pied de tels projets. Ce serait autant d'occasions de vivre des expériences collectives.

C'est ainsi qu'une association défendant les intérêts des consommateurs et une autre ceux des locataires ont pu voir le jour dans l'est de Montréal. Des camps de vacances ont également été organisés.

Le droit aux vacances pour les salariés à faibles revenus, les chômeurs, les assistés sociaux n'est pas un droit reconnu parce qu'économiquement, lorsqu'on a peine à survivre tout au long de l'année, lorsqu'on ne peut se loger adéquatement ni manger convenablement, les vacances deviennent un luxe qu'on ne peut se permettre. Le plus loin que l'on puisse aller c'est à *Balconville*. C'est donc avec des assistés sociaux regroupés au sein d'une organisation défendant leurs droits, que les premiers camps furent organisés. C'était reconnaître aux assistés sociaux le droit à des besoins essentiels mais aussi le droit aux vacances. Ces assistés sociaux pouvaient enfin vivre des vacances à la campagne avec leur famille, se mieux connaître, resserrer des liens entre eux et refaire leurs forces.

> *"Moi, j'ai commencé à prendre des vacances avec l'organisation des assistés sociaux. J'en avais pris des vacances mais avec les enfants. Mon mari restait tout seul en ville; moi j'm'en allais à la campagne avec les enfants pis j'prenais des vacances..." (Jeanne)*

Les camps d'été nous ont permis de vérifier que nous répondions à un besoin réel et que les objectifs visés étaient atteints. Des camps d'hiver furent demandés. Cependant chaque année, il nous fallait demander des subventions et chercher un lieu adéquat, à des coûts raisonnables, respectant le nombre de campeurs que nous avions et nous laissant toute liberté d'agir au niveau de l'organisation et des activités.

La location grugeait une grosse partie des subventions reçues et chaque année la recherche d'un lieu venait nous prendre beaucoup d'énergie. Nous avions également vécu un camp sous une administration autoritaire, où les différences de classes étaient marquées et où, avec un autre groupe, nous étions plus de 120 personnes sur le terrain. Il n'était donc plus question de recommencer ce type de vacances avec le groupe auquel nous appartenions.

Ces contraintes, le désir de fins de semaines de vacances l'hiver, le besoin d'autres groupes travaillant à un changement social d'avoir un lieu de réflexion et de vacances ont amené la naissance d'un projet de maison de campagne collective.

> *"C'était important la maison pour moi, parce que là, je me suis dit: Là, j'vais pouvoir en prendre à tous les ans des vacances. Parce que la maison était là. Tandis qu'avant, il fallait chercher des places pis j'me disais toujours: y vont tu avoir de l'argent? Y vont tu trouver des places pour les prochaines vacances? Là c'était réglé le problème des vacances dans ma tête. J'savais qu'en ayant la maison, là j'pourrais en prendre des vacances." (Jeanne)*

C'est à la fin de l'automne 1976, en pleine campagne que nous trouvions sur le même terrain une grande maison jaune et son écurie. C'est d'une façon spontanée que des enfants ont baptisé la maison *La Botte de Foin*: pas de méprise, cette maison ne pouvait se trouver qu'à la campagne!

La Botte de Foin, hiver 1977

Nous étions sept militants de groupes populaires, majoritairement des alliés. Nous avions trouvé une maison qui répondrait au besoin de vacances de la classe populaire et nos organisations pourraient également en profiter. Nous ne voulions pas perdre cette maison et nous ne voulions pas être dépendants des subventions. En un mois, nous ramassions $12,000. de prêts sans intérêt. La maison fût achetée en fiducie le 24 décembre par deux des militants et transféré à la corporation légalement constituée, 3 mois plus tard.

Le début de l'année 77 a vu bien des gens passer en corvées à *La Botte de Foin*. À la fin février, nous pouvions faire un premier camp d'hiver avec des familles assistées sociales. C'est grâce à des alliés de la classe populaire et grâce aux membres de différentes organisations populaires, grâce aux diverses compétences, habiletés et disponibilités de chacun que la maison a pu être rapidement achetée et organisée.

Une réponse à un besoin

Aujourd'hui, *La Botte de Foin* accueille une douzaine de groupes et plusieurs familles de militants. On s'y retrouve pour découvrir la campagne et en profiter,

pratiquer des sports d'hiver, faire de l'artisanat, reconnaître les talents, se donner un temps d'arrêt et de repos ou un moment de réflexion et de formation.

"Une fin de semaine à la campagne"

Dessin de Vilma,
Décembre 1981

*"C'est important que j'puisse prendre des vacances à la Botte de Foin. C'est
important j'pense pour tout le monde qui peut prendre des vacances, qui
peut aller à la Botte de Foin. Moi j'ai amené ben du monde. J'ai jamais
ramené quelqu'un qui a dit qu'y était pas content d'être allé là." (Denise)*

"L'hiver à la forêt", dessin de Marisela, décembre 1981

"Le ski, j'ai commencé ça avec les camps. Même si j'en fais rien qu'une fois dans l'hiver, j'me dis que j'en ai fait une fois. Pis la beauté qu'y a là. Y m'semble qu'y a pas de plus beau paysage que ça. J'suis attachée à ce coin-là." (Jeanne)

Dessin de Brigitte, décembre 1981

"Nous autres à shop, on n'a pas le temps d'manger: une sandwich dans les mains, on surveille les presses. Les presses arrêtent, je jette mon lunch! Là c'était des vraies vacances. On pouvait prendre le temps de dormir, de manger. T'es pas à course quand tu vas là!" (Marcel)

"Parce que le Québec - La Botte de Foin = Rien" (Carl)

Dessin de Carl,
Décembre 1981

"C'est maman qui nous en parlait, qui nous racontait comment elle, elle se sentait chez-eux. On est allé passer une fin de semaine, toute la famille, mes frères, mes soeurs, les enfants. C'était la première fois qu'on pouvait toute la gang s'retrouver une fin de semaine ensemble, rester à coucher. Nos maisons sont trop petites. Jamais on avait eu l'occasion de s'rencontrer toute la famille comme ça. Ça faisait penser à l'ancien temps avec les parents à la campagne. C'était l'fun ça." (Nicole)

Si la maison a répondu d'abord à un besoin de vacances pour la classe populaire, elle sert également de lieu de rencontre privilégié pour une réflexion ou de la formation. Des militants alliés de la classe populaire s'y retrouvent dans un cadre de formation. C'est à la Botte de Foin que se sont tenues les sessions de formation ROCQ dont il est question au chapitre 4. Des militants chrétiens et des familles y viennent aussi pour réfléchir sur leur foi et leur engagement.

"Lutte + Solidarité = Force + Libération"

Dessin de Martin, décembre 1981

Ce lieu revêt également toute une importance en tant que milieu de vie alterna-
tif. Suite à leur engagement dans un groupe populaire ou en milieu syndical ou
suite à des prises de position, des militants se sont éloignés de leur famille, de
leurs amis. *La Botte de Foin* a été pour certains l'occasion de faire mieux comprendre à leurs proches parents leur situation ou leur engagement. Elle est aussi
l'occasion de rencontrer d'autres militants et de vivre moins seuls certaines périodes
difficiles. Pour tous, elle est une façon de mieux vivre son engagement.

*"Y'en a qui ne sont pas entièrement d'accord avec le travail que j'fais. Quand
on est allé avec ma famille, ça a permis d'éclaircir ben des affaires. J'sais
pas si c'est le fait d'être là, t'es assis autour du feu, j'pense que c'était plus
facile comme conversation. Moi j'me sentais sur mon terrain quand même,
mais là c'était comme si ça avait été sur un terrain neutre. On n'aurait pas
pu se parler comme ça chez-nous. On a pu parler complètement de mon
travail à fond, chose qu'y était jamais arrivé. Ceux qui n'étaient pas en
accord, ne sont pas en accord pareil, mais ils savent pourquoi j'm'implique
dans un groupe populaire et que moi j'ai besoin de ça. Ils ne vont plus essayer
de me garder dans la maison. Ils vont m'dire de m'reposer mais plus de
laisser tomber ça. Les attitudes ont changé. Avant: "T'as l'air fatigué. Ben*

reste donc tranquille!" Maintenant: "T'as l'air fatigué. Qu'est-ce que t'as fait aujourd'hui?" (Jeanne)

Apprendre à vivre différemment ensemble

Dans la mise sur pied du projet, si le travail administratif et intellectuel a été important, le travail manuel l'a été tout autant.

> *"Pour les corvées, tu voyais pas de différence entre le monde, y'avait des militants alliés, des p'tits travailleurs, des assistés sociaux. Tu voyais aucune différence entre le monde. Si la société était de même. Je rêve en couleur là. Tout le monde était égal là." (Jeanne)*

Le projet a été pour chacun une occasion d'apprendre. Cette notion d'aprentissage demeure importante dans le projet car le désir d'apprendre et la façon dont le projet permet de répondre à ce besoin, contribuent à modifier les rapports sociaux.

Camp familial, été 1978

> *"Dans toutes les corvées que j'me suis embarquée, j'ai aimé faire ce que j'ai fait. Mais le jardin, ça a été le top, c'était mon rêve. Après que j'ai été rendu en ville, j'rêvais de retourner en campagne. Pis ça m'a valorisé aussi. Tu sais quand j'montrais au monde comment sarcler le jardin, retourner la terre. Tu peux pas savoir, après tout ce que j'avais appris moi, là j'pouvais être capable de montrer quelque chose que j'connaissais pis que j'étais capable de faire. Moi-même, j'montrais quelque chose à quelqu'un même si c'était des militants alliés, pis que c'était du monde qui avait fait de l'Université. J'savais que j'étais capable de le montrer. Pis le fait de voir les enfants: "ça pousse dans un jardin les carottes!" Leur montrer comment les semer, j'trouvais ça ben l'fun. Pis ils posaient un tas de questions: "comment ça s'fait que tu sèmes ça d'même, pis pourquoi!" (Jeanne)*

Aussi à *La Botte de Foin* hommes et femmes se partagent le travail non comme le veut la tradition, mais selon les goûts, les talents, les intérêts. On ne dit pas "ce travail n'est pas fait pour une femme!" ou "tu n'en seras pas capable" mais "on peut essayer si l'on veut".

Camp familial, été 1978

> *"On a fait l'acquisition*
> *De très bonnes cuisinières*
> *Elles vous brassent*
> *Ça les chaudrons*
> *Sans faire de manière*
>
> *Comme nous avons bien mangé*
> *Il nous faut les remercier*
> *Hourra pour les cuisinières."*

Chanté après les repas

C'est ainsi qu'on peut être une femme et venir en corvée à *La Botte de Foin* pour travailler à la finition d'un mur. On peut être un homme et profiter de ses vacances pour faire du petit point ou tricoter.

On peut être enfant et aider à la préparation des repas. Pourquoi les enfants ne feraient-ils que la vaisselle alors qu'il est plus agréable de préparer un bon repas et d'en recevoir des félicitations, une fois les appétits rassasiés?

Les expériences vécues permettent de se poser des questions ou de faire des réflexions qui peuvent influencer le vécu familial. À *La Botte de Foin*, par exemple, la vaisselle et le ménage sont l'affaire de tous.

> *"Là c'est l'fun parce que c'est pas tout le temps la même qui fait à manger. À la maison c'est toujours la même qui fait à manger. Là tout l'monde fait d'quoi. Y'a de l'ouvrage à l'extérieur, à l'intérieur." (Nicole)*

Au niveau de la responsabilité du projet et de ses activités, nous cherchons à vivre d'autres types de rapports. Le projet vit actuellement grâce à l'implication de plusieurs militants venant majoritairement de la classe populaire. On les retrouve dans l'organisation des camps, aux corvées, au comité artisanat, au conseil d'administration et à la préparation d'activités spéciales. Il est un lieu où chacun peut participer au projet et faire servir ses capacités. Et les capacités ne sont pas mesurées à la longueur des années d'école.

> *"Aussitôt qu'tu avais quatorze ans oup, vas chercher ton permis de travail, pis vas travailler. J'aimais ça, j'avais des talents pis des capacités à l'école mais là j'étais obligé de travailler. La journée de ma fête, ma mère m'a pris par le cou, elle m'a dit: tu t'en viens chercher ton travail. Même dans c'temps là, une septième année, ça valait rien. Tu pouvais pas t'placer nulle part parce que t'avais une septième année. Tu t'retrouvais aussi comme j'ai fait, à l'hôpital, dans des usines, des buanderies. J'ai toujours été marqué par ça parce que j'aimais ça aller à l'école. Déjà qu'j'avais des capacités...*
>
> *...Dans l'fond j'savais pas que j'étais capable de vivre en groupe. J'ai découvert qu'j'étais capable, qu'j'avais des possibilités. J'avais pas confiance en moi, j'aurais jamais pensé qu'j'aurais été capable de faire les affaires que j'fais aujourd'hui. Moi-même j'me surprends." (Denise)*

Lorsqu'un groupe vient à *La Botte de Foin*, une réunion préalable en début de camp sert à préciser les buts de la rencontre, l'organisation et le partage des responsabilités. Chacun y va de ses goûts et ses intérêts, de ses besoins et de sa responsabilité particulière au chapitre des activités et des tâches ménagères. Le groupe demeure sous la reponsabilité d'une ou deux personnes reconnues par le conseil

d'administration. Ces personnes assument surtout un rôle d'animation et de coordination. Elles s'assurent que les règles de sécurité sont respectées et la maison
laissée en ordre au moment du départ. La plupart des groupes se garde un temps
d'évaluation à la fin du séjour.

Notre expérience nous a montré qu'un groupe quelqu'il soit, ne se prend pas spontanément en charge. À l'intérieur du groupe, il y a des gens qui se rendent responsables. Autant faire en sorte que tous portent une responsabilité et profitent
pleinement de leur séjour. Les rencontres de préparation et d'évaluation facili-
tent cette prise en charge par le groupe dans son entier. Quand aux personnes
qui assument un rôle de coordination, celui-ci leur en est facilité puisque reconnu.
Cela ne signifie pas que tout ce qui se passe au cours d'un séjour soit entièrement
satisfaisant. Le projet se veut un lieu de recherche de nouveaux rapports sociaux
et un lieu de partage. La discussion sur le projet demeure donc ouverte et les
expériences sont positives.

Vivre de nouvelles valeurs

Quand on vient à *La Botte de Foin*, c'est l'occasion de vivre des soirées organisées avec des jeux, de la danse, des chansons, des pièces de théâtre, etc… Sur

place on trouve différents jeux de société, des instruments de musique, du maté-riel de sport et d'artisanat, un costumier. Des équipes se constituent et des cours de macramé, de tricot s'organisent avec les compétences présentes.

Le choix des activités et la participation du monde viennent traduire l'une de nos préoccupations: faire reconnaître les talents de la classe populaire et susciter la créativité. La libération à faire ne se trouve pas qu'au niveau économique et politique mais également au niveau culturel. Le capitalisme envahit toutes les zones de la vie dans la mesure où tout en exploitant l'homme, il lui enlève toute possibilité créatrice et lui fait croire que cette situation est normale. Il est donc important pour nous qu'au niveau des activités, les talents puissent s'exprimer et la créativité enrichir le groupe.

Poème des foins fous.

Il était une fois une botte de foin.
Elle était pleine de foins fous.
Les foins qui étaient moyens
Devenaient fous entièrement
Au contact des foins fous.

Les foins fous criaient, des fois
Des gros mots, des grands mots, des petits mots.
Ca servait aux plus sots.
Ces fous résolurent de fêter un jour d'été,
Comme des fous en août.

Ils soufflaient un grand mot sot
Qui s'appelait " SOLIDARITE ".
Les foins fous tremblaient durant la soirée
En solidarité pour fêter un jour d'été

Malgré tout, ces fous savent tout,
Avec un seul mot de vérité.

                                                    Brigitte

Camp familial, août 1980

Camp familial, été 1977

LE JEU DES LUNETTES

Il a déjà été utilisé dans deux camps de vacances avec des familles. Il s'agit de fabriquer des lunettes en carton pour chaque personne présente. Chacun prend une paire de lunettes et pige le nom d'une personne. On a alors une période de temps pour observer la personne dont on a pigé le nom (une soirée-un jour) et lui trouver deux qualités ou caractéristiques qu'on indique sur les lunettes. Le jeu fait partie des activités d'une soirée. On met toutes les lunettes dans un panier et on essaie de deviner à qui elles appartiennent. Certains peuvent changer de lunettes deux, trois fois mais chaque paire de lunettes finit par se retrouver sur le bon nez. On se découvre. On ne pensait pas que les personnes nous trouvaient ces qualités ou autant de qualités. On découvre que les enfants connaissent bien leurs parents.

Les activités sont aussi une occasion de poser des gestes collectifs et de vivre la solidarité. Lors du cinquième anniversaire, pour souligner l'importance de la maison et de la fête, nous avons vécu un moment symbolique. Chacun a reçu un morceau de ruban. Une grosse boucle était déjà attachée à la maison. On a alors attaché nos rubans bout à bout et on a réussi à faire le tour de la maison. Pendant que les rubans s'attachaient, on a pensé quelques instants qu'il n'y aurait pas suffisamment de rubans pour faire le tour de la maison. L'idée est vite venue de se donner la main pour compléter ce long ruban.

Après le souper, nous avons eu droit à *La Pinata*: deux salvadoriennes nous avaient préparé une maison en dentelles de papier, remplie de bonbons. *La Pinata* fait partie des fêtes traditionnelles en Amérique Latine. Les enfants ont eu beaucoup de plaisir à essayer d'attraper la maison et en faire tomber les bonbons.

Au niveau des loisirs, nous avons fait le choix de ne pas avoir de télévision: on vient à *La Botte de Foin* pour se parler, prendre l'air et vivre une expérience collective. Il est cependant évident que l'absence de télévision ne se remarque pas dans la mesure où des loisirs actifs sont organisés. Des enfants nous ont dit que la télévision ne leur manquait pas. Il a fallu aussi discuter du désir de quelques uns de faire de l'équitation au moment d'un camp. On vient à *La Botte de Foin* pour se retrouver ensemble et resserrer nos liens. Le projet ne pouvant pas payer pour la pratique d'un sport aussi coûteux, doit-on laisser à quelques uns le privilège d'y avoir accès?

Un fermier voisin a besoin de main d'oeuvre pour les foins et nous sommes à *La Botte de Foin* avec six familles. Il demande l'aide de deux garçons qu'il sait vaillants. C'est l'occasion d'une réflexion avec les jeunes. Est-ce qu'il vous a dit qu'il vous paierait? Pourquoi vous choisit-il? Une démarche est faite pour que tous les adolescents, autant garçons que filles puissent faire l'expérience des foins.

C'est donc dans un nouveau partage des responsabilités, dans le fait d'avoir une préoccupation constante de loisirs coopératifs plutôt que compétitifs, dans l'utilisatin d'outils permettant l'expression de tous et dans l'attention apportée au cheminement de la conscience de chacun, qu'il est possible dès maintenant d'accomplir un changement.

La Botte de Foin permet également un rapprochement de la nature. Pour des gens qui ont vécu à la campagne et sont venus habiter la ville, il et naturel de faire un jardin; c'est une façon de retrouver la campagne et d'apprécier la nature. Pour des gens qui ont vécu toute leur vie dans l'asphalte, prendre une marche dans le bois et risquer de rencontrer des abeilles et des couleuvres est moins naturel. Il faut apprivoiser la nature. Il faut découvrir ce qui nous entoure.

> *"On avait vécu une expérience très mauvaise quand on était jeunes mariés. Ça faisait 24 ans que je n'avais pas mis les pieds à la campagne. Mais mon expérience avec elle à La Botte de Foin, ça, ça a été merveilleux. Si ça n'avait pas été de cette expérience-là à La Botte de Foin, je n'aurais jamais connu ça.*

Le matin j'me disais: Mon Dieu, que c'est donc merveilleux! C'est donc beau! J'me promenais, j'faisais le tour du terrain: ça s'peut pas tant d'années perdues. Comment ça s'fait que nous autres on ne peut pas vivre ça tous les jours. Là, j'me remettais moi-même en question! J'me disais: comment ça qu'y a du monde qui peut vivre si aisément pis que nous autres, on ne peut pas s'permettre ça. Moi j'travaille. J'ai mon 45 heures par semaine. Tu remets tout en question dans ces affaires-là. Ta vie, tu peux repasser ça en un instant. J'étais dans la grange; chaque morceau que j'arrachais là, que j'arrangeais, c'était comme si c'était à moi. J'y ai dit à elle: ça s'peut pas que j'aie perdu tant d'années." (Claude)

Des visites à la ferme ont suscité beaucoup d'intérêt, surtout chez les enfants. Certains ont pu voir la naissance d'un veau, constater qu'une vache est plus grosse qu'un chien. D'autres ont pu ramasser des framboises et des mûres; nous avons appris à cueillir de la menthe sauvage tout en respectant la nature.

Resserrer les liens de solidarité

La Botte de Foin est un lieu de rencontre entre militants de différentes régions du Québec. Partageant des intérêts communs et se retrouvant par région dans des groupes défendant leurs intérêts, *La Botte de Foin* a permis des liens qui les ont fait se connaître davantage, parler de leur engagement et vivre ensemble leur droit aux loisirs et aux vacances. Ces liens qui se tissent, permettent un rapprochement sur le front des luttes pour l'amélioration des conditions de vie.

La Botte de Foin, par les corvées, les rencontres d'information et les fêtes est un lieu où les différents groupes qui ont accès à la maison peuvent se rencontrer et se lier davantage. C'est un lieu qui, même à une échelle restreinte, permet à ceux qui luttent pour l'amélioration des conditions de vie et l'amélioration des conditions de travail, de partager et de renforcer leur solidarité.

"J'suis bien dans cette maison-là. Y a l'atmosphère de la maison pis, en plus, quand y a du monde, là c'est une toute autre affaire. Y a quelque chose de bien spécial qui se vit, les liens qui se créent avec tout le monde. C'est enrichissant. Tu connais d'autre monde, ça t'apporte d'autres expériences, d'autres points de vue sur bien des affaires. Si tu restes tout seul dans ton coin, t'as juste ton point de vue à toi. Tu vas pas bien loin. Quand t'en ramasses un peu de tout le monde, ça t'éclaire pas mal. Ça te fait voir des choses." (Denise)

La Botte de Foin a permis à des militants chiliens, brésiliens et québécois de se rencontrer. Depuis maintenant plus d'un an, elle accueille des salvadoriens et leur permet d'être en contact avec la campagne québécoise. Ces liens avec des réfugiés, nous permettent de connaître d'autres cultures, nous aident à mieux comprendre les réalités propres à chaque pays et à se solidariser avec des gens qui actuellement sont au Québec mais désirent toujours que leur pays accède à la libération. Ils permettent de donner un visage à la solidarité internationale.

5e anniversaire, juin 1982

Apprendre à gérer une propriété collective

Administrer une propriété de 60,000$ quand on est la plupart du temps loca-taire, prévoir et superviser des travaux d'aménagement, organiser des corvées annuelles qui permettent l'entretien de la maison et du terrain, assurer la loca-tion afin que les fins de semaine habituellement moins propices aux vacances soient louées pour de la formation-réflexion, avoir des revenus suffisants tout en s'assu-rant que des raisons financières n'empêchent pas un séjour à la maison: voilà tout un défi. Et ce défi est d'autant plus grand que tout se fait de façon bénévole et complémentaire à un travail militant sur d'autres fronts de lutte, que les coûts d'entretien augmentent chaque année et que la classe populaire s'appauvrit. Actuellement, le conseil d'administration est composé à la fois de militants alliés et de militants de la classe populaire. Des moyens ont été mis en oeuvre pour permettre la participation de la classe populaire au projet et travailler dans une perspective d'autogestion.

Chaque année une assemblée rassemblant les groupes et familles qui viennent à *La Botte de Foin*, permet de se partager les informations concernant le financement du projet et son fonctionnement. En 1980, un travail d'atelier a permis de constituer un arbre rappelant l'histoire de *La Botte de Foin*, son fonctionnement, les groupes qu'elle rejoint et les souhaits que nous faisions pour le projet.

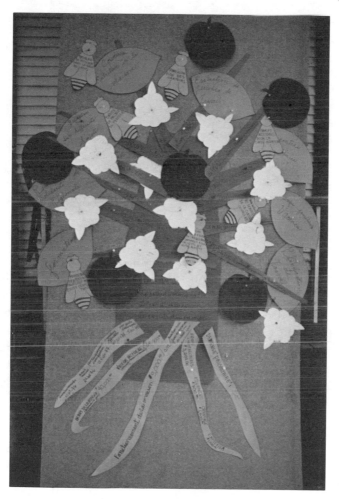

Journée d'information, juin 1980

En 1981, des enfants qui viennent à *La Botte de Foin* ont travaillé avec trois jeunes militantes populaires à la mise sur pied d'une pièce de théâtre expliquant ce qu'est *La Botte de Foin* et relatant ce qui se passe au cours d'un séjour: l'arrivée, le partage des tâches, les activités, etc.

Soirée d'artisanat et d'information, décembre 1981

Une autre façon d'amener une implication dans le projet, a été la mise sur pied d'une vente d'artisanat annuelle. L'objectif premier de cette activité est de faire participer tous ceux qui sont passés à la maison en leur demandant de confectionner un morceau ou d'en acheter un au moment de la vente. Cette vente ayant lieu peu de temps avant les fêtes de Noël et du Nouvel An, les prix sont décidés par le comité d'artisanat, de façon à permettre à la classe populaire d'offrir des cadeaux d'artisanat à un prix accessible pour elle. L'autre objectif visé par la vente est d'apporter des fonds à *La Botte de Foin*, permettant ainsi de ne pas hausser les coûts de la location.

> *"Moi, c'était pour ramasser un fonds pour que du monde prenne des vacances à La Botte de Foin. Pis ma mère est là-dedans. Ce que j'peux montrer, ce que j'peux faire, je suis intéressée à le faire. Moi, ce que j'suis capable de faire c'est de l'artisanat. C'est comme ça que j'peux me rendre utile."* (Nicole)

L'entretien de la maison par les groupes utilisateurs permet la rencontre de militants d'autres groupes et favorise aussi la mise au service du projet des talents de chacun. C'est une occasion d'apprendre et une façon de faire l'entretien de la maison à des coûts moindres. Les travaux d'aménagements des premières années ont nécessité vingt-huit corvées. À cette époque, toutes les personnes impliquées ou sympathiques au projet, sont venues prêter main forte et ont contribué à faire de la maison un lieu accueillant et fonctionnel pouvant recevoir une vingtaine de personnes. À l'heure actuelle, l'entretien se fait à raison de trois corvées au printemps et de trois à l'automne.

Corvée, printemps 1978

Afin de permettre certaines rénovations mais aussi avec la préoccupation de créer un autre niveau de participation, nous avons organisé en mai 1981, un cyclothon à relais: 32 cyclistes ont pédalé, une quinzaine de personnes ont apporté un support technique et plus de 400 personnes ont été commanditaires. L'argent ramassé nous a permis de repeindre la maison. À l'occasion de la fête du cinquième anniversaire de *La Botte de Foin* en juin 1982, un marchethon a été organisé et a permis la récolte d'un fonds qui nous permettra de refaire le plancher de la cuisine.

C'est un budget serré qui a suscité la naissance de ces activités d'autofinancement. Cependant, si les objectifs financiers sont atteints, ces activités sont en elles-mêmes d'excellents moyens de participation.

La contribution financière des groupes ou familles, lorsqu'ils occupent la maison, a fait l'objet de discussions. Il faut se parler de ces questions car *La Botte de Foin* se veut un lieu où s'affirme le droit aux vacances. Il était donc important comme nous l'avons mentionné précédemment, que des raisons financières

Marchethon, juin 1982

ne fassent pas obstacle à un séjour à *La Botte de Foin*. D'autre part, pour les assistés sociaux et les travailleurs à faibles revenus, il était important d'apporter une certaine contribution financière pour l'utilisation de la maison.

Nous en sommes donc arrivés à établir des tarifs différents pour les classes populaires et les alliés. Tous contribueraient à l'investissement collectif mais on tiendrait compte de l'appartenance de classe et des revenus des gens qui composent le groupe. La priorité d'accès à la maison est demeurée à la classe populaire mais l'utilisation de *La Botte de Foin* par des groupes alliés, répondant aux critères d'adhésion, est une source de revenus pour la maison et une occasion pour ces groupes de faire une démarche ou de prendre un repos dans un endroit à caractère collectif.

Le projet a suscité l'intérêt et reçu l'approbation de plusieurs personnes. Certaines d'entre elles ont fait des prêts sans intérêt pour l'achat de la maison ou des dons pour favoriser l'accès de la maison à la classe populaire en y maintenant des tarifs accessibles. D'autres dons ont servi à effectuer des travaux majeurs.

En évoluant, le projet devient un lieu de rencontre pour davantage de familles. C'est pour continuer de répondre aux besoins qui s'expriment et palier à l'augmentation des coûts (hypothèques et chauffage en particulier) que des demandes de subventions ont été faites. Des démarches sont également entreprises pour obtenir une hypothèque à un taux d'intérêt moindre que celui du marché. Cependant, la recherche d'autofinancement demeure prioritaire dans le projet. Même si elle nous demande des énergies, elle a l'avantage d'impliquer les gens qui viennent à *La Botte de Foin* et de conserver au projet son autonomie.

Ces cinq années de vie collective nous permettent actuellement une réflexion à partager avec l'ensemble des familles et groupes utilisateurs de la maison et favorisent l'adoption de règlements plus conformes à notre expérience et à nos objectifs. C'est à travers les comités, toute cette organisation et ce vécu, que la classe populaire s'approprie les outils nécessaires à une prise en charge et que nous apprenons à gérer collectivement le projet.

Toujours de l'avant, un autre pas vers l'avenir

Il existe peu d'endroits au Québec où l'on peut prendre des vacances répondant aux besoins de la classe populaire et à un coût accessible. Parmi nos souhaits, il en est qui montrent le désir de voir d'autres maisons collectives voir le jour au Québec. Déjà, au lac St-Jean, un projet semblable au nôtre a été mis sur pied. On doit aussi noter qu'une tendance à l'accessibilité aux vacances et loisirs familiaux pour les familles à revenus modestes et la défense des droits et intérêts de ces dernières dans le domaine des loisirs et des vacances prend lentement forme au Québec. On se réfère au Mouvement Québécois des Camps Familiaux qui accueille actuellement entre 7,000 et 9,000 familles.

La société à laquelle nous aspirons se veut une société égalitaire et autogérée par tous ses membres. Pour que les masses populaires aient véritablement leur place dans cette transformation, ils doivent déjà être présents dans des lieux où l'on apprend à exercer collectivement le pouvoir.

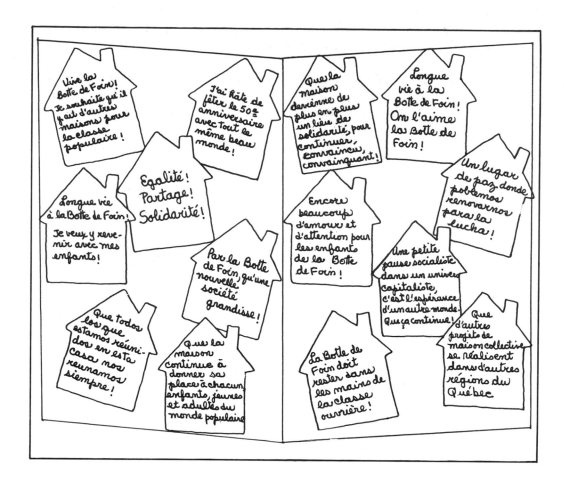

Quelques-uns des souhaits exprimés
lors du 5e anniversaire de *La Botte de Foin*
Juin 1982

CHAPITRE 4

DES MILITANTS ET MILITANTES PETITS-BOURGEOIS
À L'ÉCOLE POPULAIRE

Les sessions de "sensibilisation à la conscientisation" du ROCQ

Gérald Doré

C'est à l'automne 1977, devant l'ascenseur, au cinquième étage du pavillon De Koninck de l'Université Laval, qu'a commencé pour moi l'expérience de formation des membres du Regroupement des organisateurs communautaires du Québec (ROCQ) par les personnes-ressources et les assistées sociales du local Mercier de l'OPDS [1]. C'était une fin d'après-midi grise, quand les corridors viennent de se taire, après l'heure critique de la fermeture des bureaux. J'ai croisé Denise Ventelou qui revenait de Montréal, toute en émoi de me raconter, avec sa verve méridionale, une rencontre exceptionnelle qu'elle venait de faire.

Nous menions alors ensemble, et avec d'autres intervenantes, intervenants et universitaires, une recherche sur les luttes populaires dans trois secteurs de pratique dont la sécurité du revenu. Impliquée dans ce dernier secteur, Denise était allée à Montréal pour rencontrer un groupe dont il lui avait été dit que la lutte pourrait être intéressante à étudier, pour peu qu'une collaboration puisse s'établir entre lui et nous. Elle revenait effectivement avec des perspectives intéressantes pour la recherche; mais plus encore avec le témoignage d'une expérience dont nous étions tous les deux dans la plus vive attente: une expérience québécoise de conscientisation dont les résultats étaient observables et probants.

Premier contact

Denise avait rencontré des femmes de la classe populaire, sorties de leur cuisine à quarante ans et plus, et qui à partir d'une pratique de lutte sur leurs conditions de vie immédiates et une démarche de formation liée à cette pratique, avaient développé une conscience critique, une capacité autonome de prendre leur organisation en main et de situer leur lutte particulière dans l'ensemble des luttes de la classe populaire.

J'avais été suffisamment aux aguets des pratiques collectives des dernières années pour savoir que c'était là un résultat exceptionnel et qu'il n'avait pas dû sortir de la cuisse d'un dieu. Ce ne pouvait pas être non plus le produit des approches que je connaissais en intervention collective, y inclus celles qui se voulaient explicitement "politiques". Il devait y avoir derrière ce résultat une façon différente de travailler avec la classe populaire, une façon dont nous avions à apprendre. Et la découverte de cette expérience venait s'insérer fort à propos dans une démarche que Denise et moi menions depuis un peu plus d'un an, parmi une trentaine d'autres organisateurs et organisatrices communautaires de différentes régions.

Réponse à une attente

En 1976, nous avions été une trentaine à prendre la décision collective de fonder un "regroupement des organisateurs communautaires du Québec". En 1977, nous avions adopté un manifeste qui précisait la plate-forme qui nous réunissait. La stratégie qui nous ralliait était une stratégie de politisation qui "à travers des problèmes immédiatement perçus et en utilisant la création de groupes de pression et de coopératives comme des moyens parmi d'autres, vise à donner aux travailleurs des occasions de se conscientiser eux-mêmes à leurs intérêts de classe et d'envisager comme un choix possible une action politique autonome". Nous démarquant implicitement de l'avant-gardisme dogmatique et sectaire des m.-l., nous nous référions explicitement à l'expérience d'alphabétisation-conscientisation de Paulo Freire au Brésil. "Le processus de conscientisation et de politisation que Paulo Freire a réussi à mettre en oeuvre en enseignant la lecture et l'écriture aux ouvriers agricoles brésiliens, écrivions-nous dans notre manifeste, nous devons le développer en utilisant ces supports concrets, et à notre portée, que sont les luttes revendicatives sur des problèmes immédiats vécus par les travailleurs" [2].

Oui, mais comment faire concrètement? L'expérience de Freire constituait pour nous un point de repère, une source d'inspiration. Mais nous ne voyions pas comment nous pourrions la transposer en pratique dans notre propre contexte social. Pour ceux parmi nous qui avaient commencé à lire Freire, les considérations philosophiques complexes et peu familières sur lesquelles il appuyait son expérience nous rebutaient dans leur ensemble [3], même si elles nous fascinaient dans certaines de leurs formulations qui rejoignaient notre propre expérience. De plus, l'expérience de Freire s'était nourrie d'une conjoncture, celle du Brésil du début des années 60, dont les correspondances avec la nôtre ne nous apparaissaient pas avec évidence. Restait la méthode. Formulée en termes clairs, concis et pédagogiques, elle ne pouvait cependant nous être d'une utilité immédiate. Là où Freire utilisait l'apprentissage de la lecture et de l'écriture comme support concret d'un cheminement de la conscience, nous avions à apprendre à travailler avec la matière première de la pratique en organisation communautaire: des actions collectives de la classe populaire sur des problèmes immédiats de ses conditions de vie actuelles. Comment travailler quotidiennement pour que des actions collectives sur des problèmes immédiats favorisent la formation de noyaux de travailleuses et travailleurs plus conscients de leurs intérêts, plus aptes à les défendre eux-mêmes, plus autonomes dans leurs moyens d'action, plus solidaires des autres organisations de travailleurs et travailleuses, plus mobilisateurs dans leur milieu, plus disponibles pour une action politique axée sur les intérêts à long terme de la classe populaire?

Avec le témoignage rapporté par Denise, nous avions tous les signes d'une expérience bien engagée dans cette voie. Et ce témoignage était suffisamment convaincant pour que j'acquière sur le champ la ferme intuition que nous aurions beaucoup à gagner, au ROCQ, à regarder du côté de cette expérience, pour notre formation. Denise était d'accord, mais manifestait des réticences. Gisèle, la cheville ouvrière de cette expérience, avait travaillé dans les milieux institutionnels du service social. Et elle avait fait le choix d'en sortir. Elle voyait venir de loin les "social workers" professionnels. Elle était aussi entrée en contact avec des organisateurs communautaires patentés, pas trop branchés, qui viennent bricoler sur le terrain populaire, en attendant le prochain "bag". Sa pratique de conscientisation était le fruit d'un engagement militant, d'une patiente immersion dans la culture populaire et d'une expérimentation pédagogique soutenue, dans le même groupe, depuis 1972. Elle n'était pas intéressée à mettre entre les mains de n'importe qui les outils pédagogiques qu'elle avait développés en militant avec les assistées sociales. Il y avait donc quelqu'un de qui il fallait gagner la confiance, avant de l'engager sur ce terrain de formation. Denise était la mieux placée pour réaliser cette tâche, même si elle hésitait à pousser trop fort, de crainte de compromettre la base de collaboration qui venait de s'établir pour les fins de recherche. Elle devait malgré tout s'acquitter fort bien de sa mission.

Socialisation des partenaires

Le 3 février 1978, nous nous trouvions réunis chez Denise pour préparer la première session conjointe ROCQ-local Mercier. Nous étions trois du ROCQ et le local Mercier était représenté par Gisèle et Aline, une assistée sociale, membre de l'exécutif du local Mercier, qui avait eu une influence déterminante dans la décision de Gisèle de collaborer avec nous. Un argument principal avait fait pencher la balance en notre faveur, et nous n'y étions pour rien. Reflétant sur ce point l'opinion de tout le monde du local Mercier, Aline avait vu dans notre demande une occasion d'amener Gisèle à ramasser et mettre par écrit les outils qu'elle avait développés avec les assistées sociales. Avec la présence d'Aline, des militantes et militants petits-bourgeois, professionnels de l'organisation communautaire, entraient dans une démarche de formation où des militantes de la classe populaire joueraient un rôle déterminant. Cette disponibilité des militantes populaires à s'engager avec nous devait avoir un impact de conscientisation considérable sur les membres du ROCQ qui allaient participer aux sessions ROCQ-OPDS. Nous, en tant que membres du comité d'organisation, nous trouvions déjà placés, par la participation d'Aline dans la situation d'apprentissage "éducateurs-élève", dont parle Freire [4]. À l'occasion de cette première rencontre, je n'ai pris que trois lignes de notes: **"les organisateurs communautaires connaissent peu la classe avec laquelle ils travaillent: elle est quoi dans sa réalité?"**

A peine deux semaines plus tard, le 16 février, j'avais l'occasion de me rendre compte par moi-même des résultats probants de l'expérience de formation vécue à Mercier. Nous avions convenu de passer la journée du 17 ensemble, chez Gisèle, à Montréal, pour préparer la première session ROCQ - local Mercier. Ce court délai entre la première intention et la mise à exécution est déjà en soi une caractéristique de la méthode de travail en vigueur au local Mercier. On bat le fer quand il est chaud. On traduit la conscience en action, quand elle est vive, sans attendre qu'elle ne commence à s'éventer et à s'effilocher en velléités contradictoires; une forme de pathologie fréquente chez les militantes et militants petits-bourgeois. Nous avions été invités à arriver la veille et à nous rendre au local Mercier pour un souper et une soirée de solidarité avec les Chiliens.

Déjà, qu'une activité de ce genre soit à l'ordre du jour dans un local fréquenté presque exclusivement par des femmes de la classe populaire m'avait frappé. Trop souvent, les activités de solidarité internationale n'arrivent à mobiliser que les éléments petits bourgois du mouvement syndical et populaire et ne touchent que marginalement la base populaire elle-même. Quand je suis arrivé dans le local avec les autres, nous avons été présentés à un groupe composé majoritairement de femmes dans la quarantaine et la cinquantaine, toutes affairées autour d'une table à emballer des colis et à transcrire le texte d'une lettre. Les colis étaient destinés à des familles de prisonniers politiques chiliens et contenaient des vêtements et autres effets ramassés à leur intention par les femmes présentes. Une copie de la lettre devait accompagner chaque colis. Elle avait été composée collectivement et traduite en espagnol par une Chilienne du Québec. On était en train de la copier et on m'a fait une place à table, pour que je me mette à la tâche comme les autres. Une fois ce travail terminé, nous sommes passés à une autre table dans une pièce voisine, pour souper. La note culturelle chilienne de ce repas était donnée par les "empenadas", sorte de chaussons à la viande typiques du pays. À la fin du souper, d'autres membres du local sont venus se joindre au groupe déjà présent, pendant qu'une militante et un militant chiliens mettaient leur équipement en place pour la présentation d'un diaporama. Je n'ai pas gardé un souvenir précis du contenu du diaporama; mais je n'ai pas oublié la présentation faite par Aline. Cette femme avait la parole libérée. Elle savait où étaient ses racines et ce qui la rendait solidaire des Chiliens présents et de ceux dont on parlait dans ce diaporama. Et elle était capable de le dire d'aplomb, dans des mots qui portaient et rejoignaient les membres de son organisation. Décidément, quelque chose de différent se passait dans ce groupe "populaire" qui en était vraiment un. Peu importaient mes années de pratique et mes six ans d'enseignement à l'Université, j'étais dès lors en situation d'apprentissage.

Le temps de se préparer

Une autre caractéristique importante de la méthode de travail utilisée à l'OPDS est l'attention apportée à la préparation des activités. Rien n'allait être laissé à l'improvisation de dernière minute dans cette expérience conjointe de formation ROCQ - local Mercier. Tous les aspects importants de la session allaient être considérés et discutés par le comité d'organisation: les objectifs (les pourquoi), le contenu (le quoi), les moyens à mettre en oeuvre pour que la session soit une expérimentation pédagogique vécue et non une séance d'information, y compris la durée, le cadre physique, le partage des tâches et les perspectives (qu'est-ce qu'on va faire après?). En fait, à l'occasion de la préparation de cette première session, nous étions à notre insu en situation d'apprentissage d'un outil d'usage courant au local Mercier: le plan de préparation d'une activité que Lorraine présente dans le chapitre consacré à la planification et l'évaluation dans une pratique conscientisante. Nous avions bien sûr tous et toutes de l'expérience dans la préparation d'activités. Mais, ou bien nous avions peu systématisé notre expérience et avions tendance à y aller à la bonne franquette, en nous contentant des aspects formels inévitables, tels l'ordre du jour, l'heure, le local, etc. Ou bien nous avions cherché à systématiser à l'aide de schémas complexes et abstraits, du genre changement planifié à l'américaine, dont le plus grand défaut, en plus du jargon dont ils se parent, est d'être sans contenu, c'est-à-dire d'être apparemment indéterminé au plan des orientations de l'action. Ici, la préparation d'activités s'insérait dans une pratique de conscientisation qui la déterminait et lui donnait une signification pédagogique. Nous avions dès lors le sentiment de faire quelque chose de nouveau, de différent. Et ce sentiment était renforcé par l'expérience de socialisation affective que nous vivions comme tout nouveau groupe - les groupes militants comme les autres - qui s'engage dans une activité fortement valorisée par ses membres. A cette rencontre du 17 février, une nouvelle partenaire s'ajoutait à notre équipe de travail: Louise, elle aussi personne-ressource au local Mercier.

Au cours de cette journée, nous avons couvert le programme de la session de deux jours (14-15 avril 1978), formule pour laquelle nous avions finalement opté. Les **objectifs** retenus étaient les suivants:

- **connaissance de la classe ouvrière** (celle avec laquelle travaillent ou devraient travailler les organisateurs communautaires qui optent pour une stratégie de conscientisation);
- **expérimentation d'outils pédagogiques concrets** en vue d'une pratique de conscientisation.

Nous avions aussi défini **qui** nous voulions **mobiliser**: des membres du ROCQ; donc en principe des gens se ralliant à une stratégie de conscientisation (exposée en théorie dans le manifeste) et ayant une expérience de pratique (deuxième condition d'adhésion au ROCQ). Deux conditions spécifiques de participation venaient s'ajouter. Nous demandions que ceux qui s'inscriraient à la rencontre participent aux deux journées entières. Nous voulions le plus possible éviter le "peddlage", pratique qui consiste à faire des sauts d'oiseau dans toutes sortes d'activités, pour voir et se faire une opinion à vue de nez, mais en faisant l'économie d'une participation implicante dans un processus collectif. Les représentantes du local Mercier demandaient aussi que la session comprenne deux rencontres, une en avril consacrée surtout à leur expérience et une autre à l'automne où nous pourrions travailler sur la façon dont les participantes et participants utilisent eux-mêmes des outils pédagogiques dans leur pratique. Leur engagement avec nous s'inscrivait dans une perspective de continuité et d'évaluation. Elles voulaient voir comment d'autres groupes travaillent, et tirer elles-mêmes profit de nos essais avec les outils développés au local Mercier. Elles souhaitaient que la formation ne soit pas à sens unique. Nous avions enfin convenu que le nombre de participantes et participants ne devait pas dépasser 25, pour permettre de faire vivre - et non seulement exposer - la démarche avec les instruments pédagogiques proposés. Le lieu choisi était une maison de compagne collective dans laquelle des personnes-ressources et des militantes assistées sociales de Mercier étaient impliquées; un projet bien dans l'esprit de la démarche de formation que nous allions vivre. Louise nous en parle au chapitre précédent.

Première expérience - première étape

Le jeudi soir 13 avril, les gens commençaient à arriver à la maison de campagne. L'accueil était chaleureux, cordial, bruyant même. Ça contrastait avec les débuts d'activités militantes dans le genre "frette" auquel nous avions malheureusement fini par nous habituer: tu arrives, bonjour - bonjour aux gens que tu reconnais, tu prends une chaise et ouvres ton journal, tu formes un sous-groupe avec des "chums" en attendant que ça commence, les nouveaux se sentent un peu perdus, etc. Dans les discussions qui avaient entouré la préparation de la session, Gisèle avait parlé en passant des ruptures que font les travailleurs et travailleuses qui militent et souligné l'importance de créer un milieu social de rechange où la fête prenne la place qui lui revient. La société différente pour laquelle on lutte n'a pas à être un horizon lointain qui nous empoisonne la vie présente. Elle peut déjà se traduire en alternative dans la vie quotidienne d'aujourd'hui, et donc en une qualité différente des relations entre les personnes. Les militantes et militants petits-bourgeois ont souvent des milieux affectifs protégés (famille, liaisons amoureuses, réseaux d'amis, etc.) en dehors de leur milieu de militance; ce qui leur permet de donner à leur action militante un ton de neutralité affective, très semblable au fond à celui qui prévaut dans les professions dites "professions d'aide" (psychologie, service social, etc.). Les militantes et les militants de la classe populaire ont moins facilement accès à ce genre de refuges, ne serait-ce qu'à cause des moyens limités dont ils disposent pour s'évader, des froids qu'entraînent éventuellement dans leur famille leur option militante, de la moins grande séparation dans la culture populaire entre des attitudes personnelles et quelque chose qui ressemblerait à des attitudes "professionnelles", etc. Pour durer, la vie militante ne peut pas se permettre d'être trop plate. Encore que ce soir-là je me sentais pour ma part très partagé: à la fois surpris par ce genre d'accueil et sollicité par lui, un peu forcé dans mes retranchements habituels en même temps que convié à un mode plus gratifiant de relations entre militants. Il faut dire que Gisèle et Aline y mettaient le paquet, doublant leur spontanéité naturelle d'une offensive calculée pour dégeler les petits copains et copines d'organisation communautaire et voir ce qu'ils avaient dans les tripes. Elles avaient d'ailleurs une partenaire exhubérante dans la personne de Jeanne, une autre militante assistée sociale de Mercier. Aline avait jugé bon se faire épauler par quelqu'un de sa gang pour s'aventurer sur un terrain qu'elle voulait bien explorer, mais qu'elle trouvait néanmoins incertain.

L'équipe des personnes-ressources de Mercier se composait donc de quatre personnes: Gisèle, Louise, Aline et Jeanne. De notre côté, sur les quatre-vingt-huit membres que comprenait le ROCQ à ce moment, nous étions dix-sept à avoir répondu à l'invitation. Nous venions de cinq régions différentes: Québec, Montréal, Bas-du-Fleuve, Outaouais et Laurentides-Lanaudière. Quatre travaillaient dans des centres de services sociaux, quatre dans des centres locaux de services communautaires, un dans un conseil régional de développement, un au ministère de l'Éducation, un dans un comité de citoyens, un dans un organisme de bien-être privé et cinq étaient rattachés à une université comme étudiants ou professeurs en organisation communautaire. Quant à nos expériences militantes, c'est ce dont nous allions devoir nous parler dans ces deux jours et ceux qui allaient suivre.

Le vendredi matin, nous étions tous réunis dans une salle juste à la mesure du groupe, aménagée dans une ancienne remise et bien pourvue en coussins. La session commençait. Dans les lignes qui suivent, je présente l'horaire et le programme des deux premiers jours de session, pour ensuite commenter les activités pédagogiques les plus importantes.

HORAIRE

Premier jour

9h00	Inscription - LE MACARON
10h00	Introduction: • rappel des objectifs
	• ordre du jour
	• horaire
	LE MACARON situé comme outil
10h30	JE PARS EN VOYAGE
11h15	LE PORTRAIT de la classe ouvrière: • présentation
	• travail individuel
	• travail en atelier
12h30	Dîner
14h00	Plénière sur LE PORTRAIT
15h30	Pause-café
16h00	Points communs entre LE PORTRAIT dressé par les participants(es) et celui dressé par des assistées sociales et quelques ouvrières d'usine.
	Témoignages de Aline et Jeanne
	Discussion
17h30	Utilisation du PORTRAIT au local Mercier
19h00	Souper
20h30	Historique du mouvement des assistées sociales et assistés sociaux à Montréal
21h30	Fêtons!

Deuxième jour

9h30	Synthèse de la première journée
	Vous, les instruments et vos besoins
10h00	PLAN - PRÉPARATION D'UNE ACTIVITÉ
10h30	Pause-café
11h00	Présentation sommaire d'autres outils
12h30	Dîner
14h15	PLAN - ÉVALUATION DE L'ACTIVITÉ
15h15	Évaluation de la session
16h00	Conclusion
16h30	Fin de la session

LE MACARON: PARLONS-NOUS!

Au moment de l'inscription, chacun recevait un macaron-maison découpé dans du papier à bricolage. La forme du macaron est affaire d'imagination. Dans notre cas, il représentait une botte remplie de foin, allusion au lieu où nous nous trouvions. Chacun avait à y inscrire son prénom, sa région et avec qui il travaillait. Pour la plupart d'entre nous, les partenaires de cette session étaient de nouvelles figures. L'inscription du nom et de la région se présentait comme un artifice de bon aloi, typique de tout bon congrès ou assemblée qui se respecte, et susceptible de nous aider à nous reconnaître et à nous parler, dans les premières heures de notre travail en commun. On pourrait le percevoir comme un outil de socialisation sans prétention, mais laissant plus de place à l'imagination que la sempiternelle carte qui s'insère dans un mica à épingler sur la chemise ou la blouse. Dans l'expérience du local Mercier, c'est cependant un petit bout de carton moins anodin qu'il ne peut paraître à première vue. Les femmes qui sortent de leur cuisine pour participer pour la première fois à une activité de leur organisation éprouvent la peur et la honte liées à leur condition d'assistées sociales, en même temps qu'une certaine gêne, si elles vivent isolées dans le cercle restreint de la vie domestique depuis plusieurs années. On connaît le cas de personnes ayant fait plusieurs fois le tour du bloc avant de se décider à entrer dans le local. Il importe donc de créer une ambiance chaleureuse dès le premier contact. En inscrivant le prénom sur le macaron et en appelant soi-même la personne par son prénom, on personnalise la relation. On lui donne un cachet qui la différencie de celle qui s'établit habituellement avec les institutions où le froid anonymat d'un numéro de carte donne le ton de l'échange avec l'agent de bien-être, le médecin, etc. Et si la personne a honte de son prénom, comme ça peut parfois arriver, son emploi chaleureux par les autres pourra éventuellement être une première occasion de se revaloriser et de commencer à reprendre confiance en soi. Des relations interpersonnelles empreintes de cordialité préparent un bon terrain pour le développement de la solidarité.

Le macaron se prête à des usages variés. On peut inscrire le nom de la personne et de l'activité. Au local Mercier, on y a déjà inscrit le nom de la rue, en suggérant aux personnes habitant la même rue de retourner chez elles ensemble; ce qui a contribué à briser l'individualisme entre des personnes habitant le même voisinage. À une autre occasion, on a permis aux actives du mouvement qui ne se connaissaient pas, parce qu'elles donnaient du temps à des jours différents, de se reconnaître entre elles, en utilisant une couleur différente pour leur macaron. Dans un groupe qui se connaît, on peut utiliser le macaron pour inscrire des qualités qu'on attribue aux personnes, etc.

Dans l'utilisation du macaron, l'élément le plus pédagogique pour nous était d'indiquer par écrit avec qui on travaillait. Dans une orientation de pratique censément dirigée vers la classe populaire, nous avions à choisir quelques mots qui désignent concrètement ceux avec lesquels nous travaillions réellement. Ces quelques mots étaient en même temps susceptibles de refléter le cadre idéologique dans lequel nous pensions ceux avec qui nous travaillions. Pour ma part, en rédigeant mon macaron, j'ai fixé ma conscience sur le fait que dans les différents groupes où je militais, j'étais réellement et principalement en contact avec des militantes et militants de la petite-bourgeoisie, des "intellectuels militants", comme j'écrivais sur mon macaron. Déjà, c'était l'amorce d'une réflexion et d'un cheminement. Toute une dynamique aurait pu éventuellement s'articuler à partir des mots-clefs choisis par chacun pour indiquer avec qui il travaillait. Ça aurait été aller un peu vite en affaires pour le groupe que nous constituions alors.

JE PARS EN VOYAGE: dire qui on est!

Il s'agit d'un jeu inspiré d'un commercial télévisé. Si une certaine vedette part en voyage vers les "14 soleils" avec son bikini et sa brosse à dents, nous partons avec des personnes pour un autre genre de voyage. Gisèle a déjà bien expliqué le fonctionnement de ce jeu et sa signification pour les assistées sociales en formation.

Dans notre cas, les mots choisis pour dire ce que nous faisions auraient pu faire l'objet d'un décodage intéressant[5]. Certains participants manifestaient une nette préférence pour des termes professionnels du genre "je suis anthropologue et je termine une thèse sur…". D'autres définissaient leur activité dans des mots du vocabulaire militant: "je milite dans une association de locataires de HLM depuis…". Il y avait là l'indication de différences dans le cheminement. Mais ce n'était pas l'outil-clef retenu pour engager en profondeur notre démarche de formation. La phase de réchauffement tirait cependant à sa fin. Le prochain outil allait avoir une fonction de déclencheur.

LE PORTRAIT: la classe ouvrière grandeur nature!

Cet outil de formation répondait directement au premier objectif de la session: connaissance de la classe ouvrière. Les participants-es l'ont plus souvent appelé "le bonhomme" à cause de l'élément visuel et tactile qui sert de support concret à l'activité; ou encore parfois "la bonne femme", par réflexe antisexiste (!). Chaque participant-e recevait une feuille sur laquelle était dessinée la figure suivante:

Il devait inscrire sur cette figure, aux endroits qui lui semblaient appropriés, ce qui lui paraissait être des caractéristiques de la classe ouvrière. La classe ouvrière était ici ramenée aux couches avec lesquelles travaillent plus souvent les organisateurs et organisatrices communautaires: travailleurs et travailleuses à faible revenu, assistés sociaux et assistées sociales. Chaque caractéristique inscrite devait pouvoir être appuyée sur des observations vécues. Pas question de théoriser abstraitement. C'était une approche déconcertante des classes sociales pour qui était habitué aux spéculations théoriques sur "les critères structurels de la division en classes sociales". Elle nous orientait implicitement vers une attention aux traits culturels qui caractérisent les couches les plus exploitées de la classe ouvrière; dimension trop souvent laissée pour compte dans les analyses sur les classes sociales, mais pourtant déterminante dans le travail avec la classe populaire. Comment peut-on prétendre travailler au jour le jour avec la classe populaire, sans une sensibilité aiguisée à ses habitudes, ses attitudes, ses croyances, ses valeurs et ses comportements?

Après une courte période de travail individuel, on passait au travail en ateliers. Il s'agissait d'essayer de dégager et d'inscrire sur un portrait format pancarte les caractéristiques qui pouvaient faire l'objet d'un consensus de la part des membres de l'atelier, en confrontant les observations vécues qui les justifiaient. Il fallait aussi relever les caractéristiques sur lesquelles il ne pouvait y avoir entente, en notant les termes du débat.

La remontée en plénière consistait à faire la même démarche entre ateliers. Un élément nouveau, et puissant déclencheur d'interaction formatrice, intervenait cependant dans la discussion. L'échange ne se passait pas entre militantes et militants petits-bourgeois, libres de cataloguer à leur guise la classe populaire. Deux militantes populaires, Aline et Jeanne, participaient à la discussion et réagissaient à l'idée que se faisaient de leur classe d'appartenance les petites-bourgeoises et petits-bourgeois présents. Inutile de souligner qu'il en est résulté une dynamique très forte. Certains moments ont été tendus quand, par exemple, certaines interventions étaient reçues par Aline et Jeanne comme des préjugés à l'égard de la classe populaire; ou encore quand des interventions se faisaient malhabilement paternaliste pour abrier certains traits perçus comme négatifs, mais que Aline et Jeanne étaient prêtes à admettre comme réels sans faire de manières.

Tous les participants ne vivaient pas ces moments de la même manière. Certains s'ouvraient à une prise de conscience qui les remettait en question. D'autres sentaient le besoin de se défendre et de se justifier. En rédigeant aujourd'hui ces notes, je pense aux considérations de Freire sur la "peur de la liberté" dans l'avant-propos de Pédagogie des opprimés[6].

Le point culminant de cette expérience pédagogique du portrait a été la confrontation visuelle, sur des pancartes, du portrait que nous venions de réaliser en plénière avec un portrait tracé par des militantes populaires du local Mercier et quelques ouvrières d'usine. Cette confrontation braquait notre attention sur la dimension culturelle de notre pratique, c'est-à-dire la manière d'être, de vivre, de sentir et de communiquer des gens avec qui nous travaillons. C'est là une dimension qui avait été escamotée par le modèle d'animation sociale dans lequel nous avions été majoritairement formés, en même temps que bafouée dans les interventions politiques de la gauche "marxiste-léniniste".

TÉMOIGNAGES: le coeur à l'ouvrage!

Les témoignages d'Aline et Jeanne sur leur vécu de femmes de la classe populaire venaient s'insérer en pleine continuité avec l'expérience pédagogique du portrait. Il avait été prévu qu'elles parlent de leur expérience de vie dans la classe ouvrière, des circonstances qui les avaient amenées à devenir assistées sociales et du cheminement qu'elles avaient vécu dans leur organisation, entre 1972 et 1978. Aline et Jeanne s'étaient préparées avec soin, en rédigeant des notes pour encadrer leur témoignage. L'authenticité et l'intensité de leur intervention représentaient en soi un temps fort dans la démarche de notre groupe, en particulier après ce que nous avions vécu dans les heures qui avaient précédé. Mais cette expérience a atteint un point culminant imprévu, quand une des deux a été étreinte par les larmes, revivant émotivement des étapes difficiles de sa vie, au moment même où elle les racontait. L'ensemble du groupe était très ému. Pour ma part, je n'avais jamais expérimenté une telle communauté d'émotion dans un groupe militant. Gisèle et Louise ont soutenu leurs alliées de tous les jours dans cette situation difficile. Ce fut une occasion non-voulue de voir comment on peut composer avec une situation émotivement très chargée dans la vie d'un groupe, l'assumer et non la nier, en lui donnant sa signification sociale. Malgré son inconfort, Gisèle a trouvé le moyen de nous souligner que ça ne servait à rien de dire "c'est-y triste". L'important, pour elle, était de rendre cette expérience collective, de prendre conscience que 420,000 personnes vivaient de l'assistance sociale au Québec. Pour ma part, j'aurais évidemment préféré que cette peine fût épargnée à nos amies, mais je sentais en même temps qu'elle n'avait pas été vaine pour la plupart d'entre nous. On n'apprend pas que par les livres. Aline et Jeanne ont bien passé à travers ce moment difficile, comme l'a confirmé par la suite leur participation à d'autres sessions du ROCQ.

Au terme d'une journée d'une telle intensité, nous étions vidés; mais en même temps l'intérêt pour l'expérience vécue au local Mercier et dans l'ensemble du mouvement des assistées sociales et assistés sociaux de Montréal s'était propagé à l'ensemble du groupe. Nous nous sommes donc retrouvés comme prévu, après souper, dans la salle de réunion, pour entendre parler de l'historique du mouvement des assistées sociales et assistés sociaux de Montréal. La présentation était pédagogique, bien schématisée sur une série de pancartes. Elle ne faisait pas que raconter les faits. Elle cherchait à discerner ce qui avait fait évoluer l'organisation d'une conscience centrée sur l'individu à une conscience de classe, en passant par une conscience communautaire.

Cette évolution était observée par rapport à toute une série de caractéristiques comme la façon dont on définit les membres du groupe (des pauvres/ des citoyens/ des travailleurs), le type d'organisation préconisé (services/ organisation communautaire subventionnée/ organisation ouvrière et populaire autonome), etc. Des éléments de cette rétrospective se retracent dans le chapitre signé par Denise Ventelou.

DEUXIÈME JOUR: des outils

Le deuxième jour de ce premier bloc fut consacré à la présentation plus qu'à l'expérimentation d'outils pédagogiques. Ça représentait un répit bienvenu après le travail très impliquant de la veille; mais dans les sessions ultérieures, nous allions veiller à ce que la part d'expérimentation soit mieux répartie entre les deux jours d'un même bloc.

La plupart des instruments présentés sont décrits dans le présent ouvrage. Il a été question de l'utilisation du dessin, du photolangage (71-72-125), du jeu des mots (47 à 49), du plan-préparation d'une activité (pp. 200-201), d'un résumé "comment apprendre à animer". Gisèle insista sur l'importance du fichier des **membres comme outil de travail dans une organisation** (voir pp. 114-164). Il faut prendre les gens où ils sont et les solliciter pour des activités qui correspondent à leurs capacités du moment et au point où ils en sont rendus dans leur cheminement. Il faut savoir distinguer parmi nos membres les passifs, les moyennement actifs, les actifs et les militants, et ne pas demander la même implication à tous. Pour prendre un exemple qui pourrait paraître caricatural, mais qui n'est malheureusement pas fictif, on ne convoque pas les passifs et les moyennement actifs pour un débat de ligne dans une organisation. On a aussi abordé le problème des groupes qui s'empêtrent au départ dans des **structures** formelles (président, vice-président, secrétaire, etc.) qui les conduisent à répéter le modèle de contrôle par quelques-uns-qui-se-prennent-pour-d'autres, tel qu'on le trouve dans les structures dominantes. Au local Mercier, il existe un exécutif; mais pour être élu, il faut satisfaire à des critères: être d'accord avec la ligne du groupe, être prêt à donner trois jours par semaine et être motivé à se former. Pour reprendre les mots d'une assistée sociale, il faut avoir la "piqûre militante".

Gisèle insista sur le thème de l'ATTENTION À LA PERSONNE. Il arrive même, souligna-t-elle, qu'on fasse de la thérapie individuelle dans le groupe, quand des épreuves personnelles vécues par des membres le justifient. On cherche à faire du local un milieu de vie. On y fête beaucoup: les anniversaires, les fêtes importantes pour les gens, par exemple Noël. À cette occasion, on cherchera à faire réaliser un cheminement de conscientisation, à travers les activités de la fête. Pendant les congés, les membres vont dans leur famille et en rapportent tous les préjugés courants. Les retours de congé se présentent donc comme des moments privilégiés d'échange qu'il ne faut pas laisser échapper par une précipitation dans l'action. Cette attention aux paroles qui reflètent la conscience dans le moment vécu est sans doute un des traits importants qui distinguent l'approche de conscientisation de l'approche dite d'animation sociale, prioritairement centrée sur la rationalisation de l'action du groupe. Dans la conscientisation, les objectifs sont définis non seulement en fonction du problème, mais aussi en fonction des sujets, des personnes et de la conscience qu'elles ont de la situation dans le moment présent.

Au moment d'aborder le dernier outil, le PLAN-ÉVALUATION DE L'ACTIVITÉ, la mise en situation reprit le pas sur l'exposé et la discussion. Nous avons expérimenté cet outil en l'appliquant à l'évaluation de notre propre session, à l'aide d'un schéma qui nous mettait sous les yeux, dans les termes du "plan-évaluation de l'activité", les aspects essentiels des deux jours de formation que nous venions de vivre (voir page 116).

Un casse-croûte joyeux et volubile a clôturé cette première étape. Quelques-uns et quelques-unes du ROCQ avaient déjà pris quelques chose du style des militantes de Mercier. Ils avaient composé une petite chanson sur un air connu. Le premier couplet disait:

> L'ROCQ avait des idées sur la mobilisation
> Mais on manquait de pratique de conscientisation
> Pour faire travailler not'tête, ça oui on était bon
> Mais les tripes plutôt non.

À 8 heures, le comité d'organisation remettait ça. Nous faisions notre propre évaluation et nous amorcions la deuxième étape. Ouf! nous avions passé le test. Gisèle, Aline, Louise et Jeanne étaient prêtes à faire un autre bout de chemin avec nous.

PRÉPARATION-SESSION DE FORMATION DU ROCQ

OBJECTIFS	MOBILISATION	CONTENU	MÉTHODES	ORGANISATION	PERSPECTIVES
Connaissance de soi, connaissance de la classe ouvrière. Recherche d'outils concrets en vue d'une pratique de conscientisation. Autres?	17 membres du R.O.C.Q.	1) - le pourquoi de la session - pourquoi on est là - j'pars en voyage - le portrait - historique de l'ADDS 2) - témoignage d'une a.s. - des outils - évaluation	- la connaissance est appropriée en participant à des exercices et en utilisant des outils - fonctionnement: vivre la démarche pourquoi on l'a utilisé pourquoi il est utilisé au local Mercier - tableaux - pancartes	- horaire: 2 jours + 1 soir - lieu: maison de campagne - Comité d'organisation du ROCQ et comité du local Mercier - Organisation matérielle: sur place	Rencontre avec les participants, à l'automne pour vérifier la façon dont le matériel aura été utilisé, les difficultés rencontrées, les trouvailles...

ACQUIS et ERREURS

Je suis sorti de là à 11 heures, crevé, les deux yeux dans le même trou (je me suis d'ailleurs trompé de chemin en rentrant à la maison), mais content d'être embarqué pour une fois dans une affaire qui marche.

Première expérience - Deuxième étape

Nous avons consacré trois jours à la préparation de cette deuxième étape: une journée en mai, à Québec; une en septembre, à Montréal; et une troisième en octobre, à Québec. La première étape nous avait laissé beaucoup d'impressions et d'observations qu'il fallait prendre le temps de digérer collectivement, afin de réajuster notre pratique pédagogique. Nous avions noté des différences notables dans le stade de conscientisation des participants-es. Les situations de pratique variaient beaucoup aussi. Nous percevions alors que la démarche de formation que nous vivions semblait en dehors de l'expérience et du cheminement d'au moins deux participants. Cinq n'avaient aucun terrain de pratique à ce moment. Dix sur dix-sept avaient une pratique liée à un projet de classe. Parmi eux, six travaillaient avec des groupes où plusieurs classes sociales étaient représentées. Seulement quatre participants-es travaillaient directement avec des groupes composés majoritairement de personnes de la classe populaire.

Pour étayer ces observations, nous avions choisi de relancer la session au moyen d'un questionnaire. Dans le chapitre traitant de la session de formation sur la loi d'aide sociale, Gisèle a déjà abordé l'utilisation du questionnaire comme outil de conscientisation. Le nôtre comportait neuf questions dont les plus importantes consistaient à identifier avec qui travaillaient ou militaient les participants-es, en quoi leur pratique avait été modifiée ou non par la première étape de la session et quelle contribution ils pensaient apporter au contenu de la deuxième étape.

Questionnaire pour la préparation de la session des 3-4 novembre 1978

1. Nom
   Adresse
2. Reviens-tu à la session des 3-4 novembre 78? Oui ( ) Non ( )
   Si non, pourquoi?
   Si oui, réponds aux questions qui suivent.
3. Où travailles-tu? (organisme - employeur)
4. Avec quel genre de groupe?
   A) avec des gens de différentes classes sociales? (identifier)
   B) uniquement avec des gens de la classe ouvrière? (identifier)

---

5. Milites-tu? - Avec quel genre de groupe?
   A) avec des gens de différentes classes sociales? (identifier)
   B) uniquement avec des gens de la classe ouvrière? (identifier)
6. Ta pratique a-t-elle été modifiée par la dernière session?
   Oui ( ) Non ( )
   Si oui, en quoi?
   - connaissance de la classe ouvrière? (préciser)
   - gens à rejoindre prioritairement? (préciser)
   - façon de travailler (outils)? (préciser)
   - choix des enjeux de lutte? (préciser)
   - autres?
7. Quelles difficultés as-tu rencontrées dans l'application de la démarche proposée à la dernière session? (utilisation des outils et autres...)
8. Qu'attends-tu de la deuxième session?
9. Quelle sera ta contribution au contenu de la session?
   A) nouveaux éléments de connaissance de la classe ouvrière (préciser)
   B) expérimentation des outils: lesquels?
   C) nouveaux outils: préciser.

La deuxième étape de la session était prévue pour les 3 et 4 novembre 1978. Les questionnaires devaient être retournés pour le 10 septembre. Une absence de réponse allait être considérée comme un manque d'intérêt pour la poursuite de la démarche. Le questionnaire devenait ainsi un moyen de serrer de plus près, dans notre plan-préparation d'une activité, AVEC QUI nous allions poursuivre la démarche.

Au moment de l'évaluation de la première étape, certains participants-es s'étaient senti frustrés de n'avoir pu faire part de leur propre expérience. Certains outils, comme le plan-préparation d'une activité, leur étaient apparus comme du déjà-vu. Nous nous demandions cependant s'ils avaient saisi les exigences d'une préparation d'activité qui tienne compte du mode de fonctionnement et d'apprentissage de la classe populaire. Tout en reconnaissant l'opportunité d'accorder une plus grande place à l'expérience des participants-es, nous avons décidé de privilégier, en fonction de l'option politique qu'implique la conscientisation, l'expérience des participants-es en contact avec des groupes populaires.

Les OBJECTIFS de cette deuxième étape étaient les suivants:

   1) Identifier le stade de conscientisation des participants-es;
   2) Aller chercher l'expérience des participants-es
      • connaissance de la classe ouvrière
      • utilisation des outils présentés en première étape
      • expérimentation d'outils autres que ceux présentés en première étape;

3) Faire faire le plus possible la session par les participants-es (mettre à profit au maximum l'expérience des participants-es en contact avec des groupes populaires).

Un programme échelonné sur deux jours visait à répondre à ces objectifs:

Premier jour	
9h30	Le JEU DES MOTS
11h45	Présentation de la session
12h00	Dîner
14h00	EXPOSITION D'OUTILS
18h30	Souper
20h30	DIAPORAMA sur la Chine
	(un outil monté par une militante populaire à l'occasion d'un voyage d'étude)
22h00	Fêtons!
Deuxième jour	
9h00	LE PORTRAIT comme outil: expérience de deux participants
10h00	Pause-café
10h15	Éléments théoriques et pratiques sur les NIVEAUX DE CONSCIENCE
12h00	Dîner
14h00	PHOTOLANGAGE: évaluation
16h00	Vin et fromage

Le 3 novembre au matin, nous nous retrouvions quatorze dans la salle de réunion de la maison de campagne. Les quatre personnes-ressources du local Mercier étaient avec nous. Nous étions dix du ROCQ. Sept membres ne s'étaient pas présentés pour cette deuxième étape. Pour cinq d'entre eux, la suite des événements allait confirmer que la démarche de formation que nous vivions ne correspondait ni à leur pratique, ni au point où ils en étaient dans leur cheminement de conscience. Pour deux d'entre eux, des empêchements externes justifiaient vraisemblablement une absence. Un autre devait nous quitter après la première journée de cette deuxième étape. Les critères de sélection n'avaient pas complètement éliminé le "peddlage". Pour les sessions ultérieures, la meilleure cohésion du ROCQ et les attentes plus précises véhiculées par la diffusion des résultats de la première session allaient nous épargner ce genre d'accident de parcours dans la mobilisation.

Il paraissait important au comité d'organisation de s'interroger sur ces absences; mais notre attention se portait davantage sur les présents. Dans une de ses interventions, Gisèle avait déjà d'ailleurs attaqué l'attitude anti-pédagogique qui consiste à montrer une face longue, à cause des absents, alors qu'on est devant des personnes - peu importe le nombre - qui se sont déplacées et sont motivées à entreprendre quelques chose ensemble. La première activité du programme consistait à faire le point sur les acquis et les attentes du groupe réuni.

JEU DES MOTS: nos acquis et nos attentes en mots-clefs

Gisèle a déjà longuement exposé le fonctionnement de cet instrument dans le chapitre traitant de la session de formation sur la loi d'aide sociale. Un aspect original du traitement que nous lui avons réservé a consisté à nous en servir comme complément au questionnaire. Nous avons en effet relevé tous les mots-clefs contenus dans les réponses au questionnaire; et c'est parmi eux que les participants-es devaient choisir cinq mots, pour répondre aux deux questions suivantes:

1) Quels acquis as-tu faits au cours de la 1ère session, ou à la suite de cette session et en lien avec elle?
2) Quelles sont tes attentes pour la 2e session qui commence?

Une animatrice demandait ensuite à chacun, à tour de rôle, quels mots il avait choisi et pourquoi. Les mots étaient inscrits sur une pancarte selon une grille dont la teneur n'était révélée qu'à la fin, lors de la synthèse. On trouvera ci-après la liste des mots ainsi que la grille-synthèse.

EXPOSITION D'OUTILS: mettre en commun notre pratique

"Nous vous demandons, écrivions-nous dans la lettre de convocation, d'apporter les outils de conscientisation et de politisation que vous connaissez et qu'il pourrait être intéressant de faire connaître aux participants". Sur place, nous étions tous étonnés de ce que nous pouvions mettre en commun. Nous avions devant nous un large éventail d'outils graphiques: tracts, posters, bandes dessinées, jeux, chansons et slogans, manifestes, journaux, autocollants, mémoires et communiqués, calepin d'enquête, cahiers d'histoire régionale, cahiers de formation, bulletins de liaison, livres, etc. L'audio-visuel avait aussi sa place: une cassette servant à la formation des personnes qui répondent au téléphone au local Mercier, et deux vidéos. Un de ceux-ci était une adaptation d'un sketch composé et monté par des militantes de Mercier en 1975 et montrant le cheminement d'une assistée sociale de sa cuisine à une manifestation devant l'Hôtel de Ville, à l'occasion de la lutte sur la taxe d'eau.

Nous nous sommes donné une heure libre pour feuilleter, manipuler, visionner, lire, etc. les différents outils exposés et échanger informellement avec ceux qui

	Expérience collective	Questionnement sur la pratique en o.c.	Connaissance de la classe ouvrière	Orientation politique	Pratique de conscientisation
A C Q U I S			Qui sort-ils? Comment travailler avec?		
A T T E N T E S					

les avaient apportés. Nous nous sommes ensuite regroupés pour un échange plus formel. Nous avons fait un tour de salle sur les outils utilisés par chacun, en encadrant les interventions par une petite grille

avec qui?	points forts	points faibles

En soirée, le diaporama sur la Chine intervenait en continuité avec cette démonstration sur des types d'outils utilisables dans une pédagogie de conscientisation.

JEU DES MOTS (p.120)

outils	*isolement*
écoute	*bilan*
par eux-mêmes	*tripes*
faire faire	*femmes*
auto-formation	*coeur*
besoins	*tête*
travailleurs	*bien*
évaluation	*visuel*
temps	*religion*
connaissance	*peur*
vécu	*quotidien*
expérimentation	*individu*
enjeu	*pratique*
chemin	*action*
collectif	*joint*
concret	*confronter*
partage	*encadrement*
socio-émotif	*changement*
contradiction	*confiance*
socialisme	*difficultés*
solidarité	*démunis*
allié	*polir*
classe ouvrière	*théorie*
rural	*militant*
adaptation	*fonctionnement*
priorités	*intervention*
petit bourgeois	*social-démocratie*
capitalisme	*organisation*

conflit	*loisir*
langage	*accueil*
pédagogie	*créer*
papier	*classes*
rythme	*recrutement*
culture	*rationnel*
sensibilisation	*cohérence*

LE PORTRAIT: le test de l'usage

Comme aide-mémoire au départ de cette activité nous avons affiché au mur deux pancartes. La première reproduisait le portrait des couches de la classe ouvrière avec lesquelles nous travaillons, tel que nous l'avions dressé à la première étape de la session. Celui-ci était complété par des nouvelles caractéristiques tirées des réponses à la question portant sur la connaissance de la classe ouvrière dans le questionnaire adressé aux participants-es avant la session. La deuxième pancarte contenait le portrait de la classe ouvrière dressé par des militantes de Mercier et des ouvrières d'usine.

Deux participants qui avaient utilisé le portrait depuis la rencontre d'avril nous ont ensuite présenté leur expérience. Dans cette présentation, une tendance à la dépolitisation de l'outil était observable. Dans un cas, il avait été utilisé par deux équipes dans un CLSC pour dresser le portrait qu'elles avaient l'une de l'autre et faire avancer les perspectives du travail en commun. L'outil avait été ramené à une dimension de socialisation des membres dans une organisation. Le contenu politique lié à l'analyse de classe avait été expurgé. L'utilisateur avait adapté l'outil aux conditions immédiates de sa pratique, apparemment non-inscrite à ce moment dans la réalisation concrète d'une stratégie de conscientisation, et davantage orientée vers les problèmes du travail d'équipe dans l'organisme-employeur que vers la jonction avec la base populaire du milieu. Comme quoi *la conscientisation n'est pas l'application de techniques, mais bien la réalisation d'une option politique dans une stratégie culturelle d'alliance avec la classe populaire*, stratégie qui donne aux moyens d'action utilisés un contenu indissociable de leur forme, de leur technicité. Contrairement au courant dit de l'animation où les outils pédagogiques sont réputés neutres, les outils dans la conscientisation ne peuvent pas exister comme outils conscientisants en dehors des déterminations politiques et culturelles qui leur donnent leur contenu spécifique. Dans les sessions ultérieures, nous allions insister pour bien situer les outils dans leur rapport avec le thème: comment se fait la politisation dans le quotidien.

NIVEAUX DE CONSCIENCE: la théorie et son application

Cette activité visait à systématiser des acquis théoriques déjà véhiculés implicitement dans le contenu des activités antérieures. Un schéma de six pages, tiré de Freire et des documents de l'INODEP[7] était sommairement présenté. Le court laps de temps que nous consacrions à cette activité ne nous permettait pas d'en épuiser le contenu qui aurait d'ailleurs pu susciter bien des discussions; mais nous aidait à polariser notre attention sur des notions de base dans l'approche de conscientisation. La notion-clef qui structurait le schéma était celle de passage d'un niveau de conscience à un autre niveau. Nous en retenions la dimension essentielle marquée par un double vecteur:

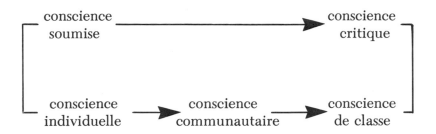

Des interventions d'Aline et Jeanne sur leur propre cheminement de conscientisation étoffaient cette présentation d'un contenu concret. Elles nous racontaient comment quelques années auparavant, lorsqu'elles étaient dans leur cuisine, elles avaient comme champ d'action le ménage, le lavage, le repassage, la couture, le tricot, etc. Les téléromans, les quiz, les soirées en famille, les films d'amour et les danses sociales remplissaient leurs temps de loisir. Elles ne lisaient que rarement les journaux, si ce n'est pour constater les décès et les faits divers. Elles votaient comme leur mari.

"Quand je suis tombée sur le bien-être, soulignait Aline, inutile de vous dire que j'avais beaucoup de préjugés. Je n'acceptais pas la situation; mais je mettais les causes sur le manque d'instruction et la malchance. J'ai réalisé que bien des gens vivaient dans les mêmes conditions que moi le jour où je suis allée au local des assistés sociaux de mon quartier pour la première fois. J'ai d'abord suivi une session sur la loi d'aide sociale qui m'a permis de comprendre les vraies causes qui font que je suis assistée sociale. Par la lutte de la taxe d'eau j'ai fait un grand pas dans mon cheminement politique. J'ai découvert qui étaient nos ennemis et qui je pouvais considérer comme alliés réels et circonstantiels. La lutte fut pour moi une conscientisation rapide. La formation que je possède aujourd'hui, je l'ai acquise avec l'aide des personnes-ressources de mon local, dans la pratique, dans l'étude, dans les luttes. Se politiser veut dire pour moi: faire des ruptures, vivre des conflits, mener des luttes, afin d'élever la conscience de classe des assistés sociaux et des travailleurs et développer une solidarité de classe, afin d'en arriver à vivre dans une société juste, c'est-à-dire socialiste."

PHOTOLANGAGE - évaluation: déjouer les défenses

Gisèle a déjà expliqué dans ses grandes lignes le fonctionnement du photolangage (71-72). Nous avions à choisir trois photos, pour répondre à la question suivante:

Qu'est-ce qui nous permet et nous empêche de conscientiser
  • dans notre action
  • dans notre personne?

Dix minutes étaient consacrées au choix des photos. Pendant une heure, les participants-es expliquaient ensuite à tour de rôle la signification des photos qu'ils avaient choisies, en réponse à la question. Une demi-heure était réservée pour la synthèse.

Si j'en juge par ma propre expérience, le photolangage est un outil susceptible de susciter au premier abord de la résistance chez des militantes et militants petits-bourgeois, fortement scolarisés du côté des sciences humaines; et donc habitués à structurer leur message social dans des abstractions intellectuelles. Tout se passe comme si notre maîtrise du langage abstrait nous permettait de mesurer la portée de nos interventions, alors que parler par images nous déconcerte, sinon nous insécurise. L'image, c'est pourtant le langage de la légende et de la parabole, si naturel à la culture traditionnelle et encore si présent dans la culture populaire. C'est aussi le langage de la littérature, et par excellence celui de la poésie et de la chanson; langage rempli d'indétermination, mais d'une richesse d'évocation qui échappe au langage dit "scientifique". Si l'utilité et la pertinence de cet intermédiaire qu'est l'image ne vont pas de soi pour nous, peut-être est-ce parce que nous sentons confusément qu'il peut nous entraîner à nous révéler à nous-mêmes avec les autres, des sens cachés qui couvent sans être dits. L'image dans le photolangage serait le code dont la lecture donne accès à la "structure profonde" par opposition à la "structure de surface", pour reprendre les termes de Freire[8]. Et effectivement, selon mon expérience, pour peu qu'on s'y prête de bonne foi, le photolangage favorise des échanges dont le niveau d'intensité et d'authenticité n'est pas souvent atteint dans les discussions conventionnelles. Ce fut le cas, lors de l'évaluation de cette première session ROCQ - OPDS.

L'enchainement d'une démarche de formation

L'évaluation que nous faisions ensemble de cette session, participants et comité d'organisation, était positive. Nous terminions cette session avec un noyau de neuf membres branchés non seulement en théorie, mais commençant aussi à articuler une pratique conforme à l'orientation du ROCQ. À travers ces membres, nous touchions trois régions: Québec, Bas St-Laurent et Outaouais. Le ROCQ s'était enrichi de quatre nouveaux membres montréalais, Gisèle, Louise, Aline et Jeanne, qui étaient engagées depuis plusieurs années dans la réalisation de la stratégie d'intervention qui nous ralliait.

Nous étions donc treize, dans une organisation qui comptait à ce moment 98 membres, à porter, avec la conviction de l'expérience vécue, ce projet de formation. Nous croyions à l'effet multiplicateur que pourrait susciter la diffusion de l'information à son sujet. Déjà, en mai, dans une lettre, nous avions tenu les membres au courant de l'évolution de l'expérience. En décembre 1978, à l'occasion de l'assemblée générale annuelle du ROCQ, une information plus complète fut transmise. Mais notre principal canal de diffusion fut le bouche-à-oreille. L'intérêt de l'expérience était une conviction acquise chez les participants, de sorte qu'ils en parlaient et en parlaient bien. Chaque année depuis, un nombre suffisant de membres a justifié le renouvellement de l'expérience. En 1979, une session de quatre jours en deux étapes a de nouveau eu lieu (mars et novembre 1979). En 1980, une session de deux jours en une seule étape (avril 1980) était au programme. En 1981, une autre session a eu lieu. En tout, plus de 50 membres ont complété le programme des sessions de sensibilisation à la conscientisation. Et ça continue.

Comme celle de 1978, les sessions de 1979, 1980 et 1981 ont fait suite à une préparation soignée où des variantes ont été introduites. Nous nous arrêterons aux plus importantes. À la première étape de la deuxième session (mars 1978), le *photolangage* a été utilisé dès le début, comme outil pour connaître les participants et leurs objectifs. Au cours de la même rencontre, le PLAN-PRÉPARATION D'UNE ACTIVITÉ a fait l'objet d'une simulation. Nous étions à l'époque de la fermeture de Cadbury. Nous avions à préparer en atelier une rencontre d'information sur le boycottage des produits Cadbury, à la demande du syndicat de Cadbury.

Au cours de la deuxième étape de cette session (novembre 1979), un tournant allait être pris. D'une composition beaucoup plus homogène que celui de la première session, le groupe des participants-es a formulé l'attente d'une remise en question plus poussée. Il ne fallait pas seulement mettre en discussion notre connaissance de la classe ouvrière. Il fallait donner à des personnes-ressources de la classe populaire l'occasion de nous dire comment elles perçoivent les militants-es de la petite bourgeoisie avec qui elles travaillent. Un nouvel objectif a donc été introduit: connaissance de la petite bourgeoisie militante et réflexion sur l'alliance entre classe ouvrière et petite bourgeoisie salariée. Un portrait de la petite bourgeoisie militante a donc alors fait suite à celui déjà réalisé sur la classe ouvrière. Toutes les étapes ont été franchies, y compris celle de la comparaison entre le portrait réalisé par les participants-es et celui dressé par les personnes-ressources appartenant à la classe populaire. Pour cette session, Rollande, une militante impliquée dans une association de consommateurs, s'était jointe à Aline et Jeanne. Leur travail donne un bon exemple des résultats qu'on peut atteindre avec le portrait (voir page suivante). Le lecteur concerné tirera sans doute profit de ce portrait de son monde par des militantes populaires à la parole libérée. Cette expérience qui, on le devine, ne s'est pas déroulée sans quelques soubresauts, est restée dans l'ordre du "dialogique", au sens où en parle Freire[9], et a constitué un apprentissage marquant pour toutes les personnes présentes. Elle a été reprise au cours de la troisième et de la quatrième session (1980-1981) qui, à cause des contraintes de temps, ont d'ailleurs été principalement consacrées à l'utilisation du portrait comme outil de travail sur le double objectif de connaissance de la classe ouvrière et de la petite bourgeoisie.

Retombées et perspectives

Les sessions de sensibilisations à la conscientisation ont permis au ROCQ de donner un contenu pratique à l'orientation du manifeste. Elles ont entraîné des modifications systématiques dans la pratique de quelques-uns d'entre nous, suscitant par le fait même un effet d'entraînement important dans le milieu où ils évoluent. Ces résultats sont nettement observables dans une partie du réseau des organisations d'assistées sociales et assistés sociaux à travers le Québec. Dans le chapitre suivant, Claude Larose mentionne comment son implication au ROCQ lui a permis d'apporter à l'équipe du journal où il milite des outils et des idées qui ont aidé à en faire une création collective populaire.

Pour bon nombre d'entre nous, les effets n'ont pas été aussi directs. Notre conception de la pratique a été profondément modifiée et il en est découlé des prises de position et des attitudes différentes dans nos milieux respectifs. Nos acquis n'ont cependant pas encore été systématisés dans une pratique spécifique. Tous et toutes n'étaient pas nécessairement en situation de le faire au moment où ils terminaient une session; mais, de toute évidence, des acquis cheminent et mûriront au gré des contextes et des parcours personnels.

Les sessions de sensibilisation à la conscientisation ont indirectement permis au ROCQ de commencer à réaliser un objectif qu'il s'était fixé dès sa fondation, mais qu'il n'avait guère pu toucher jusque-là: "favoriser l'établissement de relations entre les mouvements populaires avec lesquels on travaille". Bien qu'elle

PORTRAIT DE LA PETITE BOURGEOISIE

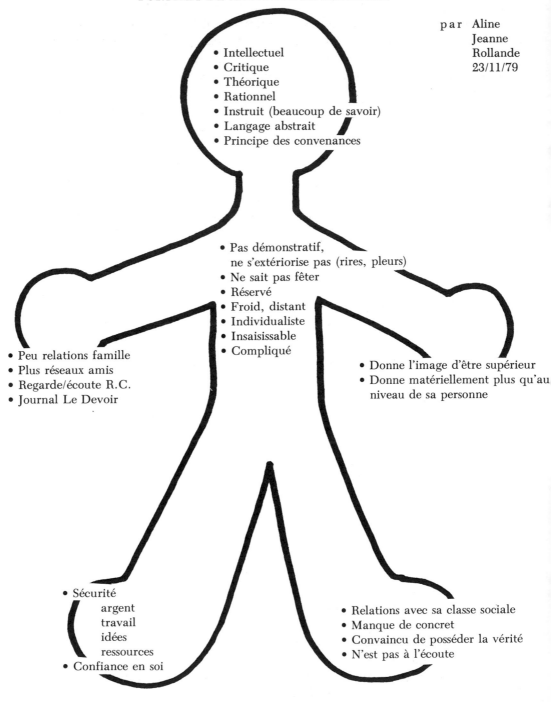

par Aline
Jeanne
Rollande
23/11/79

- Intellectuel
- Critique
- Théorique
- Rationnel
- Instruit (beaucoup de savoir)
- Langage abstrait
- Principe des convenances

- Pas démonstratif,
  ne s'extériorise pas (rires, pleurs)
- Ne sait pas fêter
- Réservé
- Froid, distant
- Individualiste
- Insaisissable
- Compliqué

- Peu relations famille
- Plus réseaux amis
- Regarde/écoute R.C.
- Journal Le Devoir

- Donne l'image d'être supérieur
- Donne matériellement plus qu'au
  niveau de sa personne

- Sécurité
    argent
    travail
    idées
    ressources
- Confiance en soi

- Relations avec sa classe sociale
- Manque de concret
- Convaincu de posséder la vérité
- N'est pas à l'écoute

se fasse à petite échelle, la représentation active des régions est un acquis important dans la vie du ROCQ. Réalisant entre eux un échange positif à l'occasion des sessions, des organisateurs et organisatrices communautaires liés à des groupes populaires du même champ de lutte ont voulu garder le contact entre eux et mettre en communication les uns avec les autres les groupes avec lesquels ils travaillent. Il en est résulté la création d'un réseau de solidarité entre militants-es et quelques organisations populaires.

C'est au plan de la formation que les retombées sont les plus visibles. Dans une région, des participants-es aux sessions de sensibilisation à la conscientisation ont mis en branle une démarche de formation pour les groupes populaires. Deux sessions ont eu lieu. Dans deux régions, des collectifs "conscientisation" ont été mis sur pied. Les acquis des sessions ont contribué à structurer un domaine de spécialisation "mouvements populaires" dans un programme universitaire de formation en service social.

En réponse aux attentes des participants-es, une suite a été donnée à la formation commencée à travers ces sessions, dans le cadre d'une collaboration entre le ROCQ et l'INODEP (voir note 7). Du 10 au 18 octobre 1980, le ROCQ a organisé une session de formation avec une personne-ressource de cette organisation. Vingt-quatre membres du ROCQ qui avaient passé par les sessions de sensibilisation à la conscientisation ont participé à cette session. Et l'expérience a été renouvelée en 1982. Le ROCQ inscrit ainsi sa démarche de formation dans la mouvance d'un réseau international d'éducation populaire.

À l'occasion de la dernière session ROCQ-INODEP, Colette Humbert, notre personne-ressource, nous rappelait que la conscientisation est née de militantes et militants petits-bourgeois qui contestaient la culture dominante et avaient un souci de pédagogie politique, avec un maximum de participation de la classe populaire. Par un juste retour des choses, dans les sessions de sensibilisation à la conscientisation du ROCQ, ce sont des militantes et militants petits-bourgeois qui apprennent au moyen d'instruments pédagogiques développés en milieu populaire, dans une démarche où leur perception de la culture populaire est interpelée par des personnes vivant dans cette culture et où leur propre culture est mise en question. "La condition principale pour que quelqu'un enseigne au peuple, écrit Freire, est qu'il apprenne avec lui"[10].

CHAPITRE 5

PRENDRE LE DROIT DE PAROLE

Claude Larose

À Québec, les groupes populaires ont décidé de prendre le droit de parole. C'est d'ailleurs le nom qu'ils ont donné au journal qu'ils ont mis sur pied en 1974 et qui est publié mensuellement depuis cette date sans interruption. En juin 1982, il a fêté ses huit ans, ce qui en fait probablement l'aîné des journaux populaires au Québec.

Tiré entre dix et quinze mille exemplaires à chaque mois, il est distribué gratuitement dans les quartiers populaires du centre-ville de Québec: St-Roch, St-Sauveur, St-Jean-Baptiste et Limoilou Sud. Jusqu'à maintenant, il n'a pas eu recours à la publicité pour se financer, préférant rechercher des dons et subventions de multiples sources sympathisantes et gouvernementales. Fonctionnant sans salarié depuis 1976, il n'en a pas moins augmenté son nombre de pages, ses centres d'intérêts et sa pénétration dans le milieu. Plusieurs sont surpris de voir le journal tenir le coup avec si peu de moyens et nous demandent comment il a été possible de faire tout ce boulot.

Il y a, bien sûr, le travail acharné d'un noyau de militant-e-s qui s'est renouvelé au fil des ans, mais surtout je crois, la préoccupation toujours présente de l'implication et de la formation d'un grand nombre de participant-e-s dans la production et la vie interne du journal. Il y a une période de la vie du journal, à laquelle j'ai participé, qui a été particulièrement significative à cet égard. Il s'agit des années 1978 et 1979 où la préoccupation de conscientisation a imprégné fortement les activités de Droit de Parole.

I- D'abord un journal de quartier

Mon implication dans le journal populaire du centre-ville de Québec remonte à 1975. Fraîchement sorti de l'université et désireux de m'engager dans une organisation populaire, j'étais devenu distributeur de Droit de Parole dans le quartier St-Roch. Mois après mois, je déposais le journal dans les boîtes aux lettres, recueillais quelques commentaires de lecteurs et partageais ces réactions avec les autres membres du journal lors des rencontres des distributeurs.

Petit à petit, je découvris le fonctionnement du journal et dans les deux années qui suivirent, je m'initiai successivement à la plupart des tâches: comptabilité, secrétariat, financement, puis enfin rédaction et montage. Tout cela me passionna, à tel point que j'en ai fait pendant cinq ans mon engagement militant principal. C'est à l'intérieur de cet engagement que j'ai acquis une grande part de ma formation militante. C'est là aussi que j'ai participé, au cours des dernières années, aux efforts qui ont été faits pour faire du journal un lieu de formation dans une perspective conscientisante.

Au moment où je suis arrivé à Droit de Parole, c'était un journal de quartier fabriqué et distribué par une équipe de militant-e-s désireux de faire connaître les conditions de vie et de travail vécues dans les quartiers populaires. Publié mensuellement depuis 1974, le journal visait aussi à donner la parole aux gens de la classe ouvrière, qui n'ont pas facilement accès aux médias dominants, si ce n'est dans les courriers de lecteurs. Le journal avait été lancé par trois groupes populaires, mais n'avait pas gardé de liens formels avec ces organisations, même s'il leur était très sympathique.

En 1976-77, cette équipe n'a pas été épargnée par le courant de liquidation des organisations populaires qui a suivi l'apparition des principaux groupes marxistes-léninistes au Québec. Des membres du journal ont carrément proposé la radicalisation ou la fermeture du journal, ce qui a entraîné de longs débats d'orientation. Ce fut une période difficile, particulièrement pour moi qui, à peine arrivé au journal, devait faire une réflexion accélérée et des choix précipités parmi tous les "raffinements des lignes politiques" de tout ce monde qui était évidemment "du bord des travailleurs". Ne réussissant pas à imposer leur point de vue, les marxistes-léninistes sont finalement partis, laissant derrière eux une équipe très affaiblie numériquement.

Ce fut cependant une période féconde, car après ces départs, nous nous retrouvions forts d'une réflexion approfondie sur les possibilités de poursuite du journal dans la nouvelle conjoncture. L'idée principale qui s'affirmait était que le journal devait se lier davantage aux organisations populaires, ne pouvant continuer à mettre constamment à jour des problèmes, sans proposer des pistes d'action concrètes. Nous ne voulions plus situer le journal en parallèle des actions

QUÉBEC, vol. 1, no 4, DÉC. 1974   *Gratuit*   TIRAGE: 10,000 ex.

Les Expropriations

LES VICTIMES

André R......., 30 ans, père de cinq enfants, demeure au 426 De' Mazenod. Il a connu de nombreux déménagements dans la BASSE-VILLE et a subi l'expropriation de NOTRE-DAME-de-la-Paix. Homme à tout faire, il ne travaille pas présentement et reçoit de l'aide sociale.

Mme D. Lachance, 73 ans, demeure au H.L.M. Jacques-Cartier, le H.L.M. des grosses familles. Veuve depuis 6 ans, elle a été expropriée de N.D.-de-la-Paix après avoir été locataire 15 ans sur la rue St-Vallier.

LES VRAIS BOSS DE LA RÉNOVATION

Qui, parmi les lecteurs de Droit de parole, connaît Metropolitan Estate and Properties Corporation (édifice de la Banque Royale, au Carré d'Youville), Placements Racine et Porteville Ltée (édifice de la Banque de Montréal, au Carré d'Youville), Home Smith Properties (Holiday Inn de St-Roch), Trizec Corporation (Place Québec)?

C'est pourtant, par exemple, Trizec Corporation, une grosse compagnie multinationale, dominée par des intérêts britanniques et américains, qui a pris la place des ouvriers et des fonctionnaires des rues St-Joachim, St-Eustache, Stuart, *St-Augustin et St-Patrice, dans St-Jean-Baptiste. L'administration Lamontagne a utilisé l'expropriation pour «nettoyer» les terrains dont cette compagnie avait besoin. Elle lui a fait des rues, des égouts, un centre des congrès, alouette! C'est pour Trizec et ses semblables que le gouvernement du Québec a zoné en hauteur dans la zone St-Cyrille de St-Jean-Baptiste, malgré que la Commission d'aménagement de Québec avait recommandé de ne pas dépasser la hauteur de la tour du parlement. Rien que pour Trizec, la Ville a permis la démolition de 175 logements et a loué les terrains avec un rabais d'au moins $6,000,000.*

Pour favoriser l'accès aux gros édifices, on a construit l'autoroute Dufferin-Montmorency et exproprié par la même occasion les résidents de la paroisse Notre-Dame-de-la-Paix, dans St-Roch.

De même, l'administration Lamontagne attend qu'une compagnie immobilière prenne en charge le «développement» de la zone 2 de St-Roch, pour en exproprier les derniers habitants...

Pour plus d'informations sur ces sujets, lire en pages 4 et 5 les articles: Qui contrôle la grosse machine?

populaires, mais devenir un instrument d'information plus collé à l'état d'avancement des luttes populaires, qui jouerait en même temps un rôle dynamisant dans le développement de la réflexion et de la solidarité entre les groupes.

En 1978, une nouvelle période s'ouvrait avec la consultation, puis l'adhésion d'une dizaine d'organisations populaires qui ont accepté de prendre en charge l'avenir du journal. Cette opération a été facilitée par la conjoncture particulière de l'époque: multiplication rapide des organisations populaires entre 1975 et 1978, nombreuses actions de rapprochement et de solidarité entre ces groupes (tenue d'un Colloque sur le mouvement populaire, mise sur pied du Fonds de Solidarité, appuis mutuels dans des actions, etc.)

Cette période a été marquée par des efforts pour que la réorganisation et la production du journal soient effectuées dans une démarche collective soucieuse de la formation technique et politique de l'ensemble des participants. C'était un défi que de vouloir produire un journal mensuel, sans aucun salarié, et nous appuyant sur la collaboration de non-initiés provenant d'organisations différentes. Ce qui a été réalisé jusqu'à maintenant comporte encore beaucoup de faiblesses, mais nous croyons qu'il est possible d'en tirer quelques acquis. Un regard sur la façon dont se sont opérées la prise en main du journal par les organisations populaires et la réorganisation de la production fournira des éléments concrets pour illustrer les efforts de conscientisation faits à Droit de Parole.

II- Droit de Parole devient le journal des groupes populaires

En avril 78, une dizaine d'organisations populaires répondaient positivement à l'invitation que leur avait lancée Droit de Parole et manifestaient le désir de s'impliquer dans le journal afin qu'il devienne leur instrument. En septembre, une première rencontre mettait en présence des membres de l'ancienne équipe du journal (tous de la petite bourgeoisie), avec leur bagage d'expérience et de réflexion, et plusieurs militant-e-s d'organisations populaires (parmi lesquels une minorité de représentant-e-s de la classe ouvrière) avec leurs désirs d'apporter des modifications au journal en fonction de leur connaissance du milieu et des besoins de leurs organisations.

L'ancienne équipe du journal avait la tâche d'animer la démarche et de préparer les rencontres. Au sein de cette équipe, dont je faisais partie, nous partagions la préoccupation de favoriser le plus possible, par une démarche collective, la formation technique et politique de tous les participants (nous y compris). Une des dimensions importantes de cette démarche était la possibilité qui serait faite aux gens de la classe ouvrière de participer activement, de façon à ne pas répéter ce que nous avions observé dans plusieurs groupes populaires jusque là, à savoir des situations de domination des petit-e-s-bourgeois-e-s sur les ouvriers et ouvrières.

Cela impliquait d'adopter une démarche, des façons de travailler et un langage permettant l'expression des gens de la classe ouvrière et de porter une attention spéciale pour qu'ils prennent la place qui leur revenait malgré leur minorité au sein du journal. C'était un défi d'autant plus grand qu'un journal est un outil assez intellectuel et que participer à sa réalisation nécessite au départ un minimum de formation (capacité de lire, d'écrire et de participer aux débats). L'équipe s'y attaqua résolument. Quant à moi, mon implication au ROCQ (depuis mars 77) m'avait permis de développer ces préoccupations et m'avait fourni des idées et des outils que j'apportais à l'équipe.

On se forme mutuellement

La démarche de conscientisation a bien démarré avec un apport de chacun des deux groupes. D'une part, les représentant-e-s des groupes populaires apportèrent leurs critiques sur les parutions antérieures du journal: ils-elles souhaitaient plusieurs modifications pour rendre le journal plus accessible et attrayant pour la classe ouvrière. Ces commentaires portaient surtout sur le traitement et la présentation de l'information: textes trop longs, manque d'illustrations, vocabulaire parfois trop savant, première page qui ne rejoint pas suffisamment les préoccupations de la classe ouvrière, etc. C'était une invitation à tenir compte de la connaissance de la classe ouvrière accumulée dans les organisations populaires pour ajuster la présentation du journal afin de mieux la rejoindre.

D'autre part, les membres de l'ancienne équipe apportaient une expérience de quatre ans en production de contre-information, donc des connaissances sur les techniques de production d'information, des suggestions sur les façons possibles de réorganiser la production et une réflexion critique plus approfondie sur les médias dominants. Rapidement, les deux groupes se sont entendus pour mettre en commun leurs expériences dans une démarche d'apprentissage réciproque. À chaque étape, on essayait de partir du vécu et du connu avec des outils simples.

Par exemple, pour définir le futur rôle de Droit de Parole, nous sommes partis de l'analyse des relations des organisations populaires avec les médias dominants.

Photo: Droit de Parole
On apprend, on s'entraide, c'est pas si compliqué de faire un journal

Exemple 1: Démarche de définition du rôle de Droit de Parole

1- Nous avons demandé aux participant-e-s de parler de la pratique des médias dominants à l'égard de leurs organisations. Ils ont alors cité des cas de communiqués de presse coupés, déformés ou refusés. Ils ont fait ressortir le ton défavorable utilisé en général par ces médias pour parler des organisations populaires ("donnent une image négative, mettent en évidence nos faiblesses, nous associent à des chiâleux incapables de faire des choses positives, n'accordent pas une place importante à nos nouvelles, etc."). Donc, nous avons identifié les médias dominants comme des alliés des classes dominantes, même si certains journalistes individuellement peuvent être nos alliés. De plus, certains médias sont plus durs que d'autres à notre égard (ex: journaux de Québécor: Journal de Québec).

2- Nous avons ensuite demandé aux participant-e-s de parler de la façon dont leurs organisations utilisent les médias dominants. On s'est alors aperçu que les orga-

notre fonctionnement

Droit de Parole est une publication sans but lucratif, distribuée gratuitement dans quatre quartiers du centre-ville de Québec (St-Roch, St-Sauveur, St-Jean-Baptiste et Limoilou-Sud), aux membres des organismes adhérents au journal ainsi qu'aux donateurs du Fonds de Solidarité des groupes populaires.

Droit de Parole a comme objectif principal de favoriser la circulation de l'information qui concerne l'amélioration des conditions de vie et de travail des classes populaires ainsi que les luttes contre les luttes de chômage et d'exploitation.

Droit de Parole n'est relié à aucun groupe ou parti politique.

Tous les textes sont sous la responsabilité de leur(s) signataire(s), bien que leur publication ait d'abord été acceptée par le comité de coordination. Le comité de coordination, qui est aussi responsable de l'administration du journal, est composé d'un représentant de chacun des organismes-membres, à savoir:

l'Association pour la Défense des droits sociaux, 301 Carillon, Québec (525-4983)
Carrefour Tiers-Monde, 155 boul. Charest est, Québec (529-9495)
Comité des Chômeurs et des Travailleurs de Québec 350 boul Langelier, Québec (529-0603)
Le Comité de Citoyens St-Gabriel, 845 des Zouaves, Québec (522-0454)
Le Comité de Citoyens St-Sauveur, 301 Carillon, Québec (529-6188)
Comptoir alimentaire St-Sauveur, 471 Bayard, Québec (524-4909)
Coupe-Circuit, 350 boulevard Langelier, Québec (529-1978)
La Fédération des Associations de Locataires de logements municipaux de Québec, 1991 Bardy, Québec (661-8461)
Le Groupement des locataires du Québec métropolitain, 350 boul. Langelier, Québec (523-6177)
Le Mouvement d'action populaire Limoilou, 798, 3ème ave, Québec (524-1979)

Vous pouvez contacter le journal en écrivant à:
Droit de Parole 570, du Roi Québec, G1K 2X2

Pour ce numéro, ont participé:

Acef de Québec, Association québécoise des psychiatrisés et sympathisants, Association des travailleurs immigrants et québécois, Comité contre les hausses de loyers, Comité régional des usagers du transport en commun de Québec, Fonds de solidarité des groupes populaires de Québec, Mouvement laïc québécois, Radio Basse-Ville, Regroupement des OVEP de la région 03.

Équipe technique:

Céline Arsenault, Marc Auger, Angèle Bilodeau, Edith Chamberland, Marie-Andrée Comtois, Jean-François Cyr, Mohamed Derumchi, Denis Falardeau, Alain Fortin, Rollande Gauthier, Marie Giguère, Roch Giguère, Claude Larose, Dominique Masson, Michèle Paquin, Gilles Simard, Alain Voyer.

Composition: Helvetigraf, St-Rédempteur
Impression: St-Romuald Offset

Dépôt légal: Bibliothèque nationale, Ottawa ISSN 0315-9574

Nous encourageons la reproduction des textes parus dans Droit de Parole, en mentionnant la source. Il nous ferait plaisir de recevoir une copie des publications où auraient été reproduits nos textes.

nisations populaires ne livrent pas toute leur analyse des problèmes dans leurs communiqués de presse, de peur qu'ils ne soient coupés. Elles font donc une auto-censure, ce qui rend difficile la sensibilisation de la population à l'ensemble de leur analyse.

3- Ce qui nous amène à préciser le rôle original de Droit de Parole. Dans un journal qui nous appartient, on peut parler sans censure et sans risquer que notre message soit déformé. Ça devient donc un véritable instrument d'information où l'on peut établir nos priorités dans les nouvelles, donner une image positive des réalisations populaires. C'est aussi un instrument de mobilisation car on peut inviter les gens à nos activités, enfin c'est surtout un instrument d'éducation populaire, car on a la possibilité d'expliquer à fond nos points de vue avec notre façon de dire les choses.

Ensuite nous nous sommes demandés comment rendre Droit de Parole plus accessible et plus attrayant pour la classe populaire au niveau de la présentation visuelle.

Exemple II: Comment rendre "Droit de Parole" plus accessible et attrayant pour la classe populaire?

1- Nous avons étalés sur une table plusieurs copies de journaux très lus par la classe populaire (journaux de Québécor) d'un côté et des copies de Droit de Parole de l'autre. À partir d'un coup d'oeil rapide sur les deux types de journaux, nous avons essayé d'identifier les différences dans la présentation, dans la façon de traiter l'information, dans l'importance accordée aux diverses nouvelles.

2- Puis nous avons essayer d'identifier les caractéristiques importantes à mettre en pratique pour Droit de Parole, tout en faisant la critique de ce qui s'opposait à nos principes d'information.

À retenir:• utiliser de plus gros caractères pour les titres et pour les textes: ça attire plus l'attention. Aussi beaucoup de gens ont de la difficulté à lire et ça va mieux quand c'est écrit en grosses lettres.
• faire des textes plus courts: ça donne plus le goût de lire
• avoir des illustrations qui nous attire, on essaie de voir si on reconnaît l'endroit ou les personnes, si c'est près de chez nous, etc.
• etc.

À bannir:• la priorité accordée aux faits divers (accidents, ...) et aux sports professionnels
• le sensationnalisme (photos macabres, ...)
• "le rayon de soleil matinal" (photo de femme-objet)
• etc.

Au bout du compte, on retient des idées qui nous semblent utiles pour rejoindre la classe populaire, mais on laisse de côté ce qui nous semble en contradiction avec nos objectifs d'éducation populaire.

Au niveau de la démarche de prise en charge, nous avons aussi convenu de limiter au strict nécessaire les clarifications à faire au départ, afin d'éviter de consommer trop d'énergies dans des débats sur les détails de la structure, des règlements et du fonctionnement, alors que les participants n'avaient pratiquement pas d'expérience concrète de la production d'un journal. De tels débats à ce moment-là auraient été très abstraits, coupés du vécu et auraient pu entraîner la démobilisation.

Au départ, nous avons donc clarifié brièvement uniquement les points suivants:
- brève déclaration d'orientation du journal
- à qui s'adresse le journal?
- grandes lignes d'une présentation plus accessible et attrayante pour la classe ouvrière
- processus de prise de décision
- échéancier de prise en charge progressive des tâches par les organisations populaires
- calendrier de production

Dès ce moment, nous nous sommes lancés dans la production. L'ancienne équipe est devenue une équipe technique qui assurait l'initiation aux tâches sur le tas. En mettant en marche un processus de production contrôlé collectivement à toutes les étapes, et en procédant à des évaluations à chaque numéro, il semblait possible d'apprendre ensemble à faire un nouveau journal. La pratique nous a donné raison sur ce point, car la prise en charge du journal par les organisations populaires et la mise au point du nouveau fonctionnement s'est déroulée progressivement, les discussions étant soulevées au fur et à mesure qu'elles devenaient nécessaires à partir de l'évolution de la pratique collective.

Ce n'est qu'après avoir mis au point ce nouveau fonctionnement que nous l'avons officialisé lors d'une assemblée générale au cours de laquelle l'adoption des règlements de régie interne ne fut pas une corvée ni un exercice intellectuel démobilisant (comme c'est trop souvent le cas). D'ailleurs, lors de cette assemblée, nous avons utilisé un jeu pour ouvrir la réunion et diffuser l'information sur l'historique du journal jusque là. C'était important de rappeler toute l'histoire du journal aux nouveaux qui venaient participer à l'assemblée générale. Cela permet de situer les orientations, de rappeler des décisions importantes, de stimuler pour la poursuite. Le jeu utilisé est une adaptation du jeu "Qui dit vrai?" télédiffusé vers la fin des années soixante.

Jeu Qui dit vrai?

1- L'animateur-trice explique le jeu. Trois panélistes sont invités à prendre place sur la scène pour répondre à ses questions. Pendant ce temps, l'assemblée est divisée en équipes qui essaieront de découvrir lequel des trois aura fourni la bonne réponse à chaque question.

2- À chaque question:
- les trois panélistes fournissent chacun une réponse préparée à l'avance avec l'animateur-trice
- les choix des équipes sont enregistrés
- les panélistes dévoilent la bonne réponse
- l'animateur-trice explique le pourquoi de la bonne réponse en relatant une étape de l'histoire du journal

3- À la fin, une équipe est déclarée gagnante du jeu, mais tout le monde a gagné en formation

Photo:Droit de Parole
"Qui dit vrai au sujet de l'histoire de Droit de Parole?"
(Assemblée générale, novembre 1979)

L'utilisation du jeu poursuit plusieurs objectifs:

- d'abord de créer une atmosphère agréable pour la rencontre, dégeler les relations entre les participants;
- aussi de créer un attrait pour le contenu de l'historique, qui autrement aurait pu être un "long discours plate";
- et de commencer la rencontre par une activité où les gens de la classe ouvrière vont se sentir aussi à l'aise que les intellectuels, donc de créer un climat pour faciliter leur expresssion par la suite.

Lier la formation technique et politique

Comme nous l'avons vu, la première année a été consacrée au rodage du travail en commun et à l'initiation à la production, en concentrant les énergies à l'amélioration de la présentation visuelle. La deuxième année, l'accent a été mis surtout sur l'amélioration de l'écriture. Nous avons tenu une session de formation spéciale sur ce thème avec des exercices très concrets, comme les exemples suivants le montrent.

EXERCICE I: EXERCICE DES TITRES

Un très court texte (10-15 lignes) est proposé aux participants et chacun est invité à composer individuellement un titre approprié. Les titres produits sont comparés à partir de plusieurs critères:

- accessibilité du vocabulaire utilisé,
- il ne doit pas être trop long,
- correspondance au message du texte,
- capacité de susciter l'intérêt du lecteur,
- le ton utilisé est-il en rapport avec l'état d'avancement de la lutte? (explication d'un problèmes, premières actions, actions ultimes, victoires, etc.)

Ce jeu a plusieurs finalités:

- développer l'habileté à faire des titres,
- mais de façon plus large, sensibiliser aux critères importants à considérer dans l'écriture,
- afin de développer une écriture:
    - adaptée aux gens qu'on veut rejoindre prioritairement (classe ouvrière)
    - et qui corresponde à l'état d'avancement des actions populaires.

EXERCICE II: EXERCICE DES TITRES (suite)

Le second jeu suit le premier. Il s'agit maintenant de comparer deux séries de titres pré-sélectionnés: une série de titres déjà parus dans Droit de Parole avec une série de titres (portant sur des luttes populaires) parus dans les journaux dominants.

À partir des mêmes critères que dans le jeu précédent, l'exercice consiste à identifier les caractéristiques d'un bon titre. On comprend assez vite les techniques des médias dominants, mais en même temps leur attitude défavorable envers les luttes populaires. L'exercice amène à distinguer le technique du politique: à conserver les techniques utiles pour les mettre au service de nos luttes, à rejeter certaines techniques peu scrupuleuses de la presse dominante (ex: titre sensationnel ayant peu de rapports avec le contenu du texte) et à approfondir notre critique de ces médias.

Comme on peut le constater, il est important que la formation technique ne soit pas coupée de la formation politique. Les deux doivent aller de pair, lorsque l'on est convaincu que les techniques ne sont pas neutres. L'apprentissage des techniques même rudimentaires d'information est une excellente occasion de susciter l'esprit critique face aux médias dominants. Il faut vraiment saisir toutes ces occasions de formation dans l'action. La formation technique a l'avantage d'être un support concret pour procéder à la formation politique.

Ces différents exercices nous ont amené à produire un petit guide pour l'écriture d'articles, contenant une démarche simple à suivre avec des étapes détaillées. Il est distribué à tous les nouveaux qui arrivent au journal.

Une structure contrôlée collectivement

Dans ce processus de formation réciproque, les groupes populaires ont pris en charge le journal sur une période de deux ans. Nous avons alors officialisé nos nouvelles habitudes de fonctionnement et la structure a été mise en place. Celle-ci reflète nos préoccupations de contrôle collectif du journal. On y trouve:

- une assemblée générale, composée de toutes les personnes siégeant sur les conseils d'administration des organismes-membres. Cette assemblée vise à impliquer le plus de militant-e-s possible dans la définition des grandes orientations du journal.

- un comité de coordination, formé des délégué-e-s de chacun des organismes-membres. Ce comité est à la fois responsable de l'administration du journal et coordonnateur de la production. Les délégué-e-s des organismes populaires ont choisi de remplir les deux tâches afin d'acquérir une connaissance concrète de la production du journal. Ainsi ils-elles se sentaient plus en mesure de prendre des décisions éclairées concernant l'administration du journal. Cela permettait d'éviter aussi le risque que le réel pouvoir ne soit exercé par l'ensemble des collaborateurs-trices qui supportent la production. Dans un média populaire, les décisions quotidiennes sur le contenu et le traitement de l'information sont un lieu de pouvoir important, qui peut rapidement devenir prédominant. C'est pourquoi nous tenions à ce que les représentants des groupes populaires jouent plus qu'un rôle d'administrateur et qu'ils encadrent la production afin de prendre en main réellement le journal.

- des individus et des comités mandatés par le comité de coordination pour des tâches spécifiques (ce sont des individus intéressés par le journal et désireux de collaborer à sa production):
  - une équipe technique qui aide à la production et qui prépare les activités de formation,
  - des individus pour les tâches de soutien (financement, comptabilité, secrétariat) et les représentations à l'extérieur,
  - des comités ad hoc pour des questions ponctuelles: réalisation d'un sondage, d'un vidéo, etc.

Cette structure vise à assurer un contrôle réel par les organisations populaires. Dans un premier temps, elle ne prévoyait pas que les collaborateurs-trices puissent avoir voix aux décisions. Nous voulions ainsi faciliter le transfert rapide du pouvoir de l'ancienne équipe aux représentant-e-s des groupes. Après quelques années de rodage, la discussion porte maintenant sur l'opportunité d'accorder une place à la table décisionnelle à un-e représentant e des collaborateurs-trices, afin de leur fournir un canal pour l'expression de leurs points de vue et leur permettre de participer aux décisions.

Cette attention aux rapports entre l'équipe technique et les représentant-e-s des groupes nous est apparue très importante. Puisque nous prônons l'instauration de nouveaux modèles de fonctionnement, il nous faut nous préoccuper d'élaborer déjà dans nos organisations des formules inédites qui soient plus conformes à notre visée. Dans les organisations populaires, les rapports entre militant-e-s et permanent-e-s, entre dirigeant-e-s et personnes-ressources alliées, entre dirigeant-e-s et la base doivent faire l'objet de réflexion critique afin de nous amener à développer des relations de partage du pouvoir et de l'information plutôt que de domination et de manipulation. Il importe de faire régulièrement la révision critique de nos structures pour vérifier leur cohérence avec notre visée.

III- Un journal produit collectivement

L'arrivée des nombreux représentant-e-s des groupes populaires a obligé une réorganisation de la production du journal. L'équipe antérieure étant réduite et assurant toutes les tâches de production, ses habitudes de fonctionnement ne convenaient plus du tout (parutions irrégulières, travail à des heures irrégulières, sessions de travail intenses de nuit et de fins de semaines entières, échéances modifiées en fonction de l'évolution du travail de l'équipe...)

C'est la volonté d'un contrôle collectif sur la production qui a prédominé dans cette réorganisation. Pour cela, il fallait donc inventer un processus qui tienne compte du désir de favoriser une participation active des gens de la classe ouvrière, et aussi du taux de roulement élevé chez les militant-e-s actifs des organisations.

Nous avons donc commencé par découper le processus en étapes simples et claires, nous avons modifié les techniques de travail dans certaines étapes et nous avons établi un calendrier régulier de production avec rencontres à dates fixes. Ce calendrier est distribué aux organismes populaires plusieurs mois à l'avance afin qu'ils puissent prévoir l'utilisation qu'ils feront du journal comme outil de sensibilisation pour leurs activités. Nous avons élaboré le processus suivant qui se répète à chaque mois.

Étapes de production de Droit de Parole

1ère rencontre:
1er jeudi du mois
  (soirée)

A- Évaluation du numéro précédent:
On feuillette ensemble le journal en notant les commentaires recueillis ou personnels sur le contenu, l'écriture et la présentation du journal. C'est un moment où s'approfondit notre formation sur l'accessibilité à la classe ouvrière à partir des commentaires reçus.

B- Planification du numéro suivant:
Chacun expose le projet d'article que son groupe ou lui-même souhaite publier dans Droit de Parole (résumé du contenu, longueur, illustration). C'est souvent l'occasion de clarifier et d'approfondir l'orientation du journal à l'intérieur des discussions suscitées pas l'un ou l'autre projet.

C- Répartition des tâches qui sont effectuées par rotation: ex: acheminement des piles de journaux dans les locaux de chacun des groupes populaires.

D- Administration:
Les représentants des groupes-membres procèdent à

l'administration courante du journal, gestion, financement, formation de comités de travail, etc.

Dans les dix jours qui suivent, on procède à l'écriture des textes et à la cueillette
des illustrations.

2ème rencontre: 3ème mardi (soirée)	A- Lecture en commun des textes: Tous les textes sont lus et commentés. L'attention est portée sur la correspondance du texte avec le projet accepté lors de la 1ère rencontre ainsi que sur l'accessibilité et la clarté. Les illustrations sont présentées. Là encore, approfondissement de notre formation sur l'accessibilité à la classe ouvrière. B- Choix des sujets qui apparaîtront sur la 1ère page C- Préparation des textes pour la composition: À partir d'une initiation minime et avec l'aide de l'équipe technique, chacun prévoit la présentation de son article et choisit les types et grosseurs de caractères qui seront utilisés

Dans les trois jours qui suivent, l'équipe technique procède à la correction de
fautes (orthographe, transcription) dans les textes.

3ème rencontre: 3ème samedi du mois (matin et après-midi)	Corvée collective de montage Chacun fait le montage de son article lors d'une grande corvée collective. Auparavant la mise en page était une opération complexe où l'on devait effectuer des commandes à l'imprimeur en effectuant des calculs mathématiques à partir du nombre de mots de chacun des textes. Nous avons repensé cette étape pour en faire une opération de "collage" où chacun travaille directement sur le produit définitif. Ça a l'avantage d'être concret, manuel, assez simple à réaliser avec un minimum d'initiation.

Et le mois suivant, ça recommence!

Photo: Droit de Parole
Un journal populaire, ça se fait en groupe

Un tel fonctionnement nous a amené à bâtir plusieurs outils de travail: des outils d'initiation simples et visuels pour les nouveaux qui s'introduisent à chaque numéro, un cahier détaillé des tâches nécessaires pour le bon fonctionnement du journal, un organigramme pour la division des tâches, un calendrier de production planifié et distribué plusieurs mois à l'avance, etc. Nous travaillons aussi beaucoup sur des tableaux que nous conservons comme aide-mémoire d'une réunion à l'autre. Ces outils étaient d'autant plus nécessaires que la production du journal implique une bonne quinzaine d'organismes et pas moins de trente à quarante individus à chaque numéro.

Un tel fonctionnement collectif est aussi très formateur par les nombreux échanges qu'il provoque. Par exemple, lors de la présentation des projets d'articles, les participant-e-s s'informent mutuellement de leurs problèmes et de leurs luttes spécifiques, ce qui permet de progresser dans la prise de conscience des liens entre les luttes et des solidarités nécessaires. Le choix du contenu de chaque numéro fournit l'occasion de se rappeler et d'approfondir un peu plus les orientations du journal. Le refus d'un article nécessite toujours une discussion approfondie et

La parole aux lecteurs

Faites-nous connaître votre opinion sur les sujets traités dans le journal, échangez des idées avec les autres lecteurs, écrivez-nous, utiliser votre droit de parole.

Adressez vos lettres à Droit de parole, 570 du Roi, Québec, G1K 2X2. Autant que possible, nous souhaitons des lettres ne dépas- **sant pas deux pages dactylographiées à double interligne. Pour les sujets qui concernent les groupes ou partis politiques, le** **contenu doit amener la réflexion sur les enjeux et les programmes plutôt que porter sur la personnalité des candidats.**

Portneuville, 31 juillet 1981

A Notre Cher Premier Ministre
René Lévesque

Comme nous avons un beau pays le Québec. C'est vrai qu'il est beau, l'espace est immense, la culture est riche et l'industrie est forte.

C'est un pays libre au moins pour les riches et même pour les gens de la classe moyenne qui ne sont pas trop à plaindre même s'ils en arrachent un peu. Oh mais nous les pauvres, huit à neuf pour cent, nous sommes dans l'indigence avec des revenus plus bas que le seuil de la pauvreté.

Mais nous ne devons pas rouspéter, car le gouvernement croit que nous sommes très bien traités même si nous manquons, de vitamine, de protéine et tout ce que vous voulez. La génération qui pousse ne fera pas des adultes forts.

Je me demande si en 1600 en 1700 et en 1800 tous les hommes des ancêtres morts pour protéger notre beau Québec sur les plaines et ailleurs auraient donné leurs vies pour sauver ce que nous avons aujourd'hui. Ils étaient pauvres dans ce temps là, mais ils étaient encore plus riches que nous, les assistés sociaux et les chômeurs d'aujourd'hui.

Les gros Bonnets croient que l'on ne veut pas travailler? Oui on veut travailler mais à des salaires raisonnables, non pas au même taux que l'assurance chômage.

Maintenant parlons de ces assistés sociaux, qui ont travaillé vingt cinq et trente ans à payer des taxes et dans des conditions de travail impossibles, avec des salaires de famine. Comment pouvaient-ils se ramasser des sous (je ne dirai pas des piastres) pour leurs vieux jours?

Aujourd'hui nous sommes des gens de 50 à 60 ans usés, magané, le coeur flanché. Mais la société n'a pas d'égard pour nous. Il me semble que nous aurions droit à la même faveur que les pensionnés de 65 ans. Mais non, après avoir tant donné de nous-mêmes, nous sommes les déchets de la société.

Il me semble que M. Lévesque devrait avoir honte, de garder dans un si beau Québec une couche de la société si basse dans la pauvreté. Bonne chose qu'il n'ait pas eu son référendum, car nous les assistés et les chômeurs, nous aurions mangé de la merde.

Pourquoi ne pas nous prendre et nous enfermer tous dans un camp, comme Hitler le faisait et nous dire «Restez là car vous êtes la honte de beau Québec».

Si je me rappelle bien mon histoire du Canada, nos ancêtres se sont battus pour nous tous et non pas seulement pour un petit groupe. Comme ils doivent tourner et gratter dans leurs tombeaux, de voir toute l'injustice qu'il peut encore y avoir après avoir souffert et donné leurs vies pour nous.

Je ne suis pas un poète, je ne suis pas un écrivain, mais je dis ce que je pense du mieux que je peux.

Une assistée de 60 ans
Membre du Comité Chômage et Aide-Sociale
de Lotbinière.

FILMS AU CAFÉ DE LA RÉSISTANCE

Les Diffusions de l'Amorce en collaboration avec le Café de la Résistance entreprennent une série de projections de films sur les luttes d'ici et d'ailleurs. Ces projections auront lieu au Café à toutes les deux semaines.

Le premier film de la saison sera: **TIERRA Y LIBERTAD** un long métrage de Maurice Bulbulian, tourné au Mexique en 1978.

«Tierra y libertad», c'est le cri de ralliement de la révolution mexicaine de 1917 avec Zapata; c'est le nom d'un front uni de «colonias» composés d'anciens paysans dans le nord industriel du Mexique, et qui occupent la terre urbaine en y éditant leur propre type de société; enfin, c'est le titre d'un long métrage, de Maurice Bulbulian, sur cette expérience originale qui touche 50 000 dépossédés, et qui est typique de ce qui se passe dans plusieurs villes d'Amérique latine.

**Jeudi le 15 octobre
à 20 hres
au Café de la
Résistance
815, Côte D'Abraham**

Droit de Parole page 6

MOUVEMENT LAÏQUE QUÉBÉCOIS

Le MOUVEMENT LAÏQUE QUÉBÉCOIS (région 03) anciennement AQADER-Québec tient à réaffirmer le droit légal qu'a tout parent qui en a fait la demande de recevoir pour son (ses) enfant(s) le cours de formation morale humaniste, et ce, À L'ÉCOLE FRÉQUENTÉE PAR SON (SES) ENFANT(S). LES COMMISSIONS SCOLAIRES ET LES DIRECTIONS D'ÉCOLES N'ONT PAS LE DROIT D'EXERCER DES PRESSIONS SUR LES PARENTS POUR LES FORCER À ACCEPTER D'ENVOYER LEUR(S) ENFANT(S) DANS UNE AUTRE ÉCOLE POUR RECEVOIR CE COURS. Le cours doit durer le MÊME TEMPS et se donner en MÊME TEMPS que le cours de catéchèse.
Pour information:

tel: 842-8928

524-2125 (voir après 8:00 hrs)

ÉMOTIF ANONYME

Un mode de vie en 12 Étapes, s'inspirant du programme des Alcooliques Anonymes, adapté aux personnes qui ont des problèmes émotifs. C'est E.A.; Émotifs Anonymes. Rencontres hebdomadaires chaleureuses et amicales tous les mardis 20:00H, local de la garderie, YWCA, 855 ave Holland. Non lucratif. Non professionnel.

PARENTS D'ADOLESCENTS

«Ce n'est plus comme dans notre temps»

Le C.L.S.C basse ville offre gratuitement 7 rencontres aux parents désireux de comprendre mieux le monde des adolescents et désireux, d'améliorer leurs relations avec ceux-ci.

FORME: échange entre parents sur différents thèmes (drogue, sexe, etc) et possibilité de rencontres avec des personnes ressources selon vos besoins.

DÉBUT: semaine 11 octobre 1981

FRÉQUENCE: 1 réunion par semaine

HORAIRE: selon la disponibilité des participants

INSCRIPTION: Pauline Fortin ou Pauline Gingras
C.L.S.C Basse-Ville
529-6592

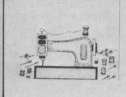

L'ATELIER DE RÉPARATIONS INVISIBLES

Les femmes immigrantes et québécoises ont mis sur pied une coopérative de réparation de vêtements, de reprisage invisible, de broderie, de tricot et autre techniques artisanales.
Cette coopérative fait partie du CIFQ, organisme à but non lucratif.
Le Centre International des Femmes, Québec, est situé au 635 rue St-Jean 3ème étage.
Pour information appeler au 524-4982 ou venez nous rencontrer en 9h00 et 16h30.

est accompagné de suggestions pour réécriture. Un article peut être refusé parce que des lacunes au niveau de l'écriture le rendent difficilement compréhensible ou parce que son contenu renforce les préjugés et l'idéologie dominante. Un exemple de ce dernier cas dont j'ai souvenance est un projet d'article qui déplorait le sort des enfants victimes de la violence et de la guerre, mais sans faire aucune distinction entre la violence utilisée à des fins répressives (ex: coup d'État au Chili en 73) et les luttes armées auxquelles sont contraintes des populations opprimées (ex: groupes de lutte armée au Nicaragua). Un tel article n'amenait aucun apport positif en terme de prise de conscience libératrice et n'avait donc pas sa place dans Droit de Parole. Par contre, les lecteurs-trices désireux d'engager le dialogue avec le journal peuvent toujours le faire par le biais du "Courrier des lecteurs". Les lettres sont publiées intégralement et le journal se réserve un droit de réplique.

La production collective d'un journal est aussi un outil de formation politique dans la mesure où elle permet de démystifier la production d'information. D'une part, en permettant aux militant-e-s de se rendre compte de leur capacité d'apprendre à utiliser des techniques finalement pas si compliquées que l'idéologie dominante leur présente comme l'apanage exclusif de professionnels. Mais surtout en faisant prendre conscience des choix qui sont faits par les médias d'information en fonction de leur vision de la société, donc en permettant de développer l'esprit critique face à l'information dominante présentée comme neutre et objective.

IV- Droit de Parole, c'est plus qu'un journal

Ce coup d'oeil sur l'histoire récente de Droit de Parole nous permet d'identifier les dimensions principales qui constituent l'originalité que nous essayons de donner à notre expérience. Il y a d'abord la volonté de vivre des rapports sociaux nouveaux, plus égalitaires, favorisant l'implication de chacun-e avec son expérience. Cela s'est affirmé dès le départ dans les relations entre l'ancienne équipe du journal et les militant-e-s des groupes populaires. C'était présent aussi dans la préoccupation des petit-e-s bourgeois-e-s de favoriser l'expression et l'implication des gens de la classe ouvrière et de faire avec eux une démarche de formation. Cela a finalement pris forme dans la mise en place d'un journal contrôlé collectivement le plus possible, en portant attention à ce que l'équipe technique joue véritablement un rôle de support, c'est-à-dire que ses connaissances et l'importance de son apport ne lui permettent pas de s'accaparer trop de pouvoir dans le journal. Quand on se donne comme orientation la lutte contre les différentes formes d'exploitation, de discrimination et d'oppression, il est primordial de commencer à l'intérieur de l'organisation à expérimenter la construction de rapports nouveaux.

Il y a, ensuite, la volonté de formation, c'est-à-dire de progresser à travers notre action dans l'acquisition d'habiletés nouvelles et dans la compréhension de la société et du sens des luttes que nous menons. Au niveau de la formation technique, nous essayons de favoriser l'amélioration des habiletés en information du plus grand nombre de militant-e-s possible. C'est pourquoi il y a continuellement possibilité pour des nouveaux de s'introduire et nous prévoyons des initiations à chaque séance. Il nous apparaît important de favoriser l'apprentissage des techniques de base par le plus grand nombre, car cela peut servir très souvent dans les organisations pour faire des tracts, dépliants, bulletins d'information, etc.

Notre formation technique se fait dans une orientation précise que nous cherchons à approfondir continuellement: il s'agit pour nous de progresser dans notre connaissance de la classe ouvrière et dans les méthodes les plus appropriées pour la rejoindre, pour avoir un impact réel. Notre approche en est aussi une de conscientisation à l'intérieur des articles, c'est-à-dire qu'on évite l'approche de "marketing" (tentative de persuasion par répétition de slogans, de phrases stéréotypées, ...) pour privilégier une approche de formation: on s'attaque à l'idéologie dominante (idées toutes faites, préjugés, peurs...) en démontrant sa fausseté en s'appuyant sur le vécu, la réalité, les faits.

La dimension politique de la formation est aussi primordiale. Le journal est un lieu de plus pour avancer dans notre compréhension de la société et du sens des luttes que nous menons.

Compte tenu de la pratique propre au journal, la formation critique et politique s'est faite sur plusieurs fronts. D'abord la critique de l'information dominante à l'intérieur des sessions de formation et dans le journal même, quand des occasions se présentent. Nous avons aussi fait une critique du rôle gouvernemental dans le secteur de l'information, à partir d'une lutte concrète menée par le journal devant un refus de subvention du Ministère des Communications du Québec. Cette lutte nous a même conduit à développer des liens avec les autres journaux communautaires du Québec et à mettre sur pied une association nationale.

Il y a finalement la volonté de jouer un rôle actif dans le renforcement de la position des organisations populaires, en favorisant le développement de la solidarité entre les groupes. Droit de Parole se veut un lieu de rapprochement entre les organisations populaires et avec les autres organisations (syndicales, féministes, culturelles, etc.) qui mènent des actions pour l'amélioration des conditions de vie et de travail de la classe ouvrière.

Droit de Parole: • *Bâtir un instrument de lutte idéologique qui touche la masse,*
• *qui soit en même temps la construction d'une alternative en production d'information,*
• *dans une démarche de conscientisation.*

OBJECTIFS	MOYENS	OUTILS
1- Développer nos habiletés en information et produire un journal: • apprendre les techniques de base utiles en information, • améliorer notre capacité de rejoindre la classe ouvrière.	• Sessions de formation (écriture, mise en page) • formation dans l'action • évaluations • planification • lecture des textes	• guide d'écriture • exercices des titres • comparaison avec journaux dominants • vidéo • etc.
2- Progresser dans notre analyse critique de la société et dans notre compréhension de la nécessité des luttes et de la solidarité: • critique de l'information dominante • critique du rôle gouvernemental dans l'information • compréhension des réalités d'exploitation • conscience des liens entre les enjeux et entre les luttes	• sessions de formation • lutte face au Ministère des communications • formation dans l'action de production du journal • acceptation du contenu du journal, • lecture des textes en commun, • travail avec plusieurs organisations	• comparaison avec journaux dominants • pétition, conférence de presse • articles pour expliquer enjeux
3- Bâtir des rapports sociaux plus égalitaires: • contrôle collectif sur le journal • transmission des connaissances techniques par ceux qui les possèdent • efforts de coopération entre intellectuels et classe ouvrière	• structure de l'organisation • démarche de production • évaluations collectives • invitation à chaque rencontre	• guides d'initiation • cahier de tâches • calendrier de production • tableaux
4- Renforcer nos organisations: • développer la solidarité entre les organisations • rejoindre la masse large et accroître la sympathie, le niveau de conscience et la mobilisation	• travail collectif des organisations • diffusion du journal	• tâches en commun et partagées • journal

droit de PAROLE

journal des groupes populaires

Québec, vol. 7 no 4, Mai 1980, tirage 10 200 — Gratuit

NON

à l'augmentation des tarifs des transports en commun

CRUTEC

1er MAI: fête internationale des travailleurs

Pour les travailleurs de Vaillancourt, affronter la fermeture de leur usine, c'est vivre l'insécurité avec tous les leurs. À l'occasion du premier mai, Droit de Parole vous invite à faire un geste de solidarité en souscrivant au Fonds d'appui des travailleurs de Vaillancourt (voir pages 8 et 9). Consultez aussi le programme des activités de la journée du premier mai à la page E.

APPUYONS LES TRAVAILLEURS DE VAILLANCOURT

SUBVENTION DU MINISTÈRE DES COMMUNICATIONS
Pages 2 et 3

Pour les personnes âgées de la Basse-Ville

PROJET DE CENTRE COMMUNAUTAIRE
Page 4

DES FEMMES CHEFS DE FAMILLES S'ORGANISENT
Page 7

En pratique, le travail en commun de plusieurs groupes aide au développement de la conscience des liens entre les réalités d'exploitation et à la découverte des solidarités nécessaires entre les groupes qui mènent des luttes. Droit de Parole a aidé à élargir le réseau des alliances des groupes populaires, en amenant des contacts avec des groupes nouveaux (syndicats en lutte, groupes de travailleurs immigrants, groupes de solidarité internationale, etc.).

Un instrument de lutte, une alternative en information, une démarche de conscientisation, voilà en résumé les trois dimensions de ce que nous essayons de bâtir à Droit de Parole.

V- Des résultats encourageants

Nous avons pu constater que Droit de Parole ne poursuit pas seulement un objectif d'information de la population, mais aussi des objectifs de formation technique et politique des militants. Dans ce dernier domaine, nos efforts ont donné des résultats intéressants: au fil des ans, un bon nombre de militants ont participé à la production du journal, en y acquérant des habiletés techniques et des éléments de formation politique. Ces acquis ont permis la continuité du journal, mais ils ont aussi été utilisés dans les autres organismes populaires, entre autres pour améliorer les pratiques d'information.

Si ces apports positifs sont relativement faciles à observer, il est beaucoup plus difficile de mesurer l'impact du journal auprès de la masse. À cet effet, nous avons procédé en 1981 à un sondage auprès de la population, conjointement avec des étudiants en sociologie de l'Université Laval. Les résultats furent très encourageants: parmi les répondants

> 71 % connaissaient le journal
> 21 % affirmaient le lire à tous les mois
> 28 % disaient le lire à l'occasion.

En étudiant les caractéristiques des lecteurs (classe sociale, âge, niveau de scolarité, militantisme, habitude de lecture) nous avons constaté que Droit de Parole rejoint de façon significative la classe populaire, et en particulier les gens moins scolarisés, non organisés et ceux qui ne lisent pas d'autres journaux. Pour nous, ce fut une confirmation que nos efforts rapportaient des fruits et une grande stimulation pour poursuivre le travail.

Ce bref coup d'oeil sur une période intense de la vie du journal Droit de Parole a pu fournir un aperçu des efforts de conscientisation qui y ont été faits. On y perçoit surtout, je crois, la possibilité et la pertinence d'intégrer la formation à l'action quotidienne comme moyen de favoriser l'éveil de l'esprit critique. C'est aussi une invitation à ouvrir l'oeil sur les modèles de fonctionnement que nous mettons en pratique dans nos organisations. Est-on suffisamment préoccupé de remettre en cause les structures et les comportements oppressifs et aliénants pour plutôt commencer à vivre des rapports plus égalitaires? Nos organisations sont-elles le plus possible en cohérence avec les discours que nous véhiculons? Ce sont des questions continuellement préoccupantes pour qui veut s'inscrire dans la perspective de conscientisation.

DEUXIÈME PARTIE

OUTILS

CHAPITRE 6

L'IMAGE, L'ÉCRIT ET LE VERBAL COMME OUTILS

Lorraine Gaudreau

L'image, l'écrit et le verbal comme outils de conscientisation... on peut facilement se demander s'il y a là matière à écrire un chapitre dans un livre. C'est d'ailleurs la question que se sont posé quelques membres du collectif quand j'ai amené ce sujet sur la table. Ils m'ont tout de même laissée aller en se disant probablement que j'ai une certaine pratique et somme toute en me faisant confiance.

J'avais effectivement un paquet d'idées qui me trottaient dans la tête. J'avais envie de dire toute l'importance que j'accorde à des choses qui à prime abord peuvent sembler de moindre importance dans une organisation populaire. Des choses comme:
  • la façon dont on écrit
  • le langage que l'on a
  • les contacts verbaux qu'on établit avec ceux pour qui l'organisation existe
  • l'ambiance visuelle que l'on crée dans les réunions et les assemblées.

Je ne réalisais pas alors tout l'écart qu'il y avait entre avoir ces idées en tête et les mettre sur papier. Cela signifiait presque de mettre par écrit un vécu quotidien, une préoccupation de tous les jours que nous avons à l'ADDSQM[1] (regroupement des assistés sociaux de Québec). Pratiquement c'était essayer de mettre de l'ordre:

• à la fois dans des techniques et des principes de base issus d'une pratique;
• puis dans des façons d'être, des réactions issues de la réalité des assistées sociales militantes[2] de l'association;
• mais aussi dans un vécu partagé entre militantes assistées sociales et militantes alliées[3] dans l'organisation

Pire encore, c'était essayer de vous transmettre ce que l'on ressent à l'ADDS entre militantes:

- quand une assistée sociale avec qui l'on a établi un bon contact téléphonique décide de venir faire un tour au local;
- quand on partage la victoire d'une militante, qui venant de suivre la formation pour répondre au téléphone réussit à faire débloquer un dossier à l'aide sociale;
- quand des militantes sentent une réelle chaleur dans une invitation reçue par la poste;
- quand à partir de simples réunions pour apprendre comment répondre au téléphone on fait un bout de chemin extraordinaire au niveau de notre conscience politique;
- quand celles à qui on donne l'information dans d'autres groupes se mobilisent parce qu'elles ont senti qu'elles pouvaient être chez elles à l'ADDS;
- etc. ...

Ce sont tous ces faits, qui bien que difficiles à rendre, me donnaient la certitude que dans toute organisation axée vers une pratique conscientisante, rien ne doit être laissé au hasard, qu'il n'y a pas de place pour l'à peu près, que tout est important.

J'ai donc décidé de tenter le coup et maintenant que vous êtes convaincus comme moi qu'il ne faut pas sauter ce chapitre, en voici les grandes divisions:

1. Je suis assistée sociale, prends le temps de me connaître.
2. Nous militons, prenons le temps de nous former.
3. L'image et l'écrit dans une organisation populaire.
4. Le verbal dans une organisation populaire.

1. Je suis une assistée sociale, prends le temps de me connaître.

A. Premier Contact

Pour la grande majorité des assistées sociales, l'ADDSQM ça n'existe pas. On est loin de penser à une organisation dans laquelle lutter pour défendre ses droits quand on est isolé entre les quatre murs de notre logement et victime de préjugés. Quand on a honte de vivre de l'aide sociale parce que l'on est sûr d'être ainsi au crochet de la société du fait que l'on ne produit pas un travail reconnu comme salarié. Quand on a peur d'ouvrir la bouche de crainte de voir notre chèque coupé, parce que pour nous l'aide sociale n'est pas un droit. Quand on n'ose pas sortir de la maison de crainte d'être absente si l'agent nous appelle. Quand on vit des sentiments de peur, de honte, d'humiliation, on est loin de penser à se regrouper. C'est pourquoi le premier contact avec l'ADDS revêt une importance particulière. Dans ce premier contact, écrit ou verbal, un message doit passer qui peut se résumer ainsi chez une assistée sociale:

B. Je suis assistée sociale, j'ai une réalité.

Mais la qualité d'un premier contact n'est pas suffisante pour qu'une assistée sociale reste accrochée à l'ADDS. L'organisation ne doit pas seulement sembler être à l'image des assistées sociales qu'elle regroupe: *elle doit être leur image*. Elle doit aussi refléter le projet de transformation de la société, de création d'alternatives qui rassemble les militantes.

Pratiquement cela veut dire que ce qui se fait au niveau du contenu écrit et des rapports verbaux qu'on établit avec les assistées sociales doit absolument tenir compte de qui elles sont, de leur fonctionnement, de leur réalité, de leur culture propre et être aussi porteur du projet de transformation de l'organisation.

Nous avons illustré dans les deux pages qui suivent quelques-unes des caractéristiques objectives et subjectives des assistées sociales dont nous tenons compte. Il ne faut pourtant pas y voir un portrait statique de la classe populaire.

2. Nous militons, prenons le temps de nous former.

Pour nous à l'ADDSQM, tendre vers une pratique conscientisante signifie tenir compte de qui sont les assistées sociales mais cela signifie aussi de se donner collectivement les instruments de notre autonomie individuelle, d'organisation et de classe. L'autonomie de notre organisation signifie sa prise en charge totale par les militantes. Tout comme le reste, l'écrit et le verbal doivent donc être assumés par les assistées sociales qui militent à l'ADDS. Mais les connaissances nécessaires à cette prise en charge ne viennent pas toutes seules. Il y a nécessité pour les militantes de se donner de la co-formation.

> Parlant de l'écrit et du verbal dans notre organisation,
> nous verrons donc:
> * comment nous procédons en tenant compte de la
>   culture populaire
> * comment nous essayons d'en arriver à une prise en
>   charge par les militantes.

3. L'image et l'écrit dans une organisation populaire

Dans notre organisation, les contacts écrits tiennent compte de la culture populaire mais aussi ils sont différents s'ils s'adressent à l'ensemble des assistées sociales ou aux militantes.

A. *Écris-moi mais bien*

1. *En tenant compte de la culture populaire:*

À l'ADDS, tous les textes que nous produisons tiennent compte des éléments suivants:

- peu de texte;
- texte espacé;
- peu d'idées à la fois;
- pas de caractère fin;
- beaucoup d'images;
- couleur de papier qui favorise la lecture;
- mise en page claire. Exemple: des titres encadrés, du texte souligné;
- répétition de l'idée principale plus d'une fois dans le texte. Exemple: l'idée principale est reprise sous forme de slogan en encadré à la fin du texte;
- quand il y a plus d'un message ou d'une idée à passer par exemple dans un bulletin d'information: commencer par les idées les plus attirantes, les plus intéressantes, celles qui touchent directement le plus d'assistées sociales possible;
- utiliser un langage et une forme d'écriture facile à comprendre:
  - les mots qu'utilisent les assistées sociales;
  - des phrases courtes
  - des idées claires.

Nous croyons qu'écrire de cette façon c'est tenir compte des assistées sociales, respecter qui elles sont, leur culture propre. Il n'y a d'ailleurs pas que les assistées sociales qui se sentent à l'aise dans la lecture de textes qui "respirent". Des chiffres sur les consommateurs de bandes dessinées seraient sûrement révélateurs à ce sujet.

2. En tenant compte du degré d'implication à l'ADDS:

La culture populaire est l'élément primordial qui nous guide dans notre façon d'écrire à l'ADDS mais nous fonctionnons aussi en tenant compte du degré d'implication par rapport à l'ADDS de ceux à qui nous nous adressons. Bien sûr la forme utilisée reste la même, celle décrite plus haut, mais le contenu varie c'est-à-dire qu'il prend la couleur des connaissances déjà acquises par ceux à qui il s'adresse.

Précisons le mot connaissance. Par exemple quand on écrit à l'ensemble de la population on tient compte des préjugés énormes qu'il y a envers les assistées sociales. Quand on écrit à des militantes on peut sans crainte faire référence à des faits antérieurs sans tous les expliquer puisqu'elles les ont vécus. Pour faciliter la mise en pratique de cette idée, nous avons développé un système de fichier qui correspond au degré d'implication dans l'organisation.

Il comprend six parties:

1. *Les sympathisantes:*   qui ne sont pas intéressées à rester
                                            en contact continuel avec l'organi-
                                            sation mais qui ont déjà pris part à
                                            une de nos luttes soit en signant une
                                            pétition ou autre.

2. *Les passives:*   qui veulent demeurer en contact
                                            avec l'association mais surtout par
                                            écrit.

3. *Les membres ou militantes semi-actives:* qui assistent aux assemblées générales, sont présentes pour les grosses
                                            actions, peuvent faire partie d'un
                                            sous-comité de travail, viennent aux
                                            corvées...

4. *Les militantes actives:*   qui donnent au moins une journée
                                            par semaine dans l'organisation.
                                            C'est le noyau dur qui résiste à pres-
                                            que tout.

5. *Les alliés:*   qui sont des travailleurs de la classe
                                            ouvrière ou des petits-bourgeois qui
                                            sont des alliés des assistées sociales
                                            et qui les appuient sur demande.

6. *Les groupes d'appui:*   ce sont des groupes populaires, des
                                            groupes communautaires ou des
                                            syndicats à qui on peut envoyer nos
                                            demandes d'appui à nos luttes.

Cette façon de diviser à partir du type de mobilisation n'enlève en rien la valeur de chacune des assistées sociales qui de près ou de loin touchent à l'ADDS. C'est une division qui tient compte d'une réalité et qui permet de mettre les énergies aux bons endroits. Ainsi, quand il faut mobiliser en très peu de temps, pour une action d'éclat dans un bureau d'aide sociale par exemple: on appelle tout de suite les actives et les moyennement actives sachant très bien que les passives ne sont pas *pour le moment* prêtes à ce type d'action.

Le contenu, et le moyen par lequel il est passé, sera donc différent compte tenu de la population à qui il s'adresse.

B. En s'adressant à l'ensemble de la classe populaire

Pour nous adresser à l'ensemble de la classe populaire, nous utilisons les moyens suivants:

- des articles dans le journal des groupes populaires de Québec, le *Droit de Parole;*
- un tract d'information qui explique ce qu'est l'ADDSQM;
- des tracts d'invitation à de grosses actions ou activités comme une manifestation ou une fête populaire;
- des affiches ou posters.

Nous ne répéterons pas ici ce que nous respectons quant à la façon d'écrire et d'imager nos textes mais précisons ce qui nous intéresse au niveau du contenu.

Quand on s'adresse à l'ensemble de la classe populaire donc par le fait même à l'ensemble des assistées sociales ou sympathisantes que l'ADDS pourrait intéresser, nous tenons compte:

- de la force des préjugés qui existent envers les assistées sociales par l'ensemble des travailleurs mais aussi des préjugés que les assistées sociales ont entre elles;
- de la peur qu'ont les assistées sociales de se mobiliser à l'ADDS;
- du type de connaissance des causes de l'existence des assistées sociales et des politiques sociales fournies par l'idéologie dominante;
- du fait que le vécu réel, quotidien des assistées sociales est rarement exprimé;
- du fait qu'elles peuvent ne pas connaître du tout ce qu'est l'ADDS;
- de l'importance d'informer l'ensemble de la classe populaire des droits des assistées sociales et des luttes qu'elles mènent pour les faire respecter;
- de l'importance de choisir des sujets qui rendent compte de l'ensemble de la culture populaire. Exemple: on parle des fêtes qu'on vit à l'ADDS, des activités qu'on organise comme le camp d'été et non seulement des luttes qu'on mène;
- etc.

Voici deux exemples qui illustrent les idées énoncées tant au niveau de la façon d'écrire, d'imager, de mettre en page un texte qui s'adresse à l'ensemble de la classe populaire, qu'au niveau du choix du contenu.

ALLONS A L'A.D.D.S. POUR CONNAITRE NOS DROITS

L'A.D.D.S.:
(Association pour la défense des droits sociaux)
c'est un regroupement qui veut mobiliser tous les assistés sociaux:

- pour défendre collectivement leurs droits et intérêts,
- pour améliorer leurs conditions de vie.

Denise: **Jos:**   **Armand:**   **Simone:**

« Je suis assistée sociale depuis deux ans et demi. J'ai décidé alors de ne pas rester dans ma cuisine à me plaindre sur mon sort en disant que personne ne s'occupe de moi, que je fais pitié etc...
J'ai appris à connaître mes droits et à ne pas avoir honte de ma situation. Maintenant je continue d'aller à l'A.D.D.S parce que j'en suis sortie et que je veux que d'autres aussi s'en sortent et n'aient pas peur de dire comme moi:
« J'ai le droit de respirer au même titre que n'importe qui. »

« En venant à l'A.D.D.S. j'ai réalisé que le gouvernement était du bord des compagnies pis qui nous donnait pas beaucoup pour qu'on reste de la main-d'oeuvre à bon marché. Aujourd'hui j'me bats pour améliorer mes conditions de vie parce que c'est la société qui fait que je « vis » de l'aide sociale. »

« Y'a un paquet de préjugés contre les assistés sociaux. Ça fait qu'ils sont gênés de s'regrouper pis de demander plus pour vivre. Moi j'ai réalisé que les assistés sociaux doivent revendiquer des meilleures conditions de vie. Quand tu vis en bas du seuil de pauvreté pis que tu vois tes anciens boss continuer d'exploiter les travailleurs pour s'enrichir toujours plus, ben tu t'organises. L'A.D.D.S. ça appartient aux assistés sociaux faut y aller. »

« Moi j'ai un message très important à vous faire. Avec tous mes amis de l'A.D.D.S. j'invite tous les assistés sociaux à une assemblée d'information pour:
- avoir plus de détails sur l'A.D.D.S.,
- connaître vos droits,
- apprendre à vous défendre.

Ça va avoir lieu: lundi le 27 novembre à 2h au local de l'A.D.D.S. au 301 Carillon dans le quartier St-Sauveur (de biais avec le Centre Durocher)

VENEZ CAR C'EST ENSEMBLE QU'ON POURRA CONNAÎTRE NOS DROITS ET LES DÉFENDRE.

UN NUMÉRO À RETENIR

525-4983

Droit de parole, p. 5

Article paru dans le journal Droit de Parole d'octobre 1978

L'AIDE SOCIALE:
UN DROIT!

Assistés sociaux, assistées sociales, nous sommes, comme on le dit si bien; « tombés sur le bien-être ».
Ce n'est pas un choix.
Nous n'avons pas décidé de vivre de l'aide sociale.
Nous avons plutôt été obligés d'en demander.
Nous avons donc des droits.
Notre chèque de bien-être, c'est pas un cadeau.
C'EST UN DROIT.

Simone:

« J'ai 32 ans. Je travaillais depuis 6 ans dans une manufacture de chaussures. La manufacture vient de fermer. J'ai eu de l'assurance-chômage un bout de temps, mais essayez donc de vous trouver un emploi aujourd'hui. Y'en a plus de jobs. Depuis 2 mois, j'ai du bien-être social. Deux cent cinquante-trois dollars par mois, j'vous dit qu'on va pas loin avec ça. Pis j'continue à m'chercher de l'ouvrage. »

Armand:

« Moi, j'ai 23 ans. J'ai jamais eu le goût aux études. Ça fait qu'après mon secondaire 5 j'ai commencé à me chercher un emploi. J'ai été apprenti-pressier dans une imprimerie. Ça a duré un mois et demi. Quand j'ai perdu ma job, j'avais pas assez de semaines pour avoir de l'assurance-chômage. Ça fait que j'ai demandé du bien-être. J'ai un chèque de $92.00 par mois. C'est rire du monde. Bien sûr que j'me cherche une autre job, mais hier je lisais dans le journal que le taux de chômage est de 15%. Pour moi qui n'a pas d'expérience, c'est pas un cadeau de s'trouver quelque chose. »

Denise:

« Frédérick a 4 ans. Louise 6 ans. Mon mari et moi on est divorcés. Ça n'a pas été facile. En plus d'avoir à subir les pressions du voisinage et de la famille, j'ai dû aller au bien-être. J'avais honte quand j'suis rentrée avec mes deux enfants dans un grand bureau froid pis que là j'ai dû signer des papiers et expliquer toute ma situation pour finir par avoir un chèque qui m'permet même pas de vivre décemment. Ça fait que là j'me cherche un emploi. Mais qui va m'trouver un emploi qui va m'permettre de continuer à m'occuper de mes enfants? Des fois, j'aurais l'goût de rester enfermée dans ma cuisine. »

Jos:

« Moi j'ai 45 ans, une famille qui n'est pas fini d'élever, pis des problèmes par dessus la tête. Quand j'me suis fait slaquer à la fermeture de mon usine, j'pensais bien m'trouver une autre job vite. Mais là ça fait 1½ an que j'ai du bien-être. Y parait qu'un gars de 40 ans c'est pu rentable pour les gros boss. »

Albert:

« Je suis handicapé. Et même si partout on refuse de me faire travailler, je continue à me battre. J'ai le droit de vivre. Avec ce que j'ai du bien-être j'peux seulement survivre. C'est bien évident que le bien-être y nous donne presque rien pour qu'on reste prêt à travailler. Mais ça tient pas d'bout quand on sait que dans not' société tout le monde ne peut pas travailler. »

p. 4, Droit de parole

Article paru dans le journal Droit de Parole d'octobre 1978

Poster d'invitation paru dans le journal Droit de Parole en avril 1980

C. *En s'adressant à toutes les assistées sociales qui sont sur la liste d'envoi, des passives aux militantes actives.*

- Par un bulletin d'information à tous les mois ou aux deux mois. Ce bulletin a pour but de maintenir un contact étroit permettant l'identification à l'ADDS par le journal et d'informer les assistées sociales de ce qui se fait à l'ADDS. Comme il s'adresse exclusivement à des assistées sociales qui ont déjà une certaine connaissance de l'ADDS, de l'ensemble de leurs droits et de l'existence d'un mouvement populaire; le contenu s'élargit. On peut ainsi en plus du quotidien de l'ADDS passer des messages de mobilisation, de lutte et d'appuis de d'autres groupes populaires et de syndicats. On peut aussi se permettre de fouiller un sujet et d'en faire ressortir le contenu aux niveaux économique, politique, social et idéologique. C'est ce que nous avons fait entre autres quand il y a eu des changements dans les allocations familiales fédérales.

- Par des invitations aux activités ou aux actions que nous menons. Nous prenons toujours le temps de bien faire ces invitations. (p.173)

- Par un sondage annuel. À tous les ans nous faisons parvenir un sondage pour vérifier l'intérêt des assistées sociales pour l'ADDS, savoir dans quoi le monde est prêt à s'embarquer. Ce sondage comprend peu de questions, il est simple à remplir et essentiel pour évaluer "l'état" du noyau d'assistées sociales qui gravite autour de l'organisation. Ce sondage se fait dans une période un peu plus "creuse": l'été. Dépendant de notre énergie, il y a des étés où au lieu de faire le sondage par la poste, nous téléphonons à tout le monde. Le contact est alors beaucoup plus chaleureux. Les résultats de ce sondage sont un des éléments qui nous permettent de tenir à jour notre fichier de mobilisation. (p. 174 à 176)

Illustrons l'ensemble de cette partie par des extraits d'un bulletin d'information, une lettre d'invitation à une assemblée de mobilisation et un sondage annuel.

Association pour la

Défense des

Droits

Sociaux du Québec Métropolitain

301 Carillon

525-4983

BULLETIN D'INFORMATION

FEVRIER 1979.

Page couverture du bulletin d'information de février 1979

DENTISTE

Enfin, comme vous le savez, le "conflit dentistes-gouvernement" est réglé. Les soins dentaires sont donc couverts comme avant par les besoins spéciaux selon les taux établis par le gouvernement:

ex.: deux prothèses dentaires complètes - $175.00

    examen (par 12 mois) - $4.00

Si vous avez besoin de soins dentaires, vous devez vérifier si votre dentiste prend les assistés sociaux (car il y en a qui refusent) et vous vous présentez avec votre carte médicament.

UNE ASSISTEE SOCIALE DENONCE UN CURE

Une assistée sociale de l'A.D.D.S. voulait recevoir gratuitement une copie de son certificat de mariage. Elle écrivit donc à son ancienne paroisse, le curé lui envoya son certificat en lui disant que ce n'était pas parce qu'elle était assistée sociale qu'il le lui faisait parvenir gratuit mais parce qu'il ne connaissait pas sa situation réelle. En n'oubliant pas qu'il était curé, il lui a dit ce qu'il pensait des assistés sociaux: en disant que nous sommes des exploiteurs qui vivent aux dépens des autres etc. Cette dame a fait publier la copie de la lettre reçue du bon

Moi, je laisse pas courir des préjugés sur les assistés sociaux

Première page du bulletin d'information de février 1979

2.

samaritain dans le journal Le Soleil. Tout ceci est pour vous dire
que ceux qui supposément doivent être charitable, qui prêchent...
ne sont pas ceux qui mettent en application tout ce qu'ils disent.
Tout le monde n'a pas les mêmes intérêts.

> SI JAMAIS VOUS VOUS TROUVEZ
> DANS UNE SITUATION SEMBLABLE,
> N'AYEZ PAS PEUR DE REAGIR ET
> DE DENONCER LES PREJUGES
> CONTRE LES ASSISTES SOCIAUX.

COURS DU BILL 26

Les 19-20-26 et 27 mars on organise
un second cours du Bill 26. Comme vous
le savez ce cours nous permet de connaître nos droits, d'apprendre à nous défendre individuellement face à notre
agent et collectivement face à l'Etat.

Appelez-nous tout de suite si vous
êtes intéressés(ées) à suivre le cours.

> MOI J'MINFORME SUR
> MES DROITS.

INVITATION SPÉCIALE.

Allons au cours du bill 26.

5 novembre 80

ASSOCIATION POUR LA DEFENSE DES DROITS SOCIAUX DU QUEBEC
LE REGROUPEMENT DES ASSISTES SOCIAUX

ASSISTES SOCIAUX: REGROUPONS-NOUS

EN AVRIL 1980 LE MINISTRE LAZURE NOUS PROMET L'INDEXATION DE NOS CHEQUES
AUX TROIS MOIS ET NOUS NE L'AVONS PAS ENCORE !

AU MOIS D'AOUT 1980 LE GOUVERNEMENT COUPE DE $25.00 LES CHEQUES DE 35,800
ASSISTES SOCIAUX !

ALLONS-NOUS NOUS LAISSER FAIRE ???

NON ... C'EST ASSEZ ...

SI TU VEUX TE REGROUPER AVEC D'AUTRES ASSISTES SOCIAUX POUR DIRE AU GOUVERNEMENT
QUE TU EST CONTRE LES COUPURES.

SI TU VEUX FAIRE UNE ACTION POUR OBTENIR L'INDEXATION AUX TROIS MOIS.

SI TU VEUX AGIR ...   VIENS A L'ADDS

RENCONTRE SPECIALE POUR SE PREPARER A MENER UNE
ACTION : A DIRE NON AU GOUVERNEMENT. A L'ADDS:
301 CARILLON. JEUDI LE 13 NOVEMBRE A 1:30

SI TU ES CONTRE LES COUPURES ET QUE TU VEUX TE BATTRE: TU NE PEUX RESTER CHEZ TOI !!! A.D.D.S

Invitation à une assemblée d'information et de mobilisation

1

ASSOCIATION POUR LA DEFENSE DES DROITS SOCIAUX DU OUEBEC METROPOLITAIN (A.D.D.S.O.M.)

SONDAGE.   FEVRIER 1979.

NOM:_____

ADRESSE:_____

_____

TEL:_____

| SI VOUS ETES INCAPABLE OU SI VOUS |
| AVEZ DES PROBLEMES A REMPLIR CE |
| OUESTIONNAIRE: APPELEZ-NOUS TOUT |
| DE SUITE A : 525-4983. |

INFORMATION ET INVITATION

1. Etes-vous intéressé à recevoir nos bulletins   OUI_____ NON_____
   d'information?

2. Etes-vous intéressé (e) à recevoir les convo-   OUI_____ NON_____
   cations aux activités ou actions organisées
   par l'A.D.D.S.?

3. Connaissez-vous des assistés sociaux qui   OUI_____ NON_____
   seraient intéressés (ées) à recevoir des in-
   formations sur l'A.D.D.S.?

   Si OUI: nom._____

             adresse_____

             tel._____

DEFENSE DE NOS DROITS

Vous savez qu'à l'A.D.D.S., nous pouvons vous dire quels sont vos droits et comment vous défendre.

Si vous avez déjà appelé à l'A.D.D.S. pour un problème, avez-vous été satisfait
de l'aide apportée?

OUI_____ NON_____

COMMENTAIRES_____

_____

ACTIVITES DE L'A.D.D.S.

1. Y a-t-il des renseignements concernant la loi de   OUI_____NON_____
   l'aide sociale (Bill 26) que vous aimeriez obtenir?

   Si OUI, lesquels?_____

_____

Et finalement, un sondage annuel

2

2. Etes-vous intéressé(e) à participer à un cours sur le OUI_____ NON_____
   Bill 26 (il se donne en 5 demi-journées et il vous permet de connaître vos droits et comment vous défendre)?

3. Etes-vous intéressé(e) à participer au prochain cours OUI_____ NON_____
   du Bill 26 qui aura lieu les 19-20-26 et 27 mars?

4. Seriez-vous intéressé(e) à participer aux autres activités de l'A.D.D.S.?

Café-rencontre (1 fois par mois): OUI_____ NON_____

Camp d'été familial: OUI_____ NON_____

Soirées récréatives: OUI_____ NON_____

5. Avez-vous des enfants?

   0 à 6 ans:_____ 7 à 12 ans:_____ 13 à 18 ans:_____

PARTICIPATION

Avez-vous déjà participé à des activités mentionnées plus OUI_____ NON_____
haut?

Si NON, pourquoi?   Maladie_____

                        Handicap_____

                        Trop occupé_____

                        Problème de garderie_____

                        Pas de transport_____

                        Autres_____

SEMAINE DES ASSISTES SOCIAUX (probablement du 23 au 28 avril 1979).

1. Etes-vous au courant qu'à tous les ans, des activités OUI_____ NON_____
   sont organisées durant la semaine provinciale des
   assistés sociaux?

2. Avez-vous déjà participé à ces actions? OUI_____ NON_____

3. Seriez-vous intéressé à travailler à la préparation OUI_____ NON_____
   de la prochaine semaine des assistés sociaux qui se
   tiendra probablement du 23 au 28 avril prochain?

   Si OUI, auriez-vous des problèmes de: garderie _____

                                            transport_____

                                            santé_____

                                            autres_____

Sondage annuel, page 2

3

4. Il est important pour gagner nos luttes que chacun
   y participe. Sans votre présence, l'A.D.D.S. ne
   peut rien.

   SI NOUS ORGANISONS UNE MANIFESTATION OU TOUT AUTRE   OUI   NON

   ACTION DURANT LA SEMAINE DES ASSISTES SOCIAUX EN VUE

   DE GAGNER NOS LUTTES, SEREZ-VOUS PRESENT?

COMMENTAIRES, SUGGESTIONS (activités ou actions que vous aimeriez, améliorations...)
_____
_____
_____
_____

RETOURNEZ A: A.D.D.S.O.M.   DATE LIMITE: 15 mars 1979

             301 CARILLON

             QUEBEC, P.Q.

             G1K 5B3

SI VOUS AVEZ BESOIN DE RENSEIGNEMENTS N'HESITEZ PAS A NOUS APPELER: 525-4983.
DEMANDEZ: GISELE, PIERRETTE, LORRAINE OU SYLVIE.

C'EST ENSEMBLE QUE NOUS POURRONS AMELIORER NOS CONDITIONS DE VIE.

A BIENTOT.

D. En s'adressant aux militantes semi-actives et aux militantes actives

Dans notre organisation le contenu spécifique aux militantes comprend:

- les invitations aux assemblées générales;
- l'envoi de tracts provenant d'autres groupes populaires ou de syndicats qui demandent des appuis dans leurs luttes ou qui invitent à des manifestations spéciales (comme le 8 mars).

On peut avec raison se demander pourquoi restreindre ainsi l'envoi de demandes d'appui aux militantes. C'est que nous tenons compte de la possibilité qu'a la demande d'être prise en considération, compte tenu du niveau de conscience de la personne qui le lira. Supposons ainsi que les travailleurs d'une usine comme ce fut le cas des travailleurs de Vaillancourt dans notre région demandent de les appuyer lors d'une manifestation. Il sera difficile à une assistée sociale qui ne reçoit que l'information et ne vient même pas à l'ADDS d'accorder cet appui, compte tenu de l'isolement dans lequel elle vit, du peu de contact qu'elle a avec ceux qui tranquillement tentent de se débarrasser du chapeau de l'idéologie dominante et de toute la contre-publicité faite autour de la lutte des travailleurs. Et même plus encore, envoyer froidement un tract provenant d'un autre groupe et qui invite à une manifestation (c'est-à-dire sans aucune explication de la part de l'ADDS) peut renforcer la peur qui existe déjà au coeur de l'assistée sociale et retarder le moment où elle viendra faire un tour à l'ADDS. On ne joue pas avec ces sentiments qui sont réels.

Cela ne veut pas dire qu'il ne faut parler des luttes des travailleurs qu'aux militantes. Le bulletin d'information qui s'adresse aussi aux passives est un lieu privilégié pour donner une information plus complète et plus vivante, par exemple axée sur le vécu des travailleurs qui viennent de perdre leur emploi et sur les raisons qui les motivent à lutter.

En envoyant les tracts d'autres groupes seulement aux militantes on gagne ainsi du temps qui peut être réutilisé pour appeler individuellement chacune des militantes; le téléphone devenant un outil de mobilisation qui renforce l'envoi du tract et qui donne alors vraiment un sens au oui qu'on a donné aux travailleurs quand ils nous ont demandé un appui.

E. Dans les assemblées, les comités et les sessions de formation

L'aspect visuel est essentiel pour nous dans les assemblées comme outil de compréhension du contenu qu'on offre.

Le visuel dans les assemblées, c'est:

1. l'utilisation de tableaux, de dessins, d'acétates
2. la création d'une atmosphère.

Pour illustrer le premier aspect, prenons l'exemple d'une assemblée d'information sur les coupures aux allocations familiales fédérales et le crédit-impôt enfant, où l'OPDSRM (Organisation Populaire des Droits Sociaux de la Région de Montréal) avait préparé un contenu sur acétates. Il était concis et signifiant. Voici des reproductions de quelques-unes des acétates.

Tout ce contenu visuel avait été repris pour un texte de conférence de presse cette fois-ci écrit dans le style ordinaire des communiqués de presse. Jamais la réaction des 300 assistés sociaux présents à l'assemblée n'aurait été aussi animée, aussi vécue dans les tripes que ce fut le cas au fur et à mesure qu'une militante de l'OPDS donnait avec des explications vivantes et simples le contenu des acétates, si l'on avait passé le texte de conférence de presse et qu'on l'avait lu.

Pour illustrer l'aspect de la création d'une atmosphère visuelle, prenons l'exemple d'une assemblée générale de planification des actions de l'année dont le thème était: "l'enracinement de l'ADDS".

Nous avons visualisé ce thème:

• par l'invitation qui fût envoyée aux militants et dont nous reproduisons des extraits dans les pages qui suivent
• par la décoration de la salle. Nous avions préparé un tronc d'arbre géant auquel au fur et à mesure des discussions nous ajoutions des feuilles représentant les luttes, activités et sessions de formation décidées pour l'année. Quand l'arbre fut feuillu, nous lui avons donné de la couleur en ajoutant les noms des militantes prêtes à s'embarquer dans les actions choisies. Nous avons par ce moyen visualisé l'ensemble de ce que nous avions décidé de faire. Il était aussi possible de choisir ce dans quoi chacune voulait s'embarquer compte tenu de ses critères de choix.
• par un macaron en forme de feuille que chacune avait en arrivant et sur lequel on inscrivait son nom.

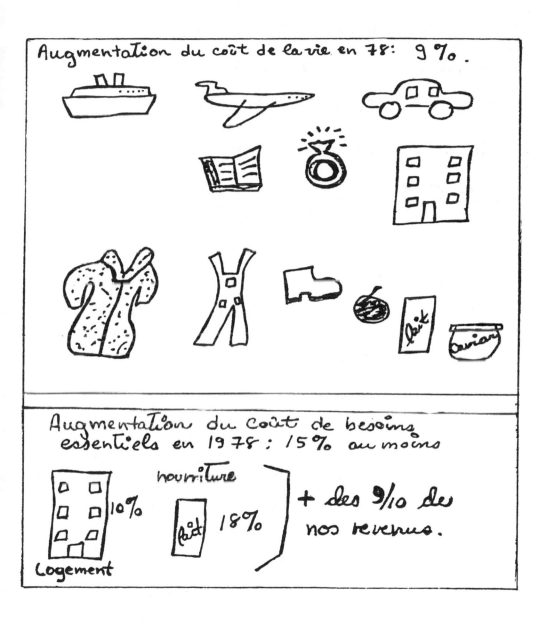

Augmentation du coût de la vie en 78 : 9 %.

Augmentation du coût de besoins essentiels en 1978 : 15 % au moins

nourriture

Logement 10%   18%   + des 9/10 de nos revenus.

Assemblée d'information de l'OPDSRM

Pour pouvoir acheter les mêmes aliments en 79 qu'en 78 et habiter le même logement il nous faudrait donc non pas 9% d'indexation

Mais 15% près avoir payé la nourriture et le logement, il reste 8% de son revenu à la famille assistée sociale pour ses autres besoins.

Est-ce l'année internationale de Nos Enfants ?

Assemblée d'information de l'OPDSRM (suite)

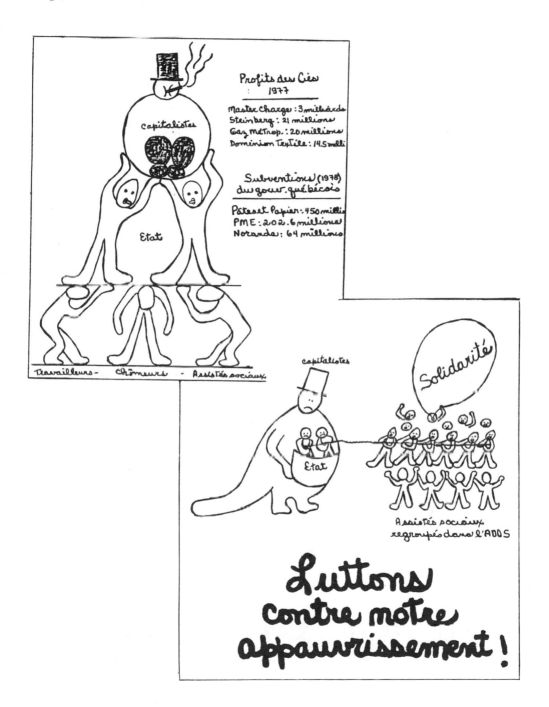

Assemblée d'information de l'OPDSRM (suite)

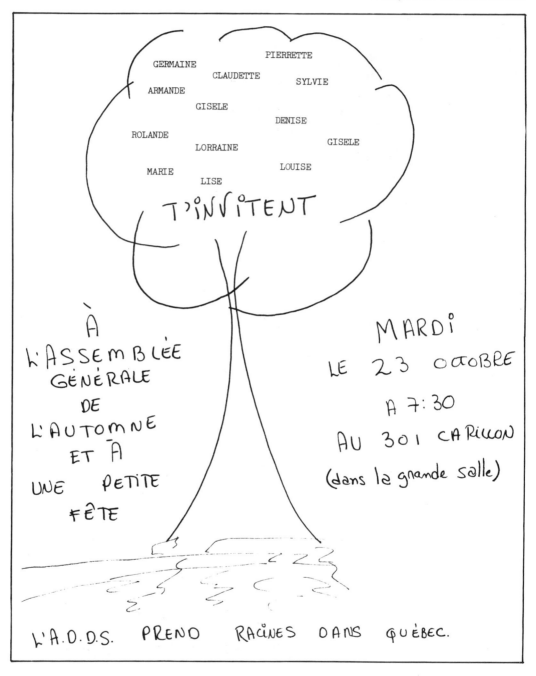

À nous membres de l'A.D.D.S. d'en faire le regroupement FORT des assistés sociaux
en décidant ensemble de ce qu'on fera cette année

CE QU'ON VA FAIRE À L'ASSEMBLÉE GÉNÉRALE:

ON VA RAMASSER LES FEUILLES DE L'AUTOMNE
QUI SONT DE PLUS EN PLUS NOMBREUSES SUR
L'ARBRE DE NOTRE ORGANISATION: L'ADDS

EN TERMES PLUS CLAIRS: ON VA DÉCIDER ENSEMBLE
DE CE QU'ON VA FAIRE CETTE ANNÉE POUR DÉFENDRE
NOS DROITS, POUR AMÉLIORER NOS CONDITIONS DE VIE.

VOICI LES FEUILLES QUE LES MEMBRES DU COMITÉ
D'ORGANISATION ONT RAMASSÉES, NOUS TE LES OFFRONS.
PEUT-ÊTRE EN AURAS-TU À NOUS PROPOSER MARDI PROCHAIN.
GÊNES-TOI PAS POUR NOUS DIRE CE QUE TU PENSES
QU'ON DEVRAIT FAIRE À L'ADDSQM.

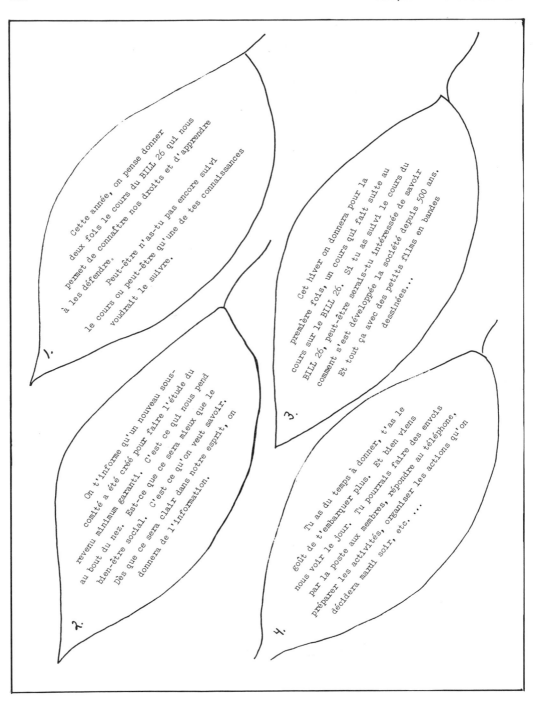

1. Cette année, on pense donner deux fois le cours du BILL 26 qui nous permet de connaître nos droits et d'apprendre à les défendre.
   Peut-être n'as-tu pas encore suivi le cours ou peut-être qu'une de tes connaissances voudrait le suivre.

2. On t'informe qu'un nouveau sous-comité a été créé pour faire l'étude du revenu minimum garanti. C'est ce qui nous pend au bout du nez. Est-ce que ce sera mieux que le bien-être social. C'est ce qu'on veut savoir.
   Dès que ce sera clair dans notre esprit, on donnera de l'information.

3. Cet hiver on donnera pour la première fois, un cours qui fait suite au cours sur le BILL 26. Si tu as suivi le cours du BILL 26, peut-être serais-tu intéressée de savoir comment s'est développée la société depuis 500 ans. Et tout ça avec des petits films en bandes dessinées...

4. Tu as du temps à donner, t'as le goût de t'embarquer plus. Et bien viens nous voir le jour. Tu pourrais faire des envois par la poste aux membres, répondre au téléphone, préparer les activités, organiser les actions qu'on décidera mardi soir, etc. ...

F. Prise en charge de l'écrit par les militantes

Comme nous l'avons souligné dans l'introduction, notre organisation vise à ce que toutes les tâches décrites soient assumées par les militantes. À cet effet nous avons préparé un court programme de formation qui se divise en trois parties:

1. Découverte collective des principes de base en essayant de les définir "d'instinct" dans un premier temps puis en regardant ce qui a déjà été produit à l'ADDS et en le critiquant. On regarde aussi la façon de travailler d'autres groupes pour rechercher des améliorations ou réaliser clairement ce qu'il faut éviter de faire.
2. Période de mise en pratique où les militantes préparent des lettres d'invitation, des tracts, des bulletins d'information, un article pour le *Droit de Parole*, des tableaux pour des comités.
3. Évaluation par l'ensemble du collectif de ce qui a été fait.

Chacune de ces étapes est essentielle car il est facile de se décourager et de se dire qu'on est incapable d'écrire quand c'est un moyen qu'on utilise rarement pour communiquer.

G. L'écrit: un bon outil d'information

Chaque bonne chose a son mauvais côté et des efforts même bien orientés ne sont pas nécessairement gage de succès. Il demeure qu'un texte, c'est un texte; ce n'est pas un individu. Nous avons tenté à deux reprises d'utiliser du matériel écrit pour la mobilisation. Sur le coup les résultats furent minces. C'est ainsi que nous avons diffusé le tract explicatif de l'ADDS dans un pâté de maisons autour du local, avec à l'intérieur du tract une invitation à une assemblée d'information. Il n'est venu qu'une personne. Ce résultat bien que décevant s'explique:

* un papier n'a pas la richesse d'un contact personnel;
* recevoir une invitation ce n'est pas suffisant pour inciter une assistée sociale à se rendre à l'ADDS quand des sentiments de peur et de honte sont ancrés en elle;
* la confiance qui aide une assistée sociale à venir à l'ADDS ne se crée pas par un écrit.

Mais même avec le résultat obtenu, nous croyons qu'à force de recevoir des choses parlant de l'ADDS (entre autres le *Droit de Parole*), un certain lien va se créer. Ainsi, quand on aura un problème d'aide sociale on osera venir ou à tout le moins appeler à l'organisation.

L'écrit n'est pas un outil de mobilisation. Il faut le prendre pour ce qu'il est: c'est-à-dire un bon outil d'information qui nous permet de comprendre réellement, quand il est utilisé en tenant compte de ceux à qui il s'adresse.

Tout en étant conscient des limites des rapports écrits, nous ne doutons pas de leur portée à moyen ou long terme à cause de leur valeur réelle comme outil d'information. Soulignons le fait qu'une assistée sociale avait gardé notre numéro de téléphone pendant un an avant de nous contacter.

Et prendre du temps pour créer une ambiance, ce n'est pas en perdre. Je me souviens encore d'une assistée sociale qui commençait à décrocher et qui nous a dit à l'assemblée générale dont nous parlions plus haut (avec les feuilles): "Comment ne pas venir avec une invitation comme ça".

De plus les tableaux dans des réunions permettent de visualiser l'ensemble d'un sujet et ainsi le comprendre *pour pouvoir le contrôler*.

4. Le verbal dans une organisation populaire

A. *Le téléphone: un outil de conscientisation et de mobilisation*

À l'ADDS, le téléphone a une place de choix. C'est pour nous un outil de conscientisation et de mobilisation. C'est pourquoi nous avons mis beaucoup d'énergie pour posséder cet outil.

Parce qu'il permet:

a) d'informer les assistées sociales de leurs droits;
b) de leur fournir les outils nécessaires pour les défendre;
c) de les rendre critique vis-à-vis:
   - les agissements de leurs bureaux d'aide sociale
   - les limites de la loi d'aide sociale
d) de collectiviser un peu le problème qu'ils vivent. Par notre pratique nous apportons une dimension collective: "Vous n'êtes pas seule à vivre ces choses-là".
e) de partager des acquis au niveau de la défense individuelle des droits.Le téléphone est devenu à l'ADDS un outil de conscientisation.

Il est aussi un des quatre grands moyens de mobilisation que nous avons avec:

- le camp d'été
- le bouche à oreille
- la participation à une grosse action comme une manifestation, en y étant amenée par quelqu'un.

Parler à une assistée sociale au téléphone à partir du problème immédiat qu'elle vit et l'aider à profiter au maximum de ses droits ou lui donner la possibilité de se battre quand ce droit lui est refusé,en participant à une action collective organisée par l'association, c'est un excellent moyen de mobilisation. Bien sûr, ce n'est pas automatique, ce n'est pas parce que quelqu'un appelle au local qu'il devient militant. Mais ce peut être le début d'un long cheminement qui s'enclenche avec un bon contact verbal. Si le fait d'avoir obtenu de bons renseignements et un accueil chaleureux au téléphone fait qu'une assistée sociale décide de venir à un café-rencontre (rencontre mensuelle axée sur l'aspect politique ou socio-culturel par exemple: visionnement d'un film sur le Salvador), c'est un bon début qui peut se poursuivre par le goût de suivre une session sur la Loi d'Aide Sociale (chapitre 2); session qui débouche souvent sur une action plus militante dans l'organisation.

Le téléphone est aussi un outil de mobilisation lorsqu'il vient renforcer une invitation reçue par la poste. C'est ainsi que lorsque nous organisons une manifestation il y a toujours une chaîne téléphonique de mise en marche. Quand on entend au bout du fil une autre assistée sociale nous donner tous les détails de la manifestation, quand on sent qu'elle trouve ça important, qu'elle n'a pas peur, quand elle répond à toutes nos questions... c'est on ne peut plus stimulant.

B. J'apprends comment répondre au téléphone

Quand nous avons réalisé l'importance du contact téléphonique, nous avons décidé de nous organiser pour atteindre vraiment les objectifs pré-cités de conscientisation et de mobilisation. Pour cela, il fallait que les acquis de celles qui répondaient déjà au téléphone soient partagés et qu'un certain nombre de militantes soient formées pour répondre au téléphone. Nous avons donc préparé un programme de formation pour répondre au téléphone.

À notre première rencontre, pour bien camper la formation, nous avons rempli la grille de préparation d'une activité.

FORMATION POUR RÉPONDRE AU TÉLÉPHONE

ADDSQM 1980

OBJECTIFS	MOBILISATION	CONTENU	MOYENS	TÂCHES	AVENIR
1. Avoir la formation nécessaire pour bien répondre au téléphone.	Les militantes et militants qui répondent ou pourraient répondre au téléphone.	Pré-requis: cours du bill 26		Préparer:	• Suite à la première session, faire un guide des réponses collectives
2. Que le contenu de la formation soit collectif (qu'il tienne compte des acquis des assistées sociales présentes et de ceux de l'ADDS).		1. attitudes pour répondre au téléphone	1. sortir sur grand tableau	• salle • papier • "devoir" • café • outils • tableaux	• Suivi collectif aux semaines ou aux quinze jours pour faire un bon apprentissage.
		2. structures de l'aide sociale	2. celles qu'elles savent et compléter		
3. Que les assistées sociales qui répondent au téléphone soient très au courant de la loi.		3. outils qu'on utilise	3. les apporter		
		4. la loi d'aide sociale • légalement • nos acquis • nos orientations	4. par des devoirs à partir de situations-types		
4. Que les assistées sociales qui répondent au téléphone puissent utiliser les acquis et l'orientation de l'ADDS dans leurs contacts avec les assistées sociales.		5. apprendre à utiliser les outils	5. chacune explique comment elle fait; on essaie de trouver la méthode la plus facile		
		6. répondre à toutes les questions et attentes			
		7. faire une évaluation.			

Cette grille est utilisée pour tout ce que nous organisons. Elle nous permet de préciser notre action, d'en définir clairement les objectifs et elle est toujours suivie d'une grille d'évaluation. (explications supplémentaires de la grille de préparation d'une activité: pp.200-201)

Comment on veut utiliser le téléphone

Nous n'entrerons pas dans le détail du contenu des rencontres de formation qui ont un intérêt strictement interne à l'organisation. Mais ce qu'il m'importe de vous communiquer, ce sont les conclusions auxquelles sont arrivées les militantes et qui précisent la qualité du téléphone comme instrument de mobilisation:

- *Que ce soit les militantes qui informent les assistées sociales de leurs droits:* c'est stimulant pour la personne qui est à l'autre bout du fil de voir qu'il y a quelqu'un comme elle qui a appris à se défendre et qui connaît ses droits. Les "barrières linguistiques" sont alors inexistantes. Et il est important qu'elles le soient. Celles qui nous appellent doivent comprendre ce que nous disons. Combien de fois des militantes ont exprimé leur difficulté quand elles commençaient à militer, de comprendre un espèce de jargon propre aux groupes populaires et qui était utilisé durant les comités d'organisation de l'ADDS (comité qui se réunit à toutes les semaines et permet à l'ADDS de bien fonctionner) ou dans d'autre groupes quand elles allaient représenter l'organisation. Ceci n'est qu'un exemple pour dire qu'il ne faut pas présumer de la connaissance de ceux qui nous appellent par rapport à des termes qu'on emploie régulièrement dans l'organisation. Mais aussi il ne faut pas faire exprès pour utiliser un "langage de lutte" quand on sent qu'au bout du fil la personne a de la difficulté à dire son nom par crainte de voir son chèque coupé.

- *Fournir de bons renseignements légaux mais aussi créer une solidarité avec la personne qui appelle:*
  il faut que l'assistée sociale qui nous appelle sente qu'on est du même bord qu'elle parce que ça n'a pas toujours été facile pour elle de prendre le téléphone et de nous contacter. Quand on est plutôt habitué à se faire accueillir froidement au téléphone, on ne dit pas facilement ce qu'on vit. Il arrive parfois que des personnes taisent leur nom, refusent qu'on fasse pression au bureau local pour ne pas avoir de "troubles" après, fassent appeler quelqu'un d'autre à leur place. De cela il faut tenir compte. La chaleur, ça ne peut pas être faux, ça se sent même au téléphone.

- *Montrer les intérêts qu'on défend.*

• *Fournir dans un premier temps aux assistées sociales les outils nécessaires pour qu'elles défendent elles-mêmes leurs droits:*
si cela s'avère difficile: servir d'intermédiaire dans les bureaux d'aide sociale. Il est important pour nous de donner aux assistées sociales les instruments nécessaires pour qu'elles deviennent autonomes face à la défense individuelle de leurs droits. La session sur la Loi d'Aide Sociale répond d'ailleurs à cet objectif et à plusieurs autres (chapitre 2).

J'apprends par la pratique

Dans la formation, nous avons utilisé un petit outil simple pour nous permettre de rassembler toutes nos expériences et de pouvoir ainsi collectivement se faire une idée sur telle ou telle situation vécue par les assistées sociales. Entre les rencontres nous avions une sorte de "devoir" à faire. Nous examinions individuellement 4 ou 5 situations entre chaque rencontre de formation. Aux rencontres, c'était une mise en commun du travail fait par chacune puis la discussion pour décider collectivement du contenu que nous allions passer au téléphone.

Parallèlement à ces "devoirs", il était possible de commencer à répondre au téléphone avec un suivi individuel ou collectif de la part de celles qui ont déjà de la pratique.

Je m'outille pour répondre au téléphone

Comme nous avons la préoccupation que les acquis que nous faisons dans la formation ne soient pas perdus, nous avons décidé de préparer un guide pour répondre au téléphone. Ce guide est utilisé:

- par les militantes qui répondent au téléphone
- par les autres groupes d'assistés sociaux de la province
- par les militantes qui donnent la formation pour répondre au téléphone.

L'intérêt de ce guide est qu'il est conçu à partir des mêmes étapes suivies lors des rencontres de formation mais surtout c'est qu'il nous permet de compiler nos acquis par rapport à la loi d'aide sociale et de les partager entre militantes, avec les autres assistées sociales qui téléphonent et entre les groupes de la province.

Voici quelques pages du guide.

Guide pour répondre au téléphone

9.

CHAPITRE III

EXPLICATION
DES
OUTILS
QU'ON UTILISE
POUR
REPONDRE
AU
TELEPHONE

Les outils qu'on décrira sont:

1. Le Bill 26 Simplifié.

2. Le Manuel d'Aide Sociale.

3. Les formules:

    A. Formule de "Demande d'Aide Sociale"
    B. Formule d'"Offre de Service"
    C. Formules de révision et d'appel
    D. Certificat médical
    E. Formule de "Renouvellement de la Demande d'Aide Sociale"

4. Cahiers de jurisprudence.

5. Cahier noir.

6. Boîte de références.

7. Tableau des messages.

8. Messages pour le Comité d'Organisation.

    Autres:

9. ....

10. ....

11. ....

12. ....

Guide pour répondre au téléphone (suite)

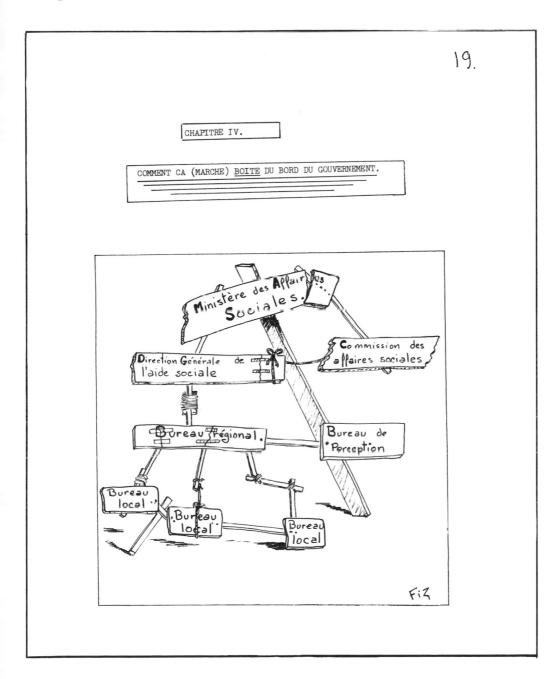

Guide pour répondre au téléphone (suite)

29.

CHAPITRE V

LES DROITS DES ASSISTES SOCIAUX A
PARTIR DE DIVERSES SITUATIONS ...

Dans cette partie du guide, on va voir à partir de diverses situations très précises quels sont nos droits. Pour chaque situation on va:

. décrire la situation

. expliquer la position de l'ADDS ou la discussion du collectif qui a fait le guide par rapport à cette situation

. décrire le point de vue légal à partir de la Loi d'Aide Sociale

. mettre nos acquis, nos gains, notre expérience par rapport à la situation

. laisser un espace pour noter des nouvelles affaires importantes concernant la situation.

Guide pour répondre au téléphone (suite)

Richesse de la co-formation

A travers tout ce que j'ai appris dans cette session de formation, ce qui m'a le plus marquée, c'est la richesse "politique" de nos échanges. Il faudrait d'ailleurs plutôt parler de *co-formation* car c'est notre vécu à nous toutes qui nous a fait avancer:

- quand on se demandait quelles attitudes prendre pour créer une solidarité au téléphone, mobiliser les assistées sociales et leur permettre de se défendre individuellement;
- quand on analysait les multiples formules que doivent remplir les assistées sociales;
- quand on regardait comment ça fonctionne du bord du gouvernement;
- quand on tentait de répondre à des situations pratiques que vivent les assistées sociales quand elles font une demande d'aide sociale, quand leur chèque est coupé, quand on les accuse de concubinage...;
- quand donc nous partagions nos acquis et nos points de vue sur toutes ces questions.

Il y avait alors une richesse au niveau des échanges très stimulante pour chacune de nous. Bien souvent nous débordions de la question posée pour discuter plus largement:

- des contrôles quasi-policier que subissent les assistées sociales dans notre société "libre"
- des rapports sociaux dans notre société
- de la répression
- des privilèges de ceux qui ont le pouvoir...

Bien sûr pour plusieurs ce sont des sujets courants. Comme petits-bourgeois notre choix de lutter pour transformer la société nous les rend quotidiens. Mais quand ces sujets arrivent sur la table à partir de notre vécu quotidien, à force de mettre bout à bout des parcelles d'explications qu'on découvre en luttant directement contre le gouvernement, à force de partager les luttes des travailleurs avec emploi, à force de réfléchir sur ce qu'on vit: eh bien là, ça prend un sens différent. Ce sont des acquis qui jamais plus ne se perdront et qui seront des moteurs dans la lutte. La compréhension de la société qui est issue du vécu prend une valeur que nous qualifions de durable.

C. *Le verbal: un bon outil de mobilisation*

À l'ADDS, le verbal dépasse donc le rôle d'information de l'écrit. Il se veut un outil de mobilisation:

- en établissant un contact chaleureux avec celles qui ne connaissent pas notre organisation;
- en renforçant, par un coup de téléphone stimulant, l'impact d'une lettre reçue par la poste pour une assemblée, une action;
- en permettant *une prise de conscience* de leurs droits par les assistées sociales qui appellent et ainsi ouvrir la porte à une visite possible à l'ADDS.

Culture populaire et formation

Dans ce chapitre nous avons voulu démontrer principalement quatre choses:

1. Que pour devenir un réel outil d'information, c'est-à-dire que pour avoir une chance d'être lu, ce que nous écrivons doit tenir compte de qui sont les assistées sociales: de la culture populaire.

2. Que lors d'assemblées ou de comités, tous les efforts qui sont mis sur la présentation du contenu pour en permettre la visualisation complète, portent des fruits.

3. Que les contacts verbaux que nous avons avec les assistées sociales surtout par téléphone peuvent susciter la mobilisation. Quand on sait combien cette mobilisation est difficile depuis quelques années à l'intérieur du mouvement populaire, nous ne croyons pas faire fausse route quand nous réalisons les résultats du travail fait par téléphone.

4. Que l'écrit et le verbal collent encore plus à la réalité des assistées sociales lorsqu'ils sont pris en charge par les assistées sociales elles-mêmes mais que cette prise en charge ne peut se faire au hasard: par des rencontres de co-formation structurées.

Et nous croyons que ces choses sont importantes pour qu'une organisation populaire fonctionne bien. Mais isolées elles ne valent rien. Que l'écrit et le verbal tiennent compte de la culture populaire mais que tout le reste de l'organisation fonctionne comme une corporation professionnelle: c'est impossible. C'est l'ensemble de l'organisation qui doit être à l'image de la classe populaire et des alternatives dont elle est porteuse,pour favoriser la militance de ceux à qui elle s'adresse et permettre l'éveil de leur conscience de classe; c'est-à-dire:

- ses structures
- son type de prise de décisions
- son type d'animation
- son fonctionnement interne
- la formation politique qui y est donnée
- sa façon de fêter
- les actions qui y sont menées
- sa vie interne, quotidienne
- les rapports sociaux qui y sont vécus...

CHAPITRE 7

PLANIFIER ET ÉVALUER TOUS ENSEMBLE:
DEUX EXPÉRIENCES DANS UNE ORGANISATION POPULAIRE

Lorraine Gaudreau

Chaque automne, à l'ADDSQM, une assemblée des militantes[1] se réunit pour planifier l'année, c'est-à-dire choisir ce qui sera fait au niveau de la formation, des activités et de la lutte.

Puis généralement en janvier il y a un mini-bilan de ce qui s'est fait depuis l'assemblée de planification pour évaluer l'atteinte de nos objectifs. Au niveau de la lutte, nos revendications s'ajustent alors à la nouvelle conjoncture provoquée par les décisions que le gouvernement a pu prendre au premier janvier.

Puis au printemps, nous passons à l'évaluation qui peut toucher trois principaux aspects:
• l'évaluation de ce qui s'est fait à partir de la planification de l'automne
• l'évaluation du fonctionnement de notre organisation
• l'évaluation du noyau des militantes.

Nous considérons que ce travail est essentiel pour vraiment bien nous organiser, être efficace et ne pas passer à côté d'enjeux essentiels.

Après quatre ans d'existence, nous avons expérimenté bien des choses au niveau de la planification et de l'évaluation toutes aussi intéressantes les unes que les autres, mais mon choix s'est porté sur deux évènements que je vous rapporterai dans ce chapitre:
- la coordination-planification de l'automne 1981
- et l'évaluation du fonctionnement et du noyau des militantes qui s'est déroulée au printemps 1980.

Une expérience de coordination-planification

Comme je l'ai souligné auparavant, il y a quatre ans que l'ADDSQM existe à Québec avec une orientation claire et définie: un groupe de lutte pour la défense des droits des assistées sociales et l'amélioration de leurs conditions de vie. À l'automne 1977, nous étions très peu, 5 ou 6 assistées sociales prêtes à faire "quelque chose" et une personne-ressource. Le morceau était gros à prendre: repartir une association qui depuis son incorporation en 1973 avait misé principalement sur la défense individuelle des assistées sociales et non sur le regroupement. Toutefois on ne partait pas à zéro, il y avait quand même une liste d'assistées sociales qui avaient déjà été en contact avec nous et qu'on pouvait tenter de rejoindre. Mais par quel bout commencer... C'est alors que nous avons eu la chance de créer une alliance avec un groupe d'assistées sociales de Montréal, du quartier Mercier. Ce groupe avait déjà de bonnes années de lutte et d'organisation dans ses bagages et quand quelques militantes sont débarquées à Québec en février 1978 pour venir donner la session de l'aide sociale (chapitre 2), ce fut pour nous le coup d'envoi. Et quel coup d'envoi car notre organisation dès lors s'est enlignée dans une pratique de conscientisation.

Les militantes s'embarquent

À partir de ce moment nous avons fait beaucoup de formation, entre autres pour que les militantes prennent vraiment l'organisation en main. Le cours du Bill 26 se donnait avec une ou deux militantes et une personne-ressource, des assistées sociales étaient formées pour répondre au téléphone, etc... Mais jusqu'à l'automne 1981, il n'y avait pas encore eu de sous-comité de travail relié à la lutte pris en main par les militantes assistées sociales. Et voici qu'au premier comité d'organisation après les vacances d'été, quand on se met à penser à planifier l'année, deux militantes déclarent qu'elles ont le goût de prendre en main l'organisation de la planification sans qu'il y ait de personnes-ressources dans le comité. Autour de la table c'est l'enthousiasme et déjà cinq militantes sont choisies pour former le comité.

Le sous-comité a travaillé durant un mois et demi, utilisant comme principal outil la grille de préparation d'une activité pour bien camper les objectifs. Cette grille est un outil qui permet d'organiser une action sans passer à côté d'éléments essentiels, c'est-à-dire en commençant par l'élaboration des objectifs et en voyant pour chacun d'eux à qui il s'adresse, quel contenu, quels moyens, quelle organisation technique et quelles perspectives d'avenir permettraient de les atteindre. Chacune des colonnes de la grille comporte un certain nombre de questions ou d'éléments à ne pas oublier quand on l'utilise. Cet outil a été préparé à partir

PLAN - PRÉPARATION D'UNE ACTIVITÉ

Texte remanié d'après collectif
OPDS Mercier, février 1980.

Toujours se rappeler ces quelques réflexions:
- Parole avec action plus réflexion: Praxis
- Parole sans action: Bavardage, verbalisme
- Action sans réflexion: Activisme

*Référence: Paulo Freire, **Pédagogie des opprimés**, Paris, Maspéro, 1974, p. 13, note 2.*

LES POURQUOI DE NOTRE ACTION (Objectifs)	AVEC QUI (Mobilisation)	ON VA DIRE QUOI (Contenu)	LES MOYENS (Méthodes pédagogiques)	QUI VA FAIRE QUOI (Partage tâches)	QU'EST-CE QU'ON VA FAIRE APRÈS (Perspectives)
• Faire attention à la généralité, à l'abstraction *Être concret* • Avoir des objectifs (en terme de conscience de classe) • À court terme ceux propres à l'activité *Le sujet* importe plus que la problématique.	1. Les militantes 2. Les actives 3. Les moyennement actives 4. Les passives 5. Les handicapées celles qui restent à la maison. *Moyens:* • téléphone • journaux populaires • assemblées de quartier • etc.	• Préparer ce qu'on va dire en fonction des: - objectifs - personnes: le contenu n'est pas le même pour des militantes et des gers qui commencent à s'embarquer - pas trop chargé *Aller chercher l'expérience des participantes.* • Synthétiser et amener des perspectives d'avenir dynamiques: prévoir une suite, ne pas dire on vous rappellera un jour.	• Compte tenu de la connaissance de la classe populaire • des objectifs • des personnes *Quels moyens privilégier???* *Ne pas oublier* - la personne - être concret - simple - de visualiser = • tableaux • pancartes • dessins • etc.	1. Tenir compte de la connaissance de la classe populaire 2. des habiletés 3. du goût 4. des disponibilités 5. tout doit être collectif. *Organisation:* 1. Date 2. Horaire 3. Lieu 4. Salle 5. Animation 6. Climat chaleureux Ne pas séparer technique-idéologie	• Toute activité doit déboucher sur la réflexion et l'action, sinon on tombe dans le verbalisme ou l'activisme. • Prévoir une réunion d'évaluation de l'activité ou une suite.

d'une pratique et en vue d'améliorer l'organisation d'actions futures. C'est ainsi que son contenu est revisé compte-tenu des acquis de son utilisation.

Ce qui était clair au départ, c'est que le travail du comité devait permettre à l'organisation:
- de revoir l'ensemble de son fonctionnement pour assurer une réelle coordination qui permette la mobilisaiton d'un plus grand nombre de militantes;
- de décider des objectifs de lutte à présenter au Front Commun des Assistés Sociaux du Québec pour l'année.

Un appui des personnes-ressources

Comme c'était la première fois que des militantes assistées sociales étaient responsables à 100 % de la planification, avant et après chacune des rencontres une ou deux militantes regardaient avec une personne-ressource le travail qui avait été fait. On voyait alors où se situaient les difficultés et comment les surmonter et si rien n'avait été oublié pour la prochaine rencontre. Ce travail parallèle au comité de coordination nous a permis de réaliser les lacunes dans la formation des militantes et dans nos outils par rapport au fonctionnement d'un sous-comité: l'évaluation a été transmise à une autre équipe de travail qui est en train de monter une session de formation à l'animation. De cette session il devrait donc sortir de nouveaux outils comme:

• une grille de préparation des activités plus développée, c'est-à-dire contenant dans chacune de ses colonnes une série de questions très claires permettant de bien cerner l'action, de ne rien oublier...
• un guide général du travail en sous-comité contenant le vécu du comité de coordination et l'ensemble de ce dont un comité de travail doit tenir compte pour ne pas agir en "amateur".

Le rôle des personnes-ressources était donc de systématiser le contenu élaboré par les assistées sociales. Et c'était vraiment extraordinaire de voir tout le contenu qui sortait à chacune des rencontres. Pratiquement, il s'agissait simplement pour les personnes-ressources de démêler un peu ce contenu, de déplacer ce qui n'était pas au bon endroit dans les colonnes de la grille de préparation de l'action pour permettre ainsi à chacun des objectifs d'être bien travaillé, tant au niveau de la mobilisation, que du contenu, des moyens et du partage des tâches. C'est tout ce que nous avons fait.

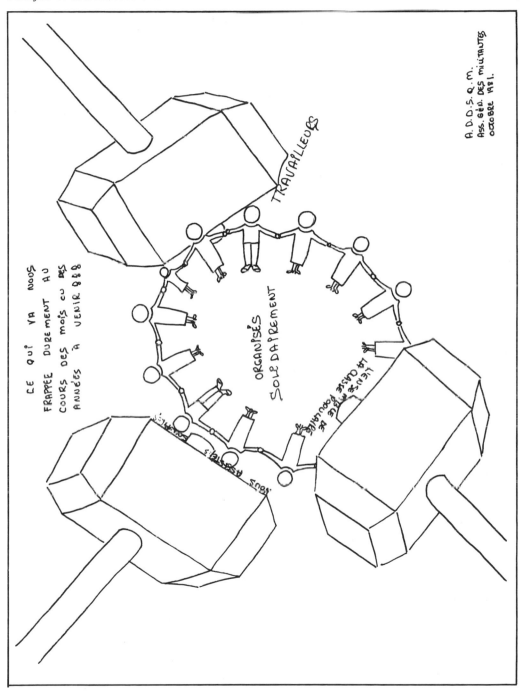

Une journée bien orchestrée

C'est au milieu d'octobre que l'on cueillit les fruits du travail du comité de coordination au cours d'une assemblée générale des militantes, une journée coupée par un succulent dîner préparé par quelques militantes.

Chaque assistée sociale qui nous semblait intéressée à venir militer avait reçu une lettre d'invitation et un coup de téléphone très stimulant. Trente-cinq militantes dont quatre militantes alliées étaient présentes.

Dès qu'on arrivait, on était accueilli par un membre du comité qui nous agrafait un macaron. Une attention toute particulière était réservée aux assistées sociales qui commençaient seulement à venir à l'A.D.D.S.. On prenait le temps de s'asseoir avec elles, de jaser, de les mettre à l'aise. En même temps que le macaron, chacune avait reçu un outil qui devait servir à la mise en branle de la réflexion sur la lutte.

Donc dès que le bonjour officiel fût donné, que chacune se fût présentée avec le jeu "J'pars en voyage" (p. 46, et que les buts de la journée eurent été redits, on est passé à l'expérimentation de l'outil. J'avais préparé cet outil à la demande du comité. On m'avait demandé de préparer un instrument qui nous permettrait de réfléchir quelques instants sur la conjoncture actuelle. Le comité voulait que l'ensemble des militantes prenne le temps de parler de ce que vivent les assistées sociales, les chômeurs et les travailleurs dans la crise actuelle avant de se lancer dans la recherche de nos objectifs de lutte.

Pour expérimenter l'outil, il s'agissait pour chacune de mettre dans chaque massue un ou deux mots représentant ce qu'elles croyaient qui allait les toucher le plus durement dans les mois et les années à venir. D'abord elles en tant qu'assistées sociales, puis les travailleurs avec emploi, puis l'ensemble de la classe populaire. Pour favoriser l'expression de chacune, on a formé une douzaine de petits ateliers d'environ trois personnes où on s'aidait à exprimer ce qu'on vivait.

En se plaçant au tout début de la journée, avant même de passer au choix des objectifs et des priorités de lutte, cet outil nous permettait de définir justement nos objectifs en fonction de la conjoncture actuelle et aussi en fonction d'une projection des visées gouvernementales (donc d'une certaine analyse politique) sur la classe populaire.

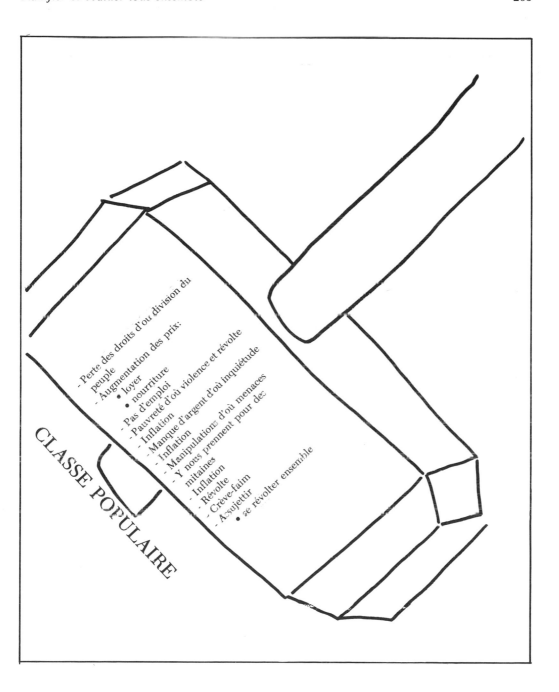

CLASSE POPULAIRE

- Perte des droits d'où division du peuple
- Augmentation des prix:
  • loyer
  • nourriture
- Pas d'emploi
- Pauvreté d'où violence et révolte
- Inflation
- Manque d'argent d'où inquiétude
- Inflation
- Manipulation: d'où menaces
- Y nous prennent pour des mitaines
- Inflation
- Révolte
- Crève-faim
- Assujettir
  • se révolter ensemble

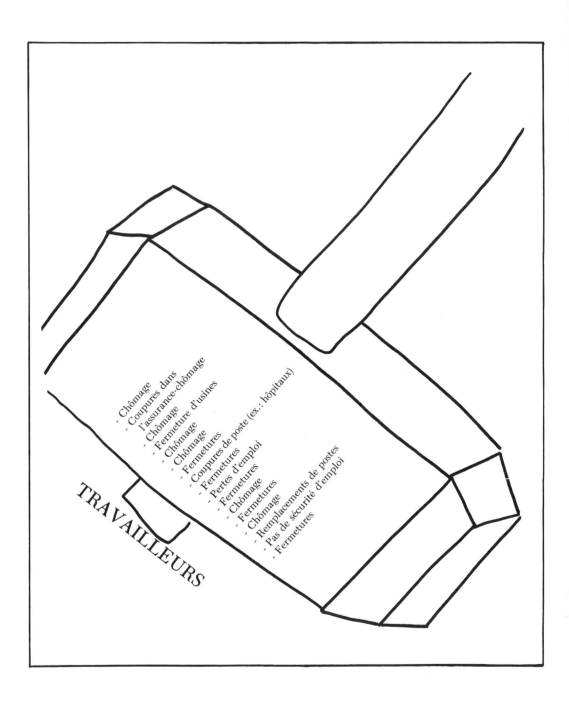

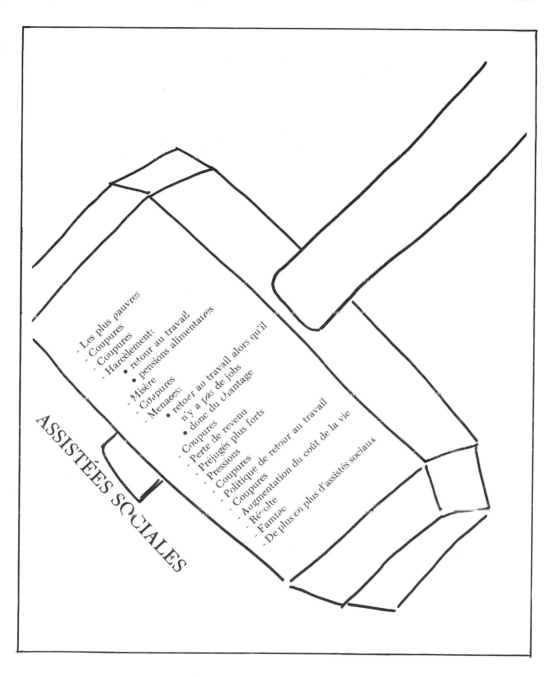

Quand toutes eurent terminées de remplir leurs massues, on en a fait la synthèse sur des massues géantes qui étaient affichées au tableau comme on le voit sur les photos et les reproductions des massues dans les pages qui précèdent.

Même si quelqu'un avait choisi un mot déjà dit, on le répétait pour comprendre l'ensemble de l'analyse faite par les militantes.

Au fur et à mesure que les massues se remplissaient, les commentaires jaillissaient, les liens se créaient entre les assistées sociales et les travailleurs:

"avec les coupures à l'assurance-chômage, les travailleurs qui perdent leur emploi vont passer vite au bien-être"
"comme y'a plus de jobs: après le chômage c'est le bien-être"

"en même temps qu'il y a plus d'assistées sociales les préjugés deviennent encore plus fort, ça devrait être le contraire"
"on veut diviser le peuple alors qu'on devrait être ensemble"
"vu que ça devient de plus en plus dur pour tout le monde, on devrait se tenir"
"tous les travailleurs peuvent tomber sur le bien-être"
"etc. ..."

Quand les massues ont toutes été remplies on s'est demandé *qui* nous les donnait ces coups, quelle main les tenaient:

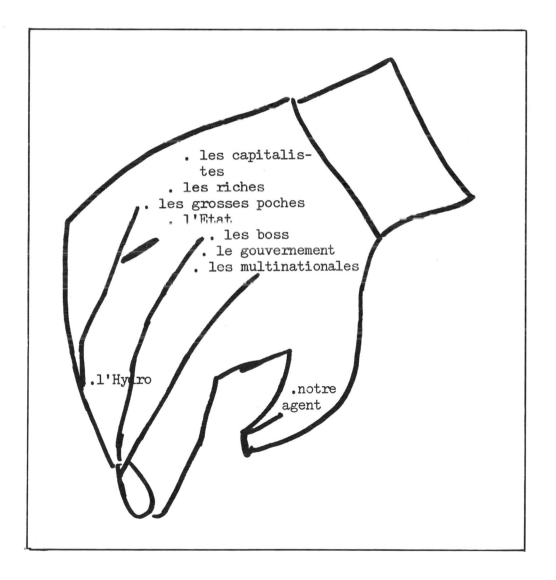

On voyait clairement ce qui nous attendait et contre qui on avait à se battre. De réaliser qu'on était en pleine crise économique et que les gouvernements y réagissaient par l'instauration du régime des coupures, des pressions, du harcèlement, de la perte des droits, cela ne nous empêchait pas de vouloir nous battre. On voyait qu'on a à lutter contre gros et fort, que ce sera dur, mais que les *alliances* sont possible, qu'on peut être une *force*.

Après l'analyse, on passe aux objectifs

C'est donc avec tout ce bagage qu'on est allé en atelier pour déterminer ce qu'on allait décider au niveau de la lutte.

Avoir rempli les massues nous permettait de définir nos objectifs et nos priorités de lutte en fonction de ce qui nous frappe le plus comme assistées sociales, tout en gardant bien en vue ce qui touche l'ensemble de la classe populaire. Comme on ne peut pas se battre sur l'ensemble de nos conditions de vie à la fois, les coupures, la politique de retour au travail, le harcèlement et les préjugés nous serviraient de toile de fond en tant qu'organisation d'assistées sociales. Cette toile de fond étant éclairée dans une perspective globale.

Chaque atelier avait à remplir la grille de préparation d'une action en répondant aux questions suivantes:
- quels sont les buts qu'on veut atteindre en luttant cette année à l'ADDS?
- qui on veut faire lutter avec nous?
- qu'est-ce qu'on veut dire au monde en rapport avec nos objectifs?
- d'après vous est-ce qu'on doit continuer la lutte pour l'indexation au coût réel aux trois mois? pourquoi?
- avez-vous d'autres suggestions de lutte pour cette année? lesquelles? pourquoi choisir cette lutte-là?
- d'après vous quelles sont les luttes les plus importantes dans ce qu'on a dit dans l'atelier? Priorités:
- avez-vous des moyens à prendre pour gagner nos luttes? lesquels?
- seriez-vous prêtes à participer à ces actions? à vous embarquer?

Au retour des ateliers, la secrétaire de l'atelier écrivait dans une petite bonne-femme affichée au tableau sous les massues (voir la photo en page 208):
• les objectifs à atteindre
• les priorités de lutte.

Puis chacun des ateliers expliquait le pourquoi de ces choix et ensuite on a décidé:

1- que nos objectifs seraient:

- obtenir l'augmentation de nos revenus
- obtenir l'arrêt des coupures
- nous faire respecter et faire respecter nos droits
- renforcer notre mobilisation et la solidarité avec l'ensemble de la classe populaire;

2- que les luttes qui nous permettraient d'atteindre ces objectifs seraient:

- au niveau offensif: la lutte pour l'indexation de nos chèques aux trois mois au taux réel de la hausse du coût de la vie
- au niveau défensif: la lutte contre les coupures
le tout inséré dans une stratégie de conscientisation sur le vécu des assistés sociaux en vue d'abattre les préjugés et donc de renforcer nos liens avec les autres travailleurs avec ou sans emploi.

Une réflexion à terminer

On avait donc un bon bout de chemin de fait, on savait où on allait et pourquoi; on avait conscience des difficultés de la lutte et aussi des difficultés à créer une solidarité (à cause du renforcement des préjugés) pourtant essentielle. Comme la journée avançait rapidement, on n'a pas fouillé plus avant, par exemple dans le choix des moyens d'action; des idées avaient été émises mais il fallait reprendre nos priorités et refaire, avec ces priorités comme objectifs, l'ensemble de la grille de préparation d'une action. On s'est donc redonné rendez-vous pour poursuivre à une autre assemblée générale qui aurait lieu après la rencontre du Front Commun, afin de tenir compte de ce qui serait décidé alors.

On en a du boulot à abattre

Après un bon dîner, nous étions prêtes à reprendre le travail. Bien sûr on avait fait un bon boulot au niveau de la lutte, mais pour bien fonctionner il nous fallait compléter un travail important au niveau de la coordination de notre organisation. Cette coordination ayant été trop faible au cours de l'année précédente.

Pour cette partie de la journée, les militantes du comité de coordination avaient préparé de grands tableaux où l'ensemble des tâches, activités, sous-comités, programmes de formation, enfin tout ce qui se vit à l'ADDS était écrit, avec pour chacune des tâches:

- sa définition
- celles qui en étaient responsables ou l'absence de responsable
- ce que ça demande comme goûts et capacités
- la formation qu'il faut suivre pour exécuter la tâche
- ou la nécessité que de la formation soit préparée par les personnes-ressources pour aider à remplir la tâche.

Quand toutes les tâches furent bien expliquées et comprises, une militante nous expliqua qu'on avait maintenant à façonner un grand casse-tête (voir page 213).

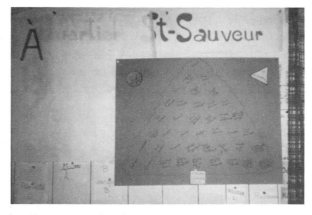

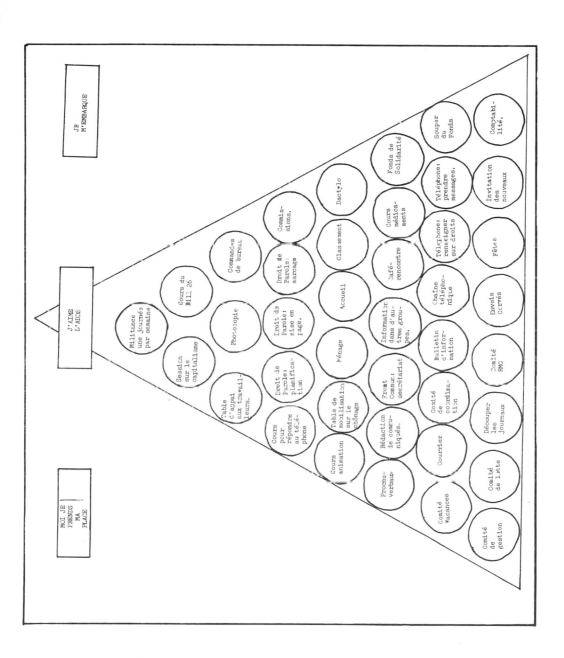

Cet outil avait été élaboré par une des assistées sociales du comité. Sur un grand carton, on retrouvait dans des cercles toutes les tâches et activités. Le comité n'avait pas divisé les tâches par secteur comme: formation, activité, luttes. Non, toutes les tâches étaient rassemblées dans un même grand triangle. Pour les membres du comité, cela signifiait l'unité, le fait que toutes les tâches sont importantes et égales dans l'organisation. On avait à épingler un macaron dans le ou les cercles qui représentaient ce dans quoi on était prêtes à s'embarquer. À la fin de l'opération on retrouva un beau casse-tête à peu près complété. C'était un excellent premier déblayage qui permit ensuite au comité de coordination de prendre en main toute l'organisation de l'ADDS. Voir plus haut des photos et une reproduction du casse-tête.

À partir du fait d'avoir écrit tout ce qu'on fait à l'A.D.D.S. sur de grands tableaux et d'avoir préparé le casse-tête, chacune réalisait l'ampleur de l'organisation et tout ce qui doit y être fait pour qu'on fonctionne bien, dans une pratique de conscientisation qu'on veut toujours plus articulée.

Une bonne préparation qui a porté fruits

C'était un excellent travail que le comité de coordination avait fait pour cette journée de coordination-mobilisation-planification. De bons outils de travail, une formation bien assimilée, leur avait permis de passer à travers tous leurs objectifs. Mais surtout le fait d'être responsable en totalité d'un comité qui devait abattre un boulot important pour l'A.D.D.S. sur des thèmes centraux, cela a fait que les militantes qui en faisaient partie ont vraiment senti que l'A.D.D.S. était sur *leurs épaules*. Comme personne-ressource dans un groupe populaire, quand on est un tant soit peu zélé, on se retrouve facilement avec ce que j'appellerais la "dernière" responsabilité. Même s'il y a plein de monde qui milite, au bout de la ligne on est là pour rattraper ce qui pourrait tomber. Mais suite à cette expérience, on a réalisé que maintenant l'A.D.D.S. est portée par plusieurs et que ce noyau de militantes a vraiment l'intention de s'élargir encore. Cette prise de possession n'a été possible que parce que des militantes sont vraiment devenues responsables de choses importantes dans notre organisation.

Une expérience d'évaluation: apprendre à dialoguer sur nos conflits

À chaque printemps, c'est le moment pour nous toutes d'évaluer ce qui s'est fait depuis l'automne et de jeter les premières bases de notre enlignement pour l'année suivante. C'est généralement le comité d'organisation qui prépare un rapport d'activités suivi de recommandations à présenter à l'ensemble des militantes lors de l'assemblée générale annuelle. Notre fonctionnement au cours de l'an-

née nous permet de mener à bien assez facilement cette réflexion importante sur l'atteinte de nos objectifs à court, moyen et long terme. Les outils qui nous permettent cette réflexion sont:
- l'ensemble de toutes les grilles d'évaluation des activités (116) qui ont été faites au fur et à mesure qu'une lutte, activité, action, session de formation était terminée;
- le texte de nos grandes orientations, de notre visée, de nos objectifs à moyen et long terme.

Mais une année, il y eut un complément à notre évaluation habituelle. On voyait toutes un certain nombre de faiblesses au niveau du fonctionnement de notre organisation mais surtout contrairement aux années passées, il y avait des tensions latentes entre les militantes qu'on avait pas réussi à régler en cours de route. Normalement on essaie de ne rien laisser traîner, tout se règle au fur et à mesure et de façon collective. On se parle beaucoup de ce qu'on vit comme militante, de l'atmosphère du local, des tâches qu'on assume, etc. ... Quand une remarque pas très claire, pleine de sous-entendu tombe sur la table, tout de suite on s'arrête et on prend le temps de comprendre ce qui se passe. Tout cela parce qu'on veut vivre des rapports sociaux différents de ceux qui sont vécus dans notre société, des rapports où le dialogue et le respect de ce qu'est vraiment l'autre priment, des rapports exempts de domination ou d'exploitation des unes par rapport aux autres, des rapports vraiment égalitaires. Mais cette année-là on sentait un malaise. Ce malaise résidait dans le fait que certaines militantes percevaient une hiérarchie à l'intérieur des tâches dans l'organisation et choisissaient ainsi les tâches qu'elles jugeaient plus importantes; cela entraînait une dévalorisation des tâches jugées moins importantes, mais surtout une non reconnaissance des militantes qui effectuaient ces tâches. Il y avait aussi des conflits de personnalité qui entraînaient la formation de sous-groupe et la discussion à l'extérieur d'un vécu qu'il aurait été préférable de faire dans l'organisation. L'ensemble de l'organisation subissait donc le poids de ces malaises. Il fallait rétablir un climat de confiance un peu émoussé, notre force résidant dans notre solidarité. Cela entraînerait-il des départs??? On misait sur l'importance de notre lutte mais aurait-elle le pas sur 30-40-50 ans d'éducation (ce qu'on est à la base mais bien modelé pour donner ce qu'on appelle la personnalité) et d'enracinement des bonnes vieilles valeurs de notre société: concurrence, pouvoir, force, domination, autorité, besoin de s'élever dans une hiérarchie... On voyait bien que ce serait difficile à régler mais il nous fallait passer à travers.

C'est ainsi qu'on organisa une journée d'évaluation du noyau des militantes de notre organisation mais aussi de son fonctionnement, parce qu'il y avait une série de petits problèmes de fonctionnement comme l'accumulation des documents à classer, le fait de ne pas avertir quelqu'un de l'annulation d'une réunion par manque de coordination...

Le comité d'organisation détermina les objectifs de cette journée et deux personnes-ressources pensèrent son déroulement.

Mise en branle de la journée

Avant de commencer, les personnes-ressources firent une mise au point qui s'imposait: la journée n'allait pas être facile, oui il y avait des problèmes, mais avions-nous suffisamment confiance les unes dans les autres pour savoir que ce qu'on se dirait nous permettrait d'avancer et croyions-nous suffisamment à notre organisation pour s'ajuster les unes aux autres, faire des ruptures dans notre façon d'être au monde.

Pour se mettre dans le bain, nous avons utilisé un jeu de mots (p. 47). La question qu'on se posait:

"Ça veut dire quoi pour moi militer?"

Les mots étaient:

être disponible, charité, transformer, plaisir, enfants, avenir, activité, détruire, bâtir, refaire, me libérer, défendre, solidarité, vaincre mes peurs, vocation, vaincre ma solitude, être solidaire, améliorer, m'épanouir, désennui, revendications, engagement chrétien, partager, m'oublier, donner, informer, aider, amour, prendre, détente, lutter, me battre, aimer, m'instruire, rompre, choix, orientation, travailler, dévouement, choix politique, changer, et un carton blanc où rien n'était écrit pour celles qui voudraient choisir un mot différent de ceux étalés.

Le jeu de mots nous a permis de commencer à verbaliser chacune ce qu'on vivait comme militante, de mettre surtout le doigt sur nos motivations à militer. Déjà on réalisait collectivement jusqu'où on pouvait se rendre chacune, individuellement mais aussi la force de notre noyau de militantes. On aurait à travailler dur toute la journée, il était bon de revoir les bases de notre engagement, de revenir aux sources de notre implication.

Pour améliorer notre fonctionnement

Quand le jeu de mots fut terminé, on entama la partie fonctionnement de l'ADDS. Pendant tout le reste de l'avant-midi on regarda les problèmes soulevés dans un questionnaire que chacune avait remplie avant la rencontre, militantes et personnes-ressources, et dont le comité organisateur avait fait un bilan. Nous croyons qu'il est pertinent de reproduire ici ce questionnaire.

**Évaluation des militantes et du fonctionnement de l'A.D.D.S.Q.M.
Mars 1980**

Il y a trois grands blocs de questions:

I = questions par rapport au fonctionnement interne de l'ADDS
II = questions par rapport à la place que j'ai à l'A.D.D.S. et au travail que j'y fais
III = questions par rapport aux autres militantes à l'ADDS

I = Fonctionnement interne de l'ADDS

1. Dans le fonctionnement interne de l'ADDS, qu'est-ce que je trouve qui marche bien et ne marche pas bien et pourquoi?

Ce qui cloche:	Solutions possibles:

2. Trouves-tu qu'il est facile à une assistée sociale de prendre sa place à l'ADDS, plus précisément as-tu eu de la difficulté à t'insérer dans le fonctionnement de l'ADDS?

II = La place que j'ai à l'ADDS et le travail que je fais

Qu'est-ce que je fais à l'ADDS?
Membre du comité d'organisation □
Rédige les procès-verbaux du comité d'organisation □
Anime les comités d'organisation □
Permanente-militante □
Répond au téléphone □
Prépare des assistées sociales à aller en appel et en revision □
Vais en appel avec des assistées sociales □
Fais des envois par la poste □
M'occupe de la correspondance □
M'occupe du classement □
M'occupe du bulletin d'information □
Tient à jour le fichier des membres □
Tient à jour le fichier des ressources □
Donne de l'information □
Donne de la formation □
Représente: au Front Commun □
          au Droit de Parole □
          au Fonds de Solidarité □
Sous-comité du Revenu Minimum Garanti □
Sous-comité café-rencontre □
Sous-comité camp d'été □
Dossier noir de l'aide sociale □
Finances □
Travaille à la préparation de la semaine des assistées sociales □
Accueil des nouveaux membres □
Découpage des journaux □
Fais le ménage □
Autres:

_____

_____

_____

_____

4. Dans ce que je fais (reprendre chacun des items cochés en 3), dire où je me sens bien, où je ne me sens pas bien, ce dans quoi je veux continuer à travailler, où je n'ai plus le goût ou la possibilité d'être:

Ce que je fais
Me sens bien (l'expliquer)
Me sens pas bien (l'expliquer)
Veux continuer
Ne veux plus ou ne peux plus continuer (l'expliquer)

5. Je reprends chacune des choses que je fais en m'évaluant, c'est-à-dire en notant si je trouve que je fais bien, assez bien, ou pas bien ce que je fais, si je pourrais faire mieux, si je crois que je suis apte ou non à le faire, ce qui m'aiderait comme formation à faire mieux ou à me sentir plus à l'aise dans ce que je fais:

Ce que je fais   Comment je m'évalue

6. Qu'est-ce que je suis prête à faire à l'ADDS à partir de l'automne?

7. Qu'est-ce que j'ai eu comme formation jusqu'à date et qu'est-ce que j'aimerais qui soit organisé de nouveau en formation?

Cours du Bill 26
Je désire suivre Livre d'Histoire
Formation pour répondre au téléphone
Session de formation pour les groupes populaires de Québec
Ce que je voudrais d'autre:

III = Les autres militantes à l'ADDS

8. Comment j'évalue globalement le noyau de militantes (exemple: est-il assez
fort, sinon quoi faire pour le renforcer, etc.)?

9. Comment j'évalue le travail fait par les autres militantes? Comment je me
sens avec chacune d'elles?

*Dans la version originale, il y avait le nom de chacu-
ne des militantes suivi d'un espace pour son évaluation.*

De grands tableaux nous permettaient de voir l'ensemble des problèmes et des
solutions proposées dans les questionnaires et le contenu de ces tableaux était reproduit dans un document que chacune avait en main. On s'est donc retrouvé en
fin d'avant-midi avec plusieurs propositions d'amélioration que le comité d'organisation verrait à faire réaliser.

Pour transformer nos rapports sociaux

Puis l'après-midi arriva et on passa à l'évaluation de chacune des militantes. L'ensemble de l'évaluation de chacune avait été rassemblé sur une même feuille. On
y alla simplement, en lisant ce qui avait été écrit. L'équipe de préparation n'avait

pas censuré le contenu des questionnaires. Les choses devaient être dites telles qu'elles étaient vécues. Et cela s'avéra correct. Les évaluations exagérées, les contenus discutables étaient vite repris. Les critiques prenaient un sens constructif mais elles gardaient leur force car il n'était pas question de minimiser les effets désastreux sur le groupe de rapports de domination, de survalorisation d'une tâche ou du rôle d'une militante par rapport à une autre. Non, ce n'était pas facile car tu as beau être ce qu'on appelle "une bonne militante", ce n'est pas inné en toi:

- de dire de façon constructive ce qui chez l'autre te semble inconciliable avec l'essence même de l'organisation;
- de recevoir ce qui t'est dit;
- de faire les ruptures nécessaires pour vivre des rapports sociaux en conformité avec ton désir de transformer la société.

Pour vivre une alternative

Il était important que l'on ait réussi à faire cette évaluation et pour les militantes qui sont encore dans l'organisation aujourd'hui, ce ne fut certes pas une étape négative. Ce désir que nous avons de vivre une solidarité toujours plus grande fait que nous n'avons pas peur de nous remettre en question et aussi que nous avons comme préoccupation de tenir compte qu'une militante, ce n'est pas juste quelqu'un qui vient exécuter des tâches ou se battre par choix politique, mais c'est quelqu'un qui a une identité, une famille, une religion, une idéologie, toute une éducation et toute une vie derrière elle. Respecter où en est rendue chacune dans ses choix et dans ses ruptures par rapport à ce qu'elle veut changer dans sa vie; créer le réseau de solidarité basé sur le respect, la confiance, le dialogue qui permet ces ruptures: voilà un défi que nous avons à relever à tous les jours. Et nous avons à cet effet une pratique à développer: la conscientisation. Une journée d'évaluation comme celle-là, c'est encore trop peu. Il y a un vécu quotidien à améliorer mais aussi d'autres types de rencontres qui nous permettraient d'arriver à être une organisation à l'image de la société différente pour laquelle on lutte. Il nous faut aussi créer un réseau de solidarité qui nous aide à faire nos ruptures, pas juste dans l'organisation mais avec nos enfants, notre conjoint, par rapport à l'école, etc.

CHAPITRE 8

BRASSAGE D'IDÉES:
QUESTION NATIONALE ET SOCIALISME

Gisèle Ampleman et Gérald Doré

Dans le présent chapitre, il sera question d'un outil pédagogique utilisé en deux occasions au cours de l'année 1980. La conjoncture politique nous offrait deux thèmes importants: la question nationale, avec le référendum qui devait se tenir au Québec le 20 mai 1980, et le socialisme, dans le contexte de la fondation d'un mouvement socialiste au Québec.

Présentation de l'outil

L'outil que nous vous présentons est appelé "brassage d'idées" ou "brain-storming". À quoi sert cet instrument pédagogique? Selon Colette Humbert, c'est un outil qui a pour but de susciter la parole interne, irrationnelle, d'un groupe. Pour ceux et celles qui ont la parole "bloquée", l'outil permet de libérer cette parole. C'est la première étape du long processus global de libération. Au départ, cette parole n'est pas articulée: on y va par des cris, les mots jaillissent, puis l'expression devient articulée. Pour les intellectuels, l'outil peut s'utiliser afin de faire jaillir une parole plus émotionnelle; ceux-ci étant plus habitués à faire des discours, à élaborer des théories.

Déroulement du brassage d'idées

Une personne-ressource agit comme animatrice.

Deux autres personnes écrivent au crayon-feutre sur des feuilles mobiles disposées au mur. L'inscription des mots est très importante: on doit les écrire de façon à garder l'ordre dans lequel ils sont dits. Une personne écrit le premier mot, l'autre écrit le second et ainsi de suite, de façon qu'on puisse lire les mots de gauche à droite.

Par exemple, l'animatrice dit le mot "conscientiser":

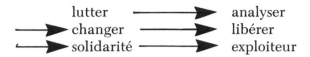

Tout au long, il importe d'aller rapidement. Les participants ne doivent pas écrire.

Même si un ou des mots ont déjà été dits, on peut les redire, si ce ou ces mots viennent à l'idée.

Il faut se fixer un temps maximum: 20 minutes.

Le brassage d'idées permet de démarrer des discussions, d'identifier des points de départ... des convergences... des pôles contradictoires. Il permet de plus de commencer une rencontre à partir des pratiques, des perceptions, des propres expériences des personnes, pour en tirer ensuite des grandes lignes théoriques.

Il ne faut pas voir le brassage d'idées comme un outil scientifique, un truc théorique. C'est un moyen de "flairer" les attitudes, les niveaux de conscience, les univers thématiques. Il n'est donc pas utilisable "à toutes les sauces".

La lecture du brassage d'idées peut se faire à deux niveaux.

Premier niveau de lecture

Voici quelques clefs de lectures pour analyser le contenu d'un brassage d'idées. La lecture se fait en terme de références idéologiques, de processus pédagogique ou de formation politique, et en termes de projets politiques.

1. Inventaire des mots répétés:

> • mots signifiants pour une personne
> • mots signifiants pour le groupe

2. Les types de mots:

> Les types de mots qui dominent nous donnent une idée sur le groupe.
> • verbes: l'hypothèse est que nous sommes en présence d'un groupe
>   de militants dans l'action.

- noms: on se trouve avec des gens moins engagés: les concepts priment sur l'action, mais il y a quand même deux types particuliers de noms:
  - ceux finissant en "té", signe de l'abstraction intellectuelle,
  - ceux finissant en "tion", ayant une connotation plus active.
- adjectifs: mots qui indiquent des "super-prudents", ceux qu'on ne peut situer.
  - ex: les politiciens les utilisent souvent: "démocratie avancée"
    les personnes d'Église: "saine morale" "bons riches"

3. Faire définir au groupe le sens des mots qui sont revenus le plus souvent.

4. Les mots manquants:

Pour une analyse conscientisante, on regarde ce qui aurait pu être là et n'y est pas. Ces "absences" peuvent être très significatives. Alors on peut commencer les débats, la réflexion. Il importe de bien préciser ce qu'il y a derrière ces mots "manquants".

5. Les grandes phases:

La clef consiste à identifier des phases, à voir celles qui l'emportent:
ex.: plus humanitaire
     plus de lutte
     plus théorique
     plus pratique
     plus idéaliste
     plus émotif
     plus cérébral
Le groupe peut ainsi prendre conscience de l'évolution dynamique de son expression.

6. On peut noter les mythes et symboles présents.
   ex.: le vrai mâle, le signe de piastre.

Ils peuvent permettre de repérer des points névralgiques dans l'univers culturel des participants.

7. Trouver les personnalisations - à qui on se réfère en terme de modèles.

8. Classer les mots en peurs, rêves ou valeurs.

9. Trouver les polarisations: c'est un aspect important

Les polarisations peuvent être détectées dans
>   le contenu
>   le processus pédagogique
>   le projet politique ...

La détection des polarisations ou des cristallisations permet le débat autour des pôles contradictoires.

Deuxième niveau de lecture

Les brassages d'idées permettent aussi de saisir le fonctionnement d'un groupe. Le groupe fonctionne-t-il par support ou par contradiction? Il importe de favoriser les oppositions, car c'est ce qui sera créatif.

Comme on pourra le constater dans les deux présentations, seulement quelques clefs de lecture ont été travaillées avec les groupes.

Pour ce qui est de la rencontre sur la question nationale, nous y avons joint un autre outil: la pyramide sociale, à cause des objectifs que nous poursuivions.

Utiliser toutes les clefs de lecture demande plusieurs heures de travail. Que ce soit une rencontre de trois heures, d'une journée ou de huit jours, c'est un bon outil de départ.

À l'heure de la question nationale:
rencontre d'information sur le référendum du 20 mai 1980

À l'occasion du référendum tenu au Québec le 20 mai 1980, le groupe des assistés sociaux et assistées sociales où militait Gisèle a décidé de faire une assemblée publique pour les membres actifs du quartier.

C'est à la suite d'une demande du Parti Québécois à une militante de l'organisation de travailler au "Comité du oui" du quartier que les membres responsables du groupe ont commencé à réfléchir sur la question référendaire.

Les onze personnes de l'organisation se situaient entre le Oui et le Oui-critique. La plupart d'entre nous avaient participé à la soirée d'information organisée par le Centre de Formation Populaire et nous avions tous regardé son diaporama avançant la plate-forme du oui-critique.

Même si cet instrument se distinguait par ses qualités pédagogiques, il ne s'avérait pas très approprié, à notre avis, pour amorcer une discussion avec une population se classant plutôt au niveau de la conscience naïve. C'est pourquoi le comité de préparation a bâti son propre instrument de conscientisation pour amorcer le débat. Ce brassage d'idées a encadré une rencontre où il y a eu une véritable prise de la parole. Des prises de consciences ont été amorcées et il y a eu prise de position.

Dans l'ensemble, certains de nos objectifs ont été atteints. Notre regret, c'est d'avoir commencé la démarche un peu tard et de n'avoir pu réaliser que deux rencontres sur le sujet. Il sera question d'une seule de ces rencontres.

La rencontre se déroulera sur une période de deux heures, dans l'après-midi. Le tout doit être terminé à 3h30, les mères devant être à la maison pour le retour des petits. Il est donc très important de respecter cette exigence. Ceci nous oblige à commencer à l'heure, à élaborer un contenu clair et systématique et à bien maîtriser des outils pédagogiques, afin que le déplacement en vaille la peine.

Les objectifs:

1. Nous donner de l'information sur la question du Référendum à partir de nos intérêts et de notre pratique de lutte: la taxe d'eau.

2. Nous situer par rapport à la conjoncture de mai 1980.

3. En termes de conscientisation, le groupe conscientiseur avance des objectifs spécifiques, en lien avec les différentes positions susceptibles d'être représentées dans l'assemblée.

     a) Pour les tenants du Non: Notre objectif est de les ébranler dans leurs convictions et de les amener à se remettre en question.

     b) Pour les tenants du Oui: Notre objectif est de les rendre critiques face au Parti Québécois. Nous sommes bien conscients de nous tenir sur une corde raide; car en étant trop critique, nous risquerions de renforcer les tenants du Non.

     c) Pour les indécis: Leur donner des informations pour éclairer leurs choix en fonction de leurs intérêts.

    d) Pour les tenants du   leur permettre d'exprimer leur position
       Oui-Critique:

À qui s'adresse cette assemblée?Les membres actifs de l'organisation y seront invités. Plus de trente personnes seront présentes. On y voit des personnes de tous les âges, avec des expériences très différentes; ce qui rendra le débat animé, enrichissant et passionné.

Quel plan suivons-nous?

1. Présentation des animatrices et des membres de l'assemblée.

Prendre 10 à 15 minutes au début d'une réunion pour se dire qui on est... c'est une façon de briser l'isolement, de se dégêner... c'est une première prise de parole... la glace est donc cassée.

2. Présentation des objectifs de la rencontre.
Dire pourquoi l'Organisation a décidé de faire une rencontre sur ce point chaud de l'actualité.

3. Présentation du Thème.
    a) Brassage d'idées à partir du Non
                  à partir du Oui
       Question posée: Quand je dis Non... quand je dis Oui... qu'est-ce qui me vient en tête?
    b) Dans un deuxième temps, aller chercher chez les participants le sens des mots revenant le plus souvent dans le brassage d'idées. En faire définir quelques-uns selon le temps alloué.
    c) Chercher ensemble dans la Société les tenants du Non... et les tenants du Oui...
       Quelles personnes et quels groupes se sont prononcés en faveur du Non... et en faveur du Oui...
    d) Rappel historique de la lutte de la Taxe d'eau.
       Qu'est-ce qu'on a vécu pendant cette lutte?
       Quels moyens ont été utilisés pour nous faire peur?
       Quels liens peut-on faire avec aujourd'hui?
    e) À l'aide de la Pyramide sociale (donner quelques explications sommaires et en remettre une à chaque participant), reproduite sur un grand carton, bien situer les tenants du Non et du Oui.
       Noter au passage les personnes et les groupes ayant appuyé la lutte

sur la taxe d'eau.
f) Rapport-synthèse élaboré par les participants.
g) Position du groupe responsable: plate-forme du oui-critique

Fin de l'assemblée - Café et biscuits.

Une fois que les personnes se sont présentées, l'animatrice situe le sujet et les objectifs de la rencontre. On prend le temps de dire que le Référendum est un évènement important pour nous en tant que citoyens-nes du Québec et qu'il n'est pas toujours facile de voir clair, quand il y a des choix historiques à faire.

La rencontre a pour but de mettre en commun nos informations, comment on se situe face à cette question et essayer de faire un choix qui défende dans l'avenir nos intérêts comme québécois-ses.

Dans un sujet aussi controversé que celui-là, l'animatrice rappelle que c'est dans un esprit de compréhension, de respect des idées des autres que nous voulons vivre cette démarche. Notre point de vue sera différent parce que nos âges et nos expériences de vie, de travail sont divers; d'où la richesse de les partager. Le but n'est pas d'arriver à une position commune. Immédiatement une main se lève et une question se pose: est-ce qu'on va être obligé de dire pour qui on vote? Ici on rappelle que nous ne demanderons pas le vote à main levée. D'autres participants aimeraient que ça se passe ainsi... Quelques membres affichent le macaron du Non, d'autres celui du Oui. D'autres nous avouent l'avoir dans la poche... ou dans leur sacoche... Un monsieur d'un certain âge porte son macaron du Non à son revers de veston et celui du Oui dans sa poche... En partant de la réunion, il fera l'échange en communiquant à l'assemblée qu'à trois reprises, des personnes l'ont visité pour lui dire qu'il perdrait son chèque de Bien-être social, qu'il ne pourrait plus manger d'oranges... ni de steak... (sur le Bien-être, dit-il, on n'en mange déjà pas...) Adieu au chèque de pension de vieillesse. L'animatrice demande à cette personne qui sont ces visiteurs? "Je ne les connais pas, ils n'ont pas voulu s'identifier, sauf en disant que c'était la main de Dieu... et je les ai reconnus, dit-il, c'est la gang à Ryan. Il continue son intervention: est-ce vrai que je vais perdre mon chèque de B.E.S.? est-ce vrai que ce sera la révolution?"

Une fois de plus, nous réalisons que les médias d'information jouent bien leur rôle et que les élites en place ne ménagent rien pour faire peur... intimider... user de tactiques déloyales... dominer... aliéner.

Le débat est déjà bien amorcé. Il s'annonce vigoureux et interpellant.

L'animatrice rappelle les procédures de l'assemblée (main levée quand on veut parler etc.) et puis nous abordons le brassage d'idées.

Quand on dit Non, qu'est-ce qui nous vient en tête?

Négocier	Réfléchir
Franchise	Fédéralisme
Association	Sincérité
Souveraineté	Peur
Fascisme	Peur
Pauvreté	Peur
Chèque	Crainte
Insécurité	Dépendance
Bien-vivre	Pas de séparation
Contrôler	Négociation
Réflexion	Conséquence
Pas de séparation	Pas de misère
Demain	Racisme
Maître chez-nous	Argent
Séparation	Pension
Peur	Arrêt
Bien-être	Négativisme
Recul	Bonne condition
Bien-être	(Les personnes ne parlaient pas
Peur	assez fort ou trop vite, la secré-
Garder argent	taire ne peut pas écrire les mots)
Déménagement	Canada
Pays	Usine
Impôt	Plus fort
Province	Guerre
Pays	Pays
Bourgeois	Assimilation
Fédération	Confédération
Peur	URSS - Schisme
Honnêteté	
Fascisme	Italie
Français	Québécois
Discuter	Anglais
Tromper	
St-Jean-Baptiste	Socialisme
Raciste	

Quand on dit Oui, qu'est-ce qui nous vient en tête?

Autonomie	Indépendance
Communisme	Bâtir
Séparation	Pays
Développer	Prospérité
Négociation	Négociation
Épanouissement	Travail
Province	Ottawa
Garder	Richessse
Pays	Pouvoir
Liberté	Impôt
Séparation	Guerre
Valeur-monétaire	Pas de guerre
Travail	Franchise
Maître chez-nous	Autodétermination
Chômage	Québec
Bien-être	Bien-vivre
Solidarité	Insécurité
Travailleurs	Richesse
Chômeurs	
Soumission	Statu quo
Personnes	Âgées
Lutter	
Pension vieillesse	Autonomie
Augmentation	
Jeunesse	Avancer
Victoire	Gagner
Drapeau	Lutter
Améliorer	
Lazure	Chez-nous
Construire	Contestation
Bâtir	Négocier
Collectivité	Logement (baisse)
Diminution Logement	Se comprendre
Loyer	Unité
Impôt	
Maître	Possession
Avoir	Autorité
Pas payer l'eau	Prendre
Assimilation	Gouverner

Pouvoir   Démocratie
Droit   Liberté
Respect   Personne
Peupler   Foyer nation
Pays   Espoir
Victoire

Ensemble, nous faisons le décompte des mots en repérant ceux qui reviennent le plus souvent.

Pour les Non, un total de 68 mots   Pour les Oui, un total de 84 mots

Peur	6 fois	Pays	3 fois
Pays	3 fois	Négociation	3 fois
Pas de séparation	2 fois	Maître chez-nous	3 fois
Négocier	2 fois	Lutter	3 fois
Bien-être	2 fois	Bâtir	3 fois
Argent	2 fois	Travail	2 fois
Réfléchir	2 fois	Autonomie	2 fois
		Diminution de logement	2 fois
		Impôt	2 fois
		Pas de guerre	2 fois

Le brassage d'idées est un outil qui s'avère particulièrement adéquat, quand il y a de l'opposition.

Définition des mots

Une fois ce répérage fait, nous passons à l'étape de définition des mots. Comme le temps est limité, nous choisissons de débattre quatre mots: deux provenant des Non et deux provenant des Oui.

Peur   (6 fois) ⇨ pour les tenants du Non
Pays   (3 fois)

Pays   (3 fois) ⇨ pour les tenants du Oui
Lutte (3 fois)

Peur

Qu'est-ce qu'on avait dans la tête quand on a prononcé le mot peur?

On a peur de perdre son chèque de Bien-être. Peut-on perdre son argent en banque? On nous a dit à la T.V. qu'on n'aura plus de chèque de pension de vieillesse. Même les allocations familiales seront coupées. C'est l'occasion d'exprimer ses craintes et de parler plus longuement sur les visites reçues à domicile.

L'animatrice fait un rappel historique sur la lutte de la taxe d'eau. De quoi avons-nous eu peur au début de la lutte de la taxe d'eau? Les militantes les plus chevronnées de répondre: peur d'être saisie... peur d'avoir son chèque coupé... peur de l'agent... peur des sommations... peur des avis de poursuites... Et qu'est-il arrivé? Il n'y a eu aucune saisie... mais l'un de dire: "Drapeau a coupé l'eau c'était pire"... Une autre militante combative de répliquer: "ce fut une grande victoire... car nous avons nous-mêmes "replogué" l'eau"... et Drapeau n'a rien fait... Ce n'était que pour faire peur... mais nous étions organisés et nous avons gagné.

Alors pourquoi avons-nous peur aujourd'hui? N'est-ce pas les mêmes menaces... les mêmes intimidations... Ces peurs, ça fait l'affaire de qui?

Pays

Qu'est-ce qu'on avait dans la tête quand on a prononcé le mot pays?

Pour plusieurs le mot pays veut dire "le Québec" et pour d'autres "le Canada". Dire le mot pays, c'est signifier l'endroit où l'on se sent chez-nous... où l'on profitera de nos richesses naturelles. Ça veut dire payer moins d'impôt. Pour d'autres dire "le Canada", c'est être plus forts. Pour d'autres, quand le pays deviendra le Québec, ce sera le communisme... et il n'y aura plus de liberté.

Bref rappel de la lutte: il est facile de donner des étiquettes. Plusieurs parmi nous ont déjà ce "surnom". Les retours dans les familles paternelles et maternelles sont là pour nous le rappeler. Défendre ses droits, se battre pour la justice, vouloir améliorer ses conditions de vie, est-ce seulement l'affaire des communistes?

Lutte

Qu'est-ce qu'on avait dans la tête quand on a dit le mot lutte?

"C'est se mettre ensemble pour obtenir des meilleures conditions de vie... C'est

défendre nos droits... être plus forts... c'est marcher dans la rue, s'occuper de
nos affaires. Avoir les mêmes intérêts, travailler dans un même but. Si on veut
notre pays... il va falloir se battre."

Revenons à notre expérience de lutte. Quels sont les acquis de cette lutte d'après
vous? "On a eu une victoire: **la taxe d'eau on ne la paye pas depuis 1974.**" En
choeur, les gens répètent le slogan bien connu: "La taxe d'eau on la paye pas".
On vit de la solidarité entre nous et avec d'autres travailleurs-es. On a compris
qu'on était des anciens travailleurs-es et que le Bien-être social, c'est un droit.
Comme le temps file et qu'il faut respecter l'heure de la fin de la réunion, nous
abordons le dernier mot.

Pays

Pour les tenants du Oui, qu'est-ce que vous aviez en tête en pensant le mot pays?

Le pays, c'est le Québec, c'est aussi être libre. C'est bien vivre et non végéter...
C'est faire quelques chose ensemble... c'est faire changer des choses. **C'est parler
en français... parler en français c'est parler... et c'est travailler,** c'est empêcher
l'assimilation. C'est être Québécois, **être une nation, un peuple.**

Certes, il serait très intéressant de reprendre le contenu sous chacun des mots.
Le débat se poursuit bien... personne n'est indifférent aux propos des uns et des
autres. La discussion se fait entre les participants et non entre l'animatrice et
l'assemblée. Une erreur de notre part: nous aurions dû enregistrer ces propos,
étant donné la qualité des interventions.

Nous passons à l'étape suivante.

Qui s'est identifié au Non? Connaissons-nous des personnes et des groupes? Et
qu'est-ce qu'ils font dans la vie?

"L'âge d'or" de St-François d'Assise
Prosper Boulanger   (député fédéral)
Céline Payette   (députée fédérale)
Desmarais   Power Corporation
Ryan   Chef du Parti Libéral - Québec
Davis   1er Ministre de l'Ontario
Joe Clark   Chef du Parti Conservateur Ottawa
P.E. Trudeau   Premier Ministre du Canada

A. Portelance — Député fédéral
Michelle Tisseyre — Animatrice à la télévision
Conseil du Patronat — Défend les patrons
Thérèse Casgrain — Sénateur (Un participant ajoute: "C'est une une assistée sociale de luxe" et tout le monde rit...)

Manufacturiers
A. Rayneault — Député d'Outremont

Qui s'est identifié au Oui

René Lévesque — Premier Ministre du Québec
Marcel Léger — Député du quartier
Artistes T.V.: Pauline Julien, Jean Duceppe, Dodo, F. Leclerc, Yvon Deschamps Lazure, Parizeau, Lise Payette
La C.S.N.
La F.T.Q.
Syndicats anglais de Toronto
Travailleurs de l'Alcan - LG2
Groupes autonomes de femmes
Pompiers de Montréal
Centre de Formation Populaire
Le ministre Couture
Le Député Charron
Les Grévistes du Canal 10

Plaçons maintenant ces personnes et ces groupes dans la pyramide sociale que plusieurs parmi vous connaissent; car nous l'avons déjà utilisée dans la session de la loi d'aide sociale et d'autres assemblées de quartier. Voir explications générales de cette pyramide à la page 61.

Comme nous voulons que cette démarche soit proche des membres de l'organisation et de leurs expériences, nous revenons toujours à la lutte. Maintenant que nous avons placé les personnes et les groupes dans la pyramide sociale, il serait important de noter ceux qui ont donné leur appui à l'occasion de cette lutte.

Le député Charron
Le Ministre Couture
La C.S.N.
Les groupes populaires

On note qu'ils étaient plus forts sur les déclarations quand ils étaient dans l'Opposition qu'une fois au Pouvoir. (on remarque que peu de groupes se sont prononcés)

Les tenants du Oui   Les tenants du Non

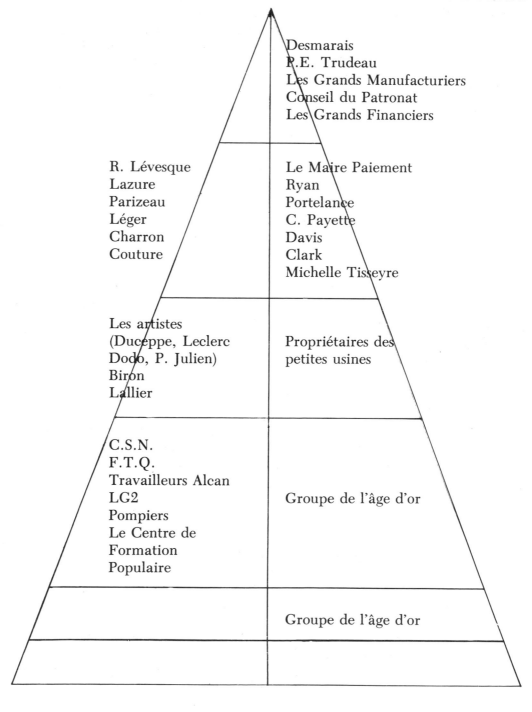

Desmarais
P.E. Trudeau
Les Grands Manufacturiers
Conseil du Patronat
Les Grands Financiers

R. Lévesque   Le Maire Paiement
Lazure   Ryan
Parizeau   Portelance
Léger   C. Payette
Charron   Davis
Couture   Clark
                     Michelle Tisseyre

Les artistes
(Duceppe, Leclerc
Dodo, P. Julien)   Propriétaires des
Biron   petites usines
Lallier

C.S.N.
F.T.Q.
Travailleurs Alcan
LG2
Pompiers   Groupe de l'âge d'or
Le Centre de
Formation
Populaire

                     Groupe de l'âge d'or

C'est déjà le temps de conclure. Ce ramassage-synthèse sera fait pas le groupe lui-même et non par l'animatrice. Elle peut y mettre son grain de sel comme un participant-e, mais nous considérons que ce n'est pas à elle de faire les liens. Ça revient aux membres de l'assemblée. C'est lorsqu'on prend conscience de la réalité, que le voile se déchire, dit Freire.

Qu'est-il résulté de ce genre d'échanges?

"On remarque que ceux qui sont en haut de l'échelle sociale sont les tenants du Non et les tenants du Oui sont plutôt vers le bas." et "les appuis qu'on a eus pendant le plus fort de la taxe d'eau viennent de ceux d'en bas... Aucun appui n'est venu du côté des tenants du Non en haut de la pyramide..."

"Les tenants du Non ont l'avoir:$... mais n'ont pas beaucoup d'arguments, sauf celui de faire peur au monde... le monde c'est nous autres..."

"Quand tu es en haut de l'échelle et que tu as de l'argent, tu peux te faire entendre, tu peux utiliser les médias, les tribunes pour faire valoir ton opinion comme **personne et comme organisation**...; mais quand on est en bas de l'échelle, on ne peut se faire entendre que **par nos organisations**." Oui, il n'y a pas de Jos. Bleau et d'Yvette Latrimouille qui peuvent se faire entendre comme individus, **pour parler, dire son opinion** devant l'opinion publique, et la faire connaître dans les médias, **il faut faire partie d'une organisation de travailleurs, d'assistés sociaux ou de personnes âgées**, etc.

Une autre de conclure: Voter Non, c'est pour trois raisons:
- Garder son argent
- Défendre ses intérêts de bourgeois
- À cause de la peur

Voter Oui, c'est pour plusieurs raisons:
- Parce qu'on est fier
- Parce qu'on a de la confiance en soi
- On veut être maître chez-nous
- On veut bâtir un pays

Dernier point à l'ordre du jour, mais non le moindre: position du noyau de militants. On ne reproduira pas le texte intégral de sa position. On résumera en disant que tous se déclarent en faveur du Oui... mais ce n'est pas un oui inconditionnel au Parti Québécois; car nous sommes critiques face à ses politiques sociales. Mais comme vous l'avez remarqué, nous constatons que les tenants du Non sont encore bien plus loin de nos besoins et de nos intérêts, et nous tenons à dénoncer leurs pratiques d'intimidation.

Il est 3h30, on se quitte là-dessus. Ceux et celles qui peuvent prendre un thé et café avec nous sont les bienvenus. Pendant près d'une demi-heure la conversation se prolonge et pendant ce temps, l'animatrice glane quelques commentaires:

- Merci, c'était très intéressant...
- Je ne pensais pas qu'on nous faisait peur tant que ça...
- Je vais voter du bon bord...
- J'ai encore peur... êtes-vous sûre... que cela n'arrivera pas...
- Je suis encore indécise... je pense que ça va me prendre plus qu'une rencontre pour ne plus avoir peur...
- Je vais changer mon macaron... du Non au Oui.

Militantes populaires et socialisme:
Compte-rendu d'un brassage d'idées tenu à Québec,
le 23 mars 1980.

Pourquoi nous étions réunis

Cette rencontre a été convoquée parce que:

premièrement, des assistées sociales ont vécu dans leur organisation un cheminement de conscientisation. Elles en sont rendues à se poser la question d'une société différente où leur condition de travailleuses surexploitées serait abolie;

deuxièmement, dans le "Comité des 100 pour la construction d'un Québec socialiste, indépendant et démocratique", des militants petits bourgeois alliés de la classe ouvrière partagent la préoccupation de travailler à la construction d'un mouvement socialiste qui s'enracine dans une base réellement populaire. Après être intervenus pour améliorer la représentation populaire dans le "Comité des 100", ils veulent maintenant se lier aux militants populaires dans leurs lieux même de militance, pour échanger avec eux sur un projet socialiste pour le Québec. Ces contacts leur apparaissent indispensables pour que dans son manifeste et son plan d'organisation, le mouvement en préparation adopte un langage, prenne une allure et un fonctionnement dans lesquels les militants ouvriers, employés, assistés sociaux, travailleurs retraités ou en chômage se retrouvent au moins autant que les militants petits bourgeois.

Notre objectif de la journée: commencer un échange entre militantes populaires sur la question du socialisme.

Qui était là et qui a fait quoi

Neuf militantes populaires ont participé à la rencontre. Quatre étaient de Montréal et cinq de Québec. Huit étaient des assistées sociales et une était une femme au foyer, conjointe d'un ouvrier. Les participantes avaient entre trois mois et six ans d'expérience militante.

Trois personnes-ressources, un militant du "Comité des 100", Gérald, et une étudiante-stagiaire étaient aussi présents. Ils n'ont pas participé à l'échange, puisqu'il s'agissait d'aller chercher le point de vue autonome de militantes populaires, de façon à pouvoir le comparer à celui de militants petits-bourgeois et intellectuels.

Présentation de la rencontre et de la méthode

Une personne-ressource de Québec rappelle les circonstances qui ont conduit à la rencontre d'aujourd'hui.

Le militant du "Comité des 100" fournit quelques informations sur l'origine du "Comité des 100", sa composition, sa démarche actuelle et le rapport entre cette démarche et la rencontre du jour.

Gisèle qui anime propose quelques considérations sur le sens de la rencontre:
- des gens veulent changer le système;
- on est dans un système qui ne marche pas;
- de 60,000 assistés sociaux en 1960..., on est passé à 210,000 en 1972 et nous sommes maintenant 400,000;
- il y a ici des gens à différentes étapes de leur cheminement;
- que vous puissiez vous-mêmes vous faire une idée quand le manifeste va sortir.

Elle explique ensuite la méthode:
- se laisser aller;
- ne pas écrire;
- répéter le mot, si on a envie de le dire, même s'il a été dit;
- dire tout ce qui passe par la tête, même si ça a déjà été dit;

- ce qui est important: l'analyse;
- on ne pourra pas dire qui a dit quoi.

Un exercice est effectué à partir du mot "sexe". Lire en va-et-vient, de gauche à droite:

1- queues	2- liberté
3- épanouissement	4- femme
5- devoir	6- développement
7- tabou	8- besoin
9- péché	10- discrimination
11- véniel	12- mortel
13- souvent	14- enfant
15- abstinence	16- abondance

Liste des mots

En 20 minutes: 245 mots associés au mot socialisme.

1- liberté	2- privation
3- égalité	4- obligation
5- justice	6- partage
7- développement	8- partage
9- dépendant	10- État
11- prise en main	12- débat
13- démocratie	14- indépendance
15- conscientisation	16- liberté
17- production	18- études
19- pouvoir	20- clairvoyance
21- avenir	22- dictature
23- naissance	24- dépollution
25- libération	26- rire
27- révolution	28- vivre
29- injustice	30- prévention
31- sang	32- piédestal
33- terre	34- solidarité
35- air	36- sueur
37- simplicité	38- amour
39- bourgeoisie	40- volonté
41- tactique	42- stratégie

43- pitié
45- gauche
47- écoute
49- droite
51- drapeau
53- victoire
55- enfin
57- chants
59- roi
61- eu
63- possession
65- division
67- prolétariat
69- déception
71- défaite
73- politique
75- prisonnier
77- courage
79- captif
81- guerre
83- enfant
85- santé
87- justice
89- militante
91- lutte
93- fusil
95- loi
97- liberté
99- argent
101- démobilisation
103- bonne volonté
105- optimisme
107- mass-média
109- début
111- long
113- commencement
115- réveil
117- travailleur
119- chômage
121- bonne voie
123- droit de parole

44- paix
46- armes
48- chrétien
50- éducation
52- écusson
54- succès
56- lutte
58- valets
60- avoir
62- gagner
64- prendre
66- dictature
68- promesse
70- démocratie
72- perdu
74- perte
76- torture
78- exilé
80- arme
82- prison
84- souffrance
86- perdu
88- victoire
90- engagement
92- répression
94- préjugé
96- récupération
98- respect
100- économie
102- mobilisation
104- courage
106- développement
108- séparation
110- combat
112- fin
114- nouveau
116- habitude
118- difficile
120- exploité
122- demander
124- fierté

125- possession
127- posséder
129- enrichir
131- soleil
133- coeur
135- propre
137- isolement
139- rupture
141- famille
143- appui
145- rythme
147- lassitude
149- éducation
151- influence
153- manifestation
155- révolte
157- départ
159- québécois
161- international
163- pauvre
165- finance

126- chercher
128- espoir
130- s'appauvrir
132- nuages
134- bras
136- solitude
138- compréhension
140- vengeance
142- allié
144- commando
146- solidarité
148- changement
150- professionnel
152- manuel
154- désintéressé
156- intérêt
158- adieu
160- vouloir
162- riche
164- État

(ici l'animatrice relance le mot "socialisme")

166- pouvoir
167- indépendance
169- communiste
171- Chine
173- social
175- ADDS
177- pouvoir
179- bravo
181- société
183- déception
185- rupture
187- appartenance
189- religion
191- religion
193- incertitude
195- découragement
197- enfant
199- pauvreté
201- boss

168- mêler
170- action
172- égalité
174- travail
176- égalité
178- vacances
180- droit
182- gouvernement
184- loi
186- amertume (?)
188- Dieu
190- dépendance
192- peur
194- écrasement
196- relève
198- bien de tous
200- égalité
202- écoeurant

203- mort
205- maladie
207- chef
209- refus
211- argent
213- leader
215- base
217- bataille
219- recommencement
221- science fiction
223- voleur
225- dépression
227- oppression
229- collectif
231- ensemble
233- donner
235- prendre
237- approprier
239- utopie
241- utopie
243- analyse
245- système

204- vie
206- écrasé
208- acceptation
210- pouvoir
212- serviteur
214- simple
216- armée
218- vie
220- défense
222- propriétaire
224- exploité
226- individuel
228- nerveuse
230- enrichir
232- voler
234- recevoir
236- espérer
238- expérience
240- ouvrier
242- réveiller
244- résurrection

Premières impressions et mots qui ont frappé

À la fin de l'étape d'énumération des mots, l'animatrice demande aux participants leurs impressions:

- étonnant: tous les mots sortis
- importance de la relance
- comment...
- autant d'aspects positifs que négatifs
- mots positifs qui ressortent plusieurs fois
- à la relance les mots sont ressortis
- on a l'impression d'être questionnée
- une vérification
- essoufflant: difficile de réfléchir quand ça parle tout le temps
- une pensée, une intuition: difficile de trouver le mot qui convient
- un vrai dictionnaire.

L'animatrice demande aussi aux participantes d'identifier les mots qui les ont frappées:

> - utopie: il me semble qu'on la verra pas arriver cette chose-là. Je ne voudrais pas que ce soit une utopie
> - boss: ça ne va pas avec socialisme
> - armes: ça fait pas mon affaire
> - clairvoyance: ça fait drôle
> - dans l'ensemble autant de craintes que...

Commentaires sur les mots qui reviennent le plus souvent

Les participantes sont invitées à identifier sur les feuilles mobiles affichées au mur les mots qui reviennent le plus souvent. La liste suivante est dressée:

Mot	Nombre de fois
liberté	4
égalité	4
pouvoir	4
armes	3
solidarité	3
religion	3
démocratie	2
indépendance	2
dictature	2
justice	2
partage	2
État	2
lutte	2
éducation	2
utopie	2
rupture	2
développement	2

Les neuf premiers mots sont commentés, en réponse à la question suivante de l'animatrice: à quoi pensaient ceux qui ont dit le mot?

Liberté

- L'État. Brimée. Si tu vis dans un pays socialiste, tu as droit à la liberté. Tu es libérée du joug des chaînes de l'État.

Égalité

- Égalité des chances, par exemple sur le plan travail: égal pour les hommes et les femmes. Égalité de la parole: le droit de s'exprimer. Réunions pendant le travail ou après. Tout le monde a le droit de parole.
- Dans la possession des biens: pas de riches, pas de pauvres.
- Toutes les classes, toutes les races: personne sur le piédestal. Pas une plus fine qu'une autre.

Pouvoir

- Avoir le pouvoir. Finie la dictature. Ne plus être menées par d'autres. Prise en main.
- S'exprimer librement. Tu prends tes affaires en main.
- Tu mets un parti sur pied. Tu n'es pas gérée par les gros et les capitalistes.
- Que ça ne finisse pas comme le pouvoir qui est là. Cogner sur la tête à d'autres parce qu'on s'est fait cogner sur la tête, ce n'est pas mieux. Pas brandir le mot "socialisme" pour devenir d'autres capitalistes. Un gros danger à côté du mot "pouvoir".
- C'est eux autres qui décident, pas nous.
- Ne pas devenir des têtes enflées.

Armes

- Le socialisme peut virer à la guerre. J'aime pas ça, la guerre
- Pour avoir un pays socialiste, s'il faut prendre les armes, je suis prête.
- Je...
- On ne peut arriver au socialisme sans passer par les armes.
- Je vais m'engager pour la Croix Rouge.
- Si on prend les armes et si on les tue, on n'est pas mieux qu'eux-autres. Si on bâtit avec les armes, on va faire un monde d'armes.
- Il ne faut plus qu'il y ait des armes dans le socialisme.
- En Chine, ils ont été acculés au pied du mur.
- Poussés au pied du mur...

- Il ne faut pas faire les erreurs des autres pays. Essayer de faire un socialisme sans qu'il y ait de sang.
- Il ne faut pas rêver en couleurs. Ce n'est pas l'État actuel qui nous laissera aller au socialisme. Si on a besoin d'un service obligatoire, on va le mettre. On va pas aller se traîner à genoux pour avoir le pouvoir: on l'aura pas.
- Ce mouvement ne pourrait pas arriver sans qu'il y ait de sang?
- Animatrice: on a vécu un climat émotif, quand on a sorti le mot "armes".
- Si on parle trop d'armes, on va perdre beaucoup de monde. Ça fait peur.

(relance par l'animatrice)

Solidarité

- Se tenir.
- Transmettre un message du socialisme pour amener à notre point de vue ceux qui sont hésitants.
- Grand mot. À atteindre pour réaliser notre objectif, S'oppose à préjugé, idéologie dominante.
- Appuie fortement ce qui vient d'être dit.
- Si t'as pas réellement la croyance... J'en vois qui ont l'air convaincues. J'ai perdu la confiance.
- La chose dont on a le plus besoin pour faire quelque chose.
- Les gens sont tellement individualistes... Tant qu'on n'arrivera pas à être collectifs... On est tous comme ça.

Religion

- Avec toute l'éducation reçue par les travailleurs de mon âge, c'est impossible de penser "socialisme" sans penser "mauvais communistes". La religion est un blocage. Tu ne tueras pas. Aimer ton prochain.
- Tout ce qui finit par "isme", on en a peur.
- Liberté de la religion avec le socialisme.
- J'aimerais ça me faire expliquer ce que ça veut dire "socialisme"
- Pour une fois, j'aimerais que la religion ne soit pas politisée.
- Tout est politique. Qu'on vienne pas nous faire accroire que la religion n'est pas politique. L'Église catholique est riche.
- La religion ne dit pas pour qui voter.

Démocratie

- Une grosse question. C'est quoi la démocratie? Des anti-démocraties, des ultra-démocraties, c'est quoi le juste milieu?
- Les pays socialistes l'appliquent-ils?
- C'est quoi? Je ne sais pas ce que ça veut dire.
- Prendre une décision, la consultation la meilleure pour l'ensemble. Je ne sais pas si les pays socialistes la pratiquent.

Indépendance

- Moi, je suis indépendante. Je ne suis pas un parti. Essayer de faire mes affaires moi-même, sans demander aux autres.
- Grand mot. Indépendance du pays: ça me fait peur se séparer. On serait pas capable d'être tout seul. Être avec les autres. Les autres: les autres provinces.
- Si on devient socialiste, démocratique, on va être obligé d'être indépendant. Eux autres, ils ne nous suivront pas. Ils sont capitalistes. Il faut leur donner l'exemple.
- Indépendance économique
- Qu'on exploite nos richesses nous-mêmes, qu'on en fasse bénéficier le peuple du Québec avant les autres. Ça représenterait quoi? J'arrive pas à me situer.

Dictature

- Dictateurs: hommes comme Hitler qui contrôlait des choses. Deux groupes défendaient le gouvernement, se tuaient entre eux. Surveillance, être suivie. Je n'aimerais pas subir ça. Vivre un socialisme et ne pas être certain dans son propre pays...
- Chili, Nicaragua.
- On l'a ici. Le gouvernement avec ses lois nous brime dans tout. Pas d'armée comme ailleurs, mais on vit sous une certaine dictature.
- Le système dans lequel on vit fait que chacun est un petit dictateur pour un autre. Il divise travailleurs et assistés sociaux, etc.

Mots importants qui n'étaient pas sortis

À ce moment, l'animatrice demande aux participantes: Y a-t-il des mots qu'il serait important de dire et qui ne seraient pas sortis?

- Adaptation: dur de s'adapter à quelques chose de différent. Tu es habituée à ton mode de vie.

- Organisation, parti: ça prend une organisation pour bâtir un parti.
- Masse: tu as besoin de la masse. Ce n'est pas les têtes dirigeantes...
- Force: on ne connaît pas notre force.
- Amitié: si tu n'es pas amie, comment être solidaire?
- Tannée: je suis tannée, tannée que les autres décident à ma place.
- Maturité: ça manque de maturité au Québec: des enfants. Tu vas n'importe où: les groupes, ton milieu familial, l'assemblée nationale...

Valeurs, peurs, rêves

À cette étape-ci, l'animatrice repasse la liste des mots. Les participantes l'arrêtent sur un mot, s'il représente une valeur, une peur ou un rêve. Une valeur est définie comme ce qu'on a à l'intérieur, ce qu'on ne veut pas perdre, ce qu'on gardera toute notre vie.

Valeur	Peur	Rêve
liberté	privation	prise en main
égalité	pouvoir	démocratie
justice	dictature	conscientisation
partage	révolution	avenir
développement	sang	vivre
démocratie	sueur	piédestal (on ne veut
indépendance	pitié (on a peur	plus personne sur un...)
études	de faire...)	solidarité
clairvoyance	armes	paix
naissance	lutte	gauche
dépollution	division	victoire
libération	prolétariat	enfin (que ça arrive!)
rire	déception	valets
prévention	défaite	prolétariat
terre	perdu	promesse
solidarité	politique	santé
simplicité	prisonnier	justice
amour	torture	argent
volonté	exilé	début
paix	captif	soleil
écoute	guerre	vacances
chrétien	souffrance	société

éducation
drapeau (avoir un
    ... à nous)
succès
chants
avoir
courage
santé
engagement
respect
argent
économie
mobilisation
bonne volonté
optimisme
droit de parole
fierté
espoir
social
travail
ADDS
Dieu
religion
simple
vie
collectif

répression
fusil
préjugés
loi
récupération
liberté (peur de
    perdre sa...)
respect (peur de
    perdre le...)
argent
mass-média
séparation
combat
long
exploité
solitude
isolement
rupture
révolte
communiste
action
dépendance
écrasement
découragement
boss
maladie
écrasé
armée
bataille
dépression
système

appartenance
enfant
bien de tous
utopie
réveiller
résurrection

Mots qui s'opposent

L'animatrice repasse la liste des mots pour repérer avec les participantes les mots qui s'opposent deux à deux:

démobilisation ◄────► mobilisation
enrichir ◄────► s'appauvrir
soleil ◄────► nuages

Elle souligne qu'il aurait pu être intéressant de séparer les verbes (action) des adjectifs (nuances), de voir les cas où il y avait deux noms ou deux mots.

Évaluation de l'outil

L'animatrice pose la question: Qu'est-ce que vous avez vécu avec cette méthode?

- Je ne pensais pas qu'avec deux mots, je pouvais avoir tant de vocabulaire.
- Bon outil pédagogique. Trop vite. J'aurais aimé creuser. Si on n'avait pas eu ça, je ne sais pas si on se serait autant exprimée sur le socialisme. Je reste sur mon appétit.

L'animatrice rappelle ici les objectifs: percevoir où on en est, comment on peut arriver à réfléchir là-dessus, identifier valeurs, peurs et rêves. Après, nous verrons comment continuer.

- Si plus de temps, avec ça on pourrait aller plus loin.
- J'aurais aimé que vous nous disiez comment on va vivre dans ça.
- Impressionnée par le nombre de mots. Tous mes mots sont sortis.
- Le "fun". Je n'ai pas de formation. J'ai assez creusé pour aujourd'hui. J'aime ça. Ça clique tout de suite. Vous autres, vous savez où vous vous en allez avec vos écritures. Pas compliqué. Pas assez avancée pour creuser plus.
- Continuer pour dire ce qu'on voudrait nous...
- Question pour suite: comment on vivrait? Qu'est-ce qu'on voudrait que ça soit?
- J'ai bien aimé...

Évaluation générale

Chaque participante doit essayer de répondre aux trois questions suivantes:

(1) Qu'est-ce que la journée m'a apporté?
(2) Comment j'ai le goût de continuer?
(3) Questions que je me pose.

- Travail collectif. Important qu'on l'ait fait avec Québec. Pour augmenter nos connaissances. On dit toujours: le socialisme a été fait avec des intellectuels. C'est démocratique de votre part de transmettre ces connaissances. À transmettre dans nos groupes. Quand il y aura indépendance, je saurai quoi faire.
- Si j'ai le goût de continuer? Ça dépendra. Si ça continue, combien de temps? Ça va-tu aboutir à quelque chose?
- J'ai aimé la journée, rencontrer des femmes de Québec. Je n'aurais pas pensé pouvoir sortir de quoi. Oui, j'aurais le goût de continuer. Question: définir le socialisme.
- J'ai aimé venir à Québec: monde fin comme nous. Je me suis sentie à l'aise. Je vais continuer. Poursuivre une question: c'est quoi la démocratie?
- Méthode pédagogique: le "brainstorming". J'ai hâte de lire le "mémoire" qui va sortir. Question sur le mot socialisme, ses différentes formes.
- J'ai aimé ça. J'ai assez creusé pour aujourd'hui. J'aimerais creuser les questions démocratie et socialisme.
- J'ai aimé l'outil. Il concrétise que la classe ouvrière n'est pas prête à vivre le socialisme à cause des peurs. C'est important que des groupes comme nous autres fassent ce qu'on a fait aujourd'hui. Comment on va arriver à faire la conscientisation? Pouvons-nous nous référer aux expériences des pays qui sont socialistes aujourd'hui? Qu'est-ce qu'on entend par démocratie? L'indépendance, ça voudra dire quoi au Québec?
- Outil, méthode extraordinaire. Tout le monde a parlé. La peur qu'on a, c'est ce qui a sorti le plus. M'a éclairci les idées. Continuer avec d'autres rencontres. Voir les expériences des autres pays. Question: la démocratisation. Quand aurons-nous notre parti? C'est un rêve. Il faut que ça devienne réalité.
- Intéressant, même si j'ai eu de la difficulté à sortir les mots. Prête à continuer. Question: le socialisme.
- J'ai bien aimé ma journée. Beaucoup de pain sur la planche. Continuer.
- Je me suis bien enrichie. Pour la première fois, on s'est lancée sur l'avenir politique de notre Québec. On s'est sentie à l'aise pour parler, exprimer nos opinions.

En réponse à une question, l'animatrice explique pourquoi les personnes-ressources n'ont pas parlé pendant le brassage d'idées. On voulait vraiment avoir le pouls de la classe ouvrière.

- Se pose des questions sur le socialisme (une personne-ressource). Vous les avez posées. Quand il a été question des armes, j'ai senti que ça brassait.
- Continuer pratiquement. Deuxième étape: qu'est-ce qu'on veut vivre? Vider ce qu'on a dans la tête. Après, aller voir les expériences d'ailleurs.
- Animatrice: Après-midi très riche. Derrière les mots, tout un contenu. Il aurait fallu aller voir derrière les mots le contenu. Enrichissant parce qu'à partir de

votre expérience, il y a des choses qu'on ne veut plus vivre. Qu'est-ce qu'on a le goût de vivre? Le sujet d'aujourd'hui est un sujet audacieux. Dans notre regroupement, on a déjà étudié les mots en "isme". On s'est trouvées isolées.

Qu'est-ce qu'on va faire après? (perspectives)

Rédaction du compte-rendu par le militant du "Comité des 100". À présenter aux deux comités d'organisation. S'il y a lieu, former un comité pour le re-travailler.

- Outil possible: Favreau, Louis, Le projet socialiste: le socialisme dans l'histoire du mouvement ouvrier international. Centre de formation populaire, 60 pp.
- Nouvelle rencontre en septembre.
- D'ici là, la session "livre d'histoire" sur le capitalisme aura eu lieu, à Québec.

Quelques éléments d'interprétation

À la fin de la rencontre, au moment de l'évaluation, une participante soulignait à quel point ce brassage d'idées "concrétise que la classe ouvrière n'est pas prête à vivre le socialisme à cause des peurs". Et il faut bien se rendre compte que ce ne sont pas les masses populaires en général qui se sont exprimées ici; mais bien des femmes de la classe ouvrière impliquées dans des luttes sur les conditions de vie et appartenant à des groupements où il se fait de la formation militante. Si on relit les mots commentés par les participantes, il faut bien constater que sous les mots armes, religion, indépendance, dictature, ce sont les peurs qui se mettent à bouger, à l'exception de quelques interventions nettement différentes qui proviennent - il faut le souligner - de deux militantes plus expérimentées et plus politisées, deux militantes qui ont fait chacune un stage d'étude en pays socialiste. Les commentaires sur le mot "armes" ont fait vivre au groupe un climat émotif particulièrement chargé. Et si on considère le classement des mots en valeur, peur ou rêve, ce sont 50 mots sur 125 (soit 40% des mots classés) qui apparaissent dans la colonne "peur".

Ce résultat donne du poids à la réflexion que l'équipe du Conseil central de Québec (CSN) livrait à ses membres en 1979:

> *"... il ne faudrait pas avoir la candeur de s'imaginer que dans la tête d'une majorité de travailleurs et de travailleuses le socialisme signifie un progrès. Plus souvent qu'autrement cela veut dire pour eux la perte de libertés individuelles, le totalitarisme, les chefs politiques à vie, la bureaucratisation, le super-pouvoir d'un parti unique, les frontières*

> *fermées, les gens qui fuient le régime, etc. Dans notre contexte, le socialisme n'est pas une aspiration spontanée. Et ce n'est pas simplement en répétant le mot, que le monde va se faire à l'idée.*
>
> *... ces difficultés ne doivent pas cependant vous faire renoncer à mettre de l'avant un projet de société articulée sur la base de cette idée dont l'inspiration première relève d'une vision remarquable de la dignité des travailleurs et travailleuses et de leur rôle de premier ordre dans la société. C'est plutôt la manière qu'il faut travailler.[1]"*

Bien sûr, il n'y a pas que de la peur dans l'idée du socialisme que se font les militantes populaires impliquées dans ce brassage d'idées. 48 mots qui reflètent des valeurs, des choses auxquelles les gens tiennent, sont associés au mot "socialisme". 27 mots aussi qui renvoient à des rêves. Et dans les commentaires sur les mots qui reviennent le plus souvent, on trouve une série de thèmes qui nous ramènent aux grands idéaux du courant socialiste; ceux qui restent malgré les limites et les contradictions des sociétés concrètes qui se définissent comme socialistes:

- libération du "joug des chaînes de l'État";
- égalité des hommes et des femmes dans le travail;
- liberté de parole et de réunion;
- suppression des inégalités économiques: "pas de riches, pas de pauvres";
- suppression de la discrimination liée à la classe sociale, à la race, etc.;
- abolition de la domination des "gros" et des capitalistes;
- conscience des dangers du "pouvoir", du retour au capitalisme déguisé;
- pacifisme;
- passage de l'individualisme au collectif;
- liberté de religion;
- indépendance économique sur le plan national.

Les deux militantes qui ont une plus grande connaissance des expériences socia listes concrètes sont sensibilisées aux conditions difficiles du passage au socialisme. Elles savent que le socialisme ne se réalise pas sans heurts et que la lutte armée peut être la seule issue possible dans certaines circonstances historiques. "En Chine, ils ont été acculés au pied du mur", affirme une militante. "Il ne faut pas rêver en couleurs", affirme une autre. "On va pas aller se traîner à genoux pour avoir le pouvoir: on l'aura pas."

Pour toutes les participants, ce premier échange collectif sur la question du socialisme s'est révélé d'un grand intérêt. Une motivation à "creuser", pour reprendre un mot d'une participante, a été suscitée. Au moment de l'évaluation, la majorité s'est explicitement affirmée prête à continuer. La suite de la démarche se dessine selon deux orientations complémentaires:

- une interrogation à poursuivre à l'intérieur du groupe: "continuer pour dire ce qu'on voudrait, nous... comment on vivrait? Qu'est-ce qu'on voudrait que ça soit?"
- des connaissances à aller chercher:
  • "Définir le socialisme... ses différentes formes... les expériences des autres pays."
  • "Poursuivre une question: c'est quoi la démocratie?"
  • "L'indépendance, ça voudra dire quoi au Québec?"

Une nouvelle rencontre est prévue.

Conclusion

Il ne faut pas chercher à faire dire à cette expérience limitée plus qu'elle ne peut dire. Elle nous apprend cependant quelque chose sur une façon de parler "socialisme" entre militants populaires et militants petits-bourgeois, sans que les premiers soient réduits au rôle d'auditeurs passifs et méfiants des deuxièmes. Elle nous indique une méthode pédagogique possible pour amorcer une démarche de groupe sur la question.

Au plan du contenu, elle nous permet de comprendre avec plus de précision et de clarté les positions et attitudes de militantes de la classe populaire à l'égard du socialisme. Au terme de cette première expérience, on peut légitimement avoir l'impression qu'il faudra beaucoup d'échanges de cette nature, pour que militants de la classe ouvrière et militants petits-bourgeois en arrivent à travailler efficacement ensemble à la construction du socialisme au Québec.

TROISIÈME PARTIE

THÉORIE

CHAPITRE 9

LE CONCEPT ET LA MÉTHODE DE CONSCIENTISATION
CHEZ FREIRE

Freire nous dit lui-même qu'il n'est pas l'auteur du vocable "conscientisation". Il a été créé, nous apprend-il, par une équipe de professeurs de l'Institut Supérieur des Études du Brésil, vers les années 64. Mais, écrit-il, "en entendant pour la première fois le mot conscientisation, je perçus immédiatement la profondeur de sa signification... dès lors ce mot fit partie de mon vocabulaire" [1].

Origine et évolution du concept de conscientisation chez Freire.

Vers la fin des années 60, Freire donne de la conscientisation une définition philosophique où la connotation politique n'est pas explicite. Dans un article publié en 1970, mais correspondant sans doute à l'état de sa pensée pendant son séjour aux État-Unis en 1967 et 1968, il la définit comme un "processus dans lequel des hommes, en tant que sujets connaissants, et non en tant que bénéficiaires, approfondissent la conscience qu'ils ont à la fois de la réalité socio-culturelle qui modèle leur vie et de leur capacité de transformer cette réalité" [2]. Cette définition comporte une conception de l'homme dont le propre est sa capacité de se distancier du monde dans lequel il est immergé. Elle implique aussi une contestation du savoir dans laquelle l'homme bâtit sa connaissance en réfléchissant sur sa propre expérience ("sujet connaissant") et n'est pas par conséquent une cruche à remplir ("bénéficiaire") d'un savoir officiel établi. La conscientisation apparaît enfin comme un moment d'une praxis, c'est-à-dire une réflexion indissociable d'une action de transformation du monde.

Cette définition s'éclaire quand on la confronte à la première définition des niveaux de conscience, telle qu'elle apparaît dans *L'éducation: pratique de la liberté*, publié en 1967 dans l'édition originale en portugais. Freire y parle du passage d'une conscience magique ou d'une conscience primaire à une conscience critique. La conscience magique perçoit les faits "en leur attribuant un pouvoir supérieur qui la domine de l'extérieur, et auquel elle doit se soumettre docilement". La cons-

cience primaire, écrit-il, en citant un collègue brésilien, "se croit supérieure aux
faits, les domine de l'extérieur, et, ainsi se juge libre de les comprendre de la
manière qu'il lui plaît". La conscience critique "est la perception des choses et
des faits, tels qu'ils existent concrètement, dans leurs relations logiques et circonstancielles [3]."

La rédaction de *Pédagogie des opprimés*, en 1968, marque un tournant de radicalisation et de politisation dans la pensée de Freire. Le titre même de l'ouvrage
en témoigne. L'édition en langue anglaise de cet ouvrage comporte une définition formelle de la conscientisation, dans une note de la traductrice. La conscientisation consiste, selon cette définition, à "apprendre à percevoir les contradictions sociales, politiques et économiques, et à agir contre les éléments oppres-
seurs de la réalité" [4].

Dans une communication donnée à Cuernavaca, Mexique, en 1971, Freire aborde
le problème de ce qu'il appelle la "mythologisation de la conscientisation". Après
avoir campé en quelques traits bien observés les attitudes des groupes qui défor-
ment le concept de conscientisation pour l'ajuster à leur point de vue, Freire caractérise ceux qui abordent la conscientisation avec une attitude véritablement critique et dialectique. Ils perçoivent la conscientisation comme un acte de connaissance et non comme un acte de transfert de savoir. Ils la conçoivent comme
une base fondamentale de l'éducation libératrice. Ils ne séparent pas la subjecti-
vité de l'objectivité, la théorie de la pratique, la réflexion de l'action. Ils savent
très bien que "**la conscientisation implique un engagement avec les classes opprimées. Ils savent aussi que la réalité ne peut être transformée à l'intérieur de la
conscience des êtres humains, mais dans l'histoire, à travers une praxis révolutionnaire.** Non seulement ne nient-ils pas l'existence concrète d'un conflit de classes,
mais ils reconnaissent aussi que ces conflits sont les sages-femmes de la
conscience " [5].

Le caractère nettement politique de la conscientisation est réaffirmé dans le premier cahier publié par l'Institut d'action culturelle (IDAC) que Freire a fondé
en Suisse, avec d'autres exilés brésiliens. Dans ce texte qui date de 1973, la conscientisation n'apparaît plus seulement comme un passage à la conscience critique. Les masses populaires en sont le sujet collectif et elle est passage à la "conscience de classe" [6]; ce qui reprend d'ailleurs une formulation déjà présente dans
Pédagogie des opprimés [7].

Avec ce dernier texte, on est tenté de constater que Freire a bouclé le cycle de
sa réflexion sur la conscientisation. Sa pratique en avait devancé les affirmations
et elle continue à s'y conformer, en particulier dans ce Brésil actuel de soi-disant

"ouverture" politique où il est rentré en 1980. Dans un entretien qu'il accordait en Suisse en 1978, Freire faisait remarquer à son intervieweur qu'il n'utilisait pas une seule fois le mot conscientisation dans son dernier livre, *Lettres à la Guinée-Bissau sur l'alphabétisation* [8]. "Non pas parce que j'ai refusé le processus de la conscientisation, dit-il, mais j'ai renoncé à utiliser le mot parce qu'il avait été récupéré, terriblement, par différents groupes... Je n'utilise plus ce mot, je le prononce ici pour dire que je ne l'utilise plus" [9].

La méthode de Freire.

Il nous paraît essentiel aussi de glisser un mot sur la méthode de Paulo Freire, ne serait-ce que pour rappeler clairement que ce livre ne présente pas une réplique québécoise de ce qu'a fait Freire au Brésil, au Chili ou en Guinée-Bissau, mais bien des expériences qui s'inspirent dans un sens très large des principes pédagogiques et de la méthode de Freire.

Le premier principe pédagogique de Freire, tel que nous le comprenons, réside dans une attention active à la culture des milieux populaires dans lesquels on intervient. Freire donne de la culture une définition très large qui correspond à celle qu'on trouve en anthropologie. La culture, c'est "tout ce que l'homme crée et recrée" [10], par opposition à nature qui n'est pas une création de l'homme. Les collectivités avec qui on agit ont des genres de vie et des activités qui déterminent des manières d'être et de se comporter, soutiennent des interprétations de la réalité et une vision du monde, à partir desquels on doit apprendre à travailler. Pour interpeller le "pouvoir de réflexion" de la conscience populaire, pour défier en elle la conscience critique, selon l'expression de Freire [11], il faut se rendre constamment attentif aux manifestations multiples du champ de cette conscience.

Dans l'alphabétisation-conscientisation, l'application de ce principe pédagogique se traduit dans la toute première phase du travail qui consiste à faire le "relevé de l'univers-vocabulaire" des groupes avec lesquels on travaillera. "Cet inventaire, écrit Freire, est dressé à partir d'entretiens spontanés avec les habitants de la zone à alphabétiser" [12]. Parmi les mots ainsi inventoriés, on choisit un certain nombre de mots-clés, en tenant compte aussi bien de critères relatifs à l'apprentissage de la langue qu'au "plus ou moins grand potentiel de conscientisation contenu dans le mot, ou ensemble de réactions socio-culturelles que le mot provoque chez la personne ou le groupe qui l'utilise" [13]. Ainsi, les participants aux groupes d'alphabétisation pourront-ils apprendre à lire leur propre réalité, en même temps qu'apprendre à lire et à écrire, parce qu'ils travailleront à partir de mots qui ont une forte charge signifiante dans leur vécu.

Dans *Pédagogie des opprimés*, Freire propose une démarche éducative indépendante de l'alphabétisation. Cette démarche commence par l'investigation de l'univers thématique du peuple ou de l'ensemble de ses thèmes générateurs. Ces thèmes sont la représentation concrète des idées, conceptions, espérances, doutes, valeurs et défis qui, en interaction contradictoire, tendent à se révéler dans une collectivité. Freire les appelle "générateurs" parce que, "quelle que soit la manière dont ils sont compris et l'action qu'ils provoquent, ils contiennent en eux-mêmes la possibilité de se dédoubler en d'autres thèmes qui à leur tour, suscitent d'autres tâches à accomplir" [14]. De retour d'un séjour chez les Masaïs du Kénya, Colette Humbert nous parlait de l'importance de l'eau et de la terre comme thèmes significatifs pour ces pasteurs nomades. Chez nous, pour des femmes et des hommes "tombés sur le bien-être", le BES (prononcer "besse", c'est-à-dire le "bien-être social", l'aide sociale) occupe la place de l'eau et de la terre dans l'univers thématique des Masaïs. Et, comme nous le verrons dans ce livre, il suffit de poser, dans un contexte approprié, la question "pourquoi suis-je allée au BES pour la première fois?" pour ouvrir la porte aux multiples dimensions significatives de la vie et de la conscience de ces femmes et de ces hommes les plus exploités de la classe populaire.

L'attention au vécu des milieux où on intervient dans l'approche de conscientisation ne présenterait guère de pertinence politique, si elle n'avait d'autre but que de retourner aux milieux populaires l'image de leurs conditions de vie, telle qu'ils la perçoivent déjà eux-mêmes. Ce reproche des partisans d'une éducation politique bancaire [15] de partir du vécu immédiat et de ne pas en sortir, n'est pas justifié. Pour Freire cependant, si la pensée du peuple est de type magique ou primaire, c'est de là qu'il faut partir et "ce sera en réfléchissant sur elle dans l'action, que le peuple lui-même se dépassera. Le dépassement ne s'opère pas en consommant des idées, mais en les produisant et en les transformant dans l'action et la communication" [16].

Le "comment" de cette réflexion constitue pour nous le deuxième grand principe pédagogique que nous empruntons à Freire. La formulation la plus simple et la plus claire de ce principe pourrait être la suivante: "les thèmes qui proviennent du peuple reviennent à lui sous forme de problèmes à résoudre" [17]. Plus les intervenants entrent dans l'univers thématique de la base sociale avec laquelle ils travaillent, "plus ils se rapprochent du noyau central des contradictions principales et secondaires dans lesquelles vivent les gens..." [18]. Et leur travail consiste à proposer au peuple, par le biais de ces contradictions, sa situation présente "comme un problème qui le met au défi et donc exige de lui une réponse non seulement au niveau intellectuel, mais à celui de l'action" [19].

Il s'agit de présenter une vue d'ensemble de ce qui était perçu par petits morceaux; de sorte que les gens portent un regard neuf sur les situations dans lesquelles ils sont placés, réalisent cette distanciation qui est le propre de l'homme qui connaît et voient ces situations autrement que comme des impasses. La technique proposée par Freire pour réaliser cette interpellation de la conscience critique est celle des tableaux codés de situations vécues. "Le "codage" d'une situation existentielle est une représentation figurative de cette situation qui fait voir certains de ses éléments constitutifs et leur interaction" [20]. Il s'agit donc pour les intervenants de capter, comme des photographes à l'affût, les images du vécu des gens qui manifestent de façon significative les thèmes relevés et les contradictions observées; et de les traduire en représentations graphiques ou autres qui seront discutées avec le groupe concerné. Ces tableaux codés peuvent consister en peintures, photos ou diapositives. Quand il s'agit d'alphabétisation, les mots-clés sont associés aux tableaux codés visuels. Les tableaux codés peuvent également être oraux et consister dans la brève présentation d'un problème, ou encore dans l'audition d'un enregistrement. Il peut s'agir de saynètes, de la lecture et de la discussion d'articles de revue, de journaux ou de chapitres de livre, etc. Parmi les tableaux codés visuels cités par Freire, il est question d'une "scène de travaux des champs" discutée par des paysans, d'une "scène discutée par un groupe d'habitants d'un immeuble collectif pauvre et représentant un homme ivre marchant dans la rue, et un peu plus loin trois jeunes en train de bavarder", etc. [21]. Le contenu des tableaux codés n'a évidemment d'intérêt qu'en regard de sa signification pour les gens qu'il concerne.

Le "décodage" est " l'analyse critique de la situation codée" [22], dans le cadre d'une discussion animée par l'intervenant. Au cours du décodage, il appartient à l'intervenant "non seulement d'écouter les individus, mais de leur poser des défis en transformant en problème, d'une part, la situation codée et, d'autre part, les réponses qui sont faites pendant la discussion" [23]. Le dépassement de la "situation-limite" [24] mise en discussion ne s'opère complètement qu'au moment où la nouvelle conscience qui s'élabore se transforme en action orientée vers un "inédit possible" [25].

CHAPITRE 10

LES DIMENSIONS FONDAMENTALES DE LA CONSCIENTISATION

Même si Freire n'utilise plus le mot "conscientisation" à cause de la récupération dont ce dernier a fait l'objet, des groupes qui s'inscrivent dans son sillage, avec une attitude qui se veut "critique et dialectique", trouvent encore utile d'utiliser ce terme. Celui-ci suscite beaucoup d'intérêt dans les milieux populaires et de l'éducation qui remettent en cause les modèles bancaires de la formation et qui cherchent des façons d'impliquer véritablement les gens avec lesquels ils travaillent comme acteurs principaux de leur apprentissage.

Parmi les groupes qui se réclament de la conscientisation, mentionnons l'INODEP[1] auquel nous avons fait allusion brièvement dans ce volume et dont Paulo Freire a été le premier président. Cet organisme, qui poursuit un travail de formation au niveau international, est en contact avec de nombreux groupes et organisations qui travaillent dans cette perspective. Pour nous, ce mot demeure encore l'outil de jonction indispensable avec tout ce courant qui s'est bâti suite à l'influence considérable exercée par la pensée et la pratique de Freire. L'utilisation du terme doit toujours cependant bien mettre en évidence ses dimensions-clés, aussi bien au plan pédagogique que politique, afin de faire obstacle aux inévitables tentatives de récupération.

Dans un effort de synthèse, nous présentons maintenant ces dimensions que nous trouvons fondamentales dans le concept de conscientisation. Comme on le constatera, elles sont largement inspirées du travail de Freire, mais nous avons voulu les réactualiser dans le contexte québécois des années 80.

La personne est un sujet créateur de l'histoire

Cette expression résume la conception de la personne humaine qui est à la base de la conscientisation, à savoir la conviction profonde de la capacité de chaque être humain d'être acteur autonome de sa vie et de participer pleinement à la transformation du monde. C'est la conviction que, même dans les groupes les plus dominés et aliénés, les individus peuvent parvenir à percevoir la possibilité de transformation de leur situation, à croire en leur capacité d'y arriver, à identifier et à exprimer leurs intérêts et leurs désirs ainsi qu'à s'impliquer activement dans la transformation de la société dans ce sens. Chez Freire, il s'agit d'un concept-clé. La spécificité de la personne humaine est sa capacité de se distancier d'elle-même et de son milieu, donc sa capacité d'analyse critique. Pour se réaliser pleinement, elle doit exercer cette critique et devenir un sujet conscient, capable d'une participation autonome à la transformation sociale.

Cette conception de la personne a des implications évidentes au niveau de l'action. Elle ne rejette pas d'emblée l'intervention auprès des groupes ou milieux les plus dominés et aliénés en se réfugiant derrière l'idée pré-conçue que ces gens sont trop "brisés" par les difficultés qu'ils vivent pour receler un potentiel mobilisateur. Évidemment des individus peuvent traverser des périodes plus ou moins longues pendant lesquelles leurs difficultés les empêchent de maintenir un fonctionnement personnel adéquat pour leur permettre de participer à une démarche de libération collective, mais tout groupe ou couche sociale ne saurait faire l'objet du même constat. Au Québec, les réalisations des groupes d'assisté-e-s sociaux-ales sont très révélatrices à ce sujet, comme nous avons pu le constater dans les pages précédentes.

Mais ce passage vers une attitude de "sujets" ne s'opère pas de façon automatique et rapide. Le facteur primordial de son démarrage nous apparaît être que les opprimés arrivent à exprimer leur vécu d'exploitation et de domination, et que celui-ci soit reconnu comme important, comme faisant partie de la réalité.

Les opprimés doivent prendre la parole

Dans notre société, les opprimés n'ont pas la possibilité de parler de leur vécu d'exploitation et de domination en étant assurés d'une audience significative. Lorsqu'ils y parviennent, c'est qu'ils sont regroupés dans des organisations (groupes populaires, groupes de femmes, syndicats, etc.) et encore là, le traitement que leur réserve les médias contribue la plupart du temps à dévaloriser le contenu ou les personnes. Individuellement, les opprimés sont amenés à intérioriser le discours dominant qui les contraint à considérer leur situation comme fatale et à assumer la marginalisation qu'on leur fait subir. Il en résulte un sentiment d'infériorité et d'impuissance qui les amène à s'en remettre continuellement aux dominants pour agir dans la société.

Pour dépasser cette situation, la conscientisation implique la libération de la parole des opprimés. Il leur faut sortir de la "culture du silence" et parvenir à dire l'oppression dont ils sont victimes, à en articuler collectivement les éléments, à prendre une distance critique face à leur situation afin de réaliser les possibilités d'y changer quelque chose. On a pu voir au chapitre 2 comment, à l'intérieur d'une première démarche collective, des assisté-e-s sociaux-ales, ayant mis en commun leur vécu respectif, sont parvenus rapidement à ne plus percevoir leur situation comme la conséquence d'un choix individuel honteux, mais plutôt à prendre conscience qu'elle était déterminée par des événements non désirés. De là découle la prise de conscience que l'aide sociale est un droit, puis, devant les attaques dont il est l'objet, la conviction qu'il faut défendre et affirmer ce droit.

Pour une véritable prise de parole, il importe d'accorder une attention primordiale au langage, afin de faire la critique du langage imposé par les dominants et pour permettre aux classes populaires de reprendre possession de leur propre façon de dire le monde. Comme l'affirme Colette Humbert,

> *"Les nations, les classes dominantes et groupes manipulateurs connaissent le pouvoir du langage, puisqu'ils font de leurs modes d'expression, de leurs codes, de leurs discours fermés des instruments de domination... Si la conscientisation appelle à la prise de la parole, elle ne peut se produire dans l'utilisation pure et simple du langage imposé par le dominant... Il n'y a pas de groupe social, de peuple en dehors de sa langue et de son langage propre"*[2]

D'une façon plus générale, cette prise de parole devrait amener la valorisation de l'ensemble du vécu des opprimés (façon de vivre, de penser, de fêter...) comme créateur de culture. Elle devrait aussi entraîner la réappropriation de leur histoire, car celle-ci recèle des leviers de mobilisation très importants. Freire a beaucoup insisté sur l'importance de favoriser l'expression de la culture des milieux populaires et de la revaloriser à leurs propres yeux. Pour dépasser ce que les pouvoirs dominants entendent par culture (productions artistiques, valeurs dominantes, ...), Freire a donné à ce terme un sens plus englobant qui permet de tenir compte de la production des classes populaires. En définissant la culture comme l'ensemble cohérent des réponses qu'un groupe humain spécifique donne aux défis qui lui sont lancés par son environnement, il réhabilite dans le champ culturel l'ensemble des manières d'être et de se comporter des classes populaires.

Nous reviendrons plus loin sur la nécessité que l'intervention, dans une perspective de conscientisation, ne se limite pas à favoriser l'expression de la culture populaire, mais qu'elle s'appuie sur ses éléments libérateurs pour favoriser le développement de la conscience critique. Mais la prise de parole et la confiance en soi qui doit en découler constituent l'amorce indispensable du processus de prise de conscience. Elles rendent possible la relation dialogique qui constitue un autre fondement de la conscientisation.

Échanger plutôt que dicter des idées

> *"Le dialogue est cette rencontre des hommes, par l'intermédiaire du monde, pour l'exprimer... la conquête implicite dans le dialogue, c'est celle du monde par les sujets dialoguants, non celle d'un individu par un autre."*[3]

Cette pensée de Freire définit bien la relation dialogique qui doit s'instaurer entre les individus dans toute démarche de conscientisation. Le dialogue, considéré ici dans sa signification profonde, c'est l'échange égalitaire entre des individus sur leur perception du monde. C'est une façon différente de concevoir l'acquisition des connaissances: au lieu d'emmagasiner un savoir préparé à l'avance par un expert, les individus sont invités à acquérir des connaissances en analysant ensemble la réalité vécue. Ceci implique, comme l'a répété plusieurs fois Freire, que personne ne s'éduque seul, que personne n'éduque autrui, mais que nous nous éduquons tous ensemble. La dimension collective de la conscientisation est ici clairement affirmée; celle-ci nécessite la confrontation de plusieurs perceptions de la réalité. Il ne faut pas se méprendre cependant sur le sens que Freire attribue au dialogue. Il s'agit d'un dialogue entre ceux qui luttent contre l'oppression. Le rapport avec les dominants est d'un autre ordre: celui de la lutte et du conflit.

La position de Freire sur l'acquisition des connaissances a des répercussions évidentes au niveau de l'action. Elle interdit, dès le départ, toute pratique d'endoctrinement et de manipulation, toute attitude dogmatique et autoritaire. Elle remet en question le modèle dominant de "l'éducation bancaire" (où le savoir est un dépôt que ceux qui se jugent savants font chez ceux qu'ils jugent ignorants) que malheureusement on reproduit trop souvent dans les organisations de lutte (populaires, syndicales et politiques).

Qui n'a pas observé des pratiques d'éducation populaire ou politique où les idées étaient dictées plutôt qu'échangées, où l'on donnait des leçons plutôt que de discuter des sujets? Dans de telles pratiques, le formateur travaille pour les participants et non avec eux. Il impose un contenu que ceux-ci ne peuvent qu'enregistrer, mais non assimiler, car il ne fournit ni le cadre ni les moyens du développement d'une pensée critique autonome.

À ceux qui veulent adopter une approche conscientisante, Freire rappelle que le dialogue se fonde sur la conviction que "nul n'ignore tout et nul ne sait tout. L'idée d'une ignorance absolue... est l'instrument dont se sert la conscience dominante pour manipuler ceux qu'on appelle incultes, absolument ignorants, qui, incapables de conduite autonome, ont besoin de l'orientation, de la direction, de la conduite de ceux qui se considèrent eux-mêmes cultivés et supérieurs.[4]"

Mais cette approche dialogique ne signifie pas que l'on doive en rester aux échanges sur notre vécu, ni créer des cercles de placotage où l'on théorise sur tous les sujets à la mode. La conscientisation exige au contraire le passage à l'action de transformation des situations vécues par les opprimés.

On ne se libère pas seulement avec des idées

Paulo Freire a constaté avec justesse qu'il est absurde d'amener les exploités à réfléchir sur leur condition pour en identifier les causes sans orientation vers une action de transformation de cette situation. À propos des "cercles de culture" où les paysans brésiliens recherchaient la raison d'être de leur propre condition, il a affirmé qu'ils ne devaient pas se réduire à des centres d'études "non engagés". Si une transformation radicale des structures sociales qui expliquent leur condition n'est pas opérée, ces paysans restent les mêmes, exploités de la même façon, peu importe que certains d'entre eux soient parvenus à connaître la raison d'être de leur propre réalité. Et pour ceux-là, la prise de conscience aura probablement renforcé leur sentiment d'impuissance. Chacun doit donc trouver les pistes, à partir de la réalité locale, pour que son action se prolonge en action politique.

L'action de transformation, pour ne pas être qu'activisme, doit être le matériau pour une nouvelle réflexion critique. La conscience ne peut progresser qu'en s'appuyant sur une analyse de la pratique. Cette réflexion cherche à éclairer la pratique pour la rendre plus efficace, clarifiant du même coup l'action à venir qui constitue son test et qui, à son tour, doit s'ouvrir à une nouvelle réflexion. La conscientisation implique cette unité dialectique action-réflexion, pratique-théorie, qui est la condition, selon Freire, de la praxis authentique. "Coupée de la pratique, la théorie devient simple verbalisme; séparée de la théorie, la pratique n'est qu'activisme aveugle.[5]"

Ce constat se traduit concrètement dans notre quotidien par l'exigence de prévoir une relance à chaque activité entreprise. Il peut paraître simpliste de le rappeler, mais il n'est pas rare d'observer des actions collectives qui ne font pas l'objet de bilan, des sessions de formation où l'on n'a pas la préoccupation d'aborder l'impact des nouveaux acquis sur les actions futures. On a vu, au chapitre 2, dans le cadre de la session de formation sur la loi d'aide sociale, l'importance que les assisté-e-s sociaux-ales, qui ont pris conscience de leurs droits, entreprennent une action collective afin d'agir sur les problèmes qu'ils ont perçus. C'est la condition essentielle de la progression dans leur cheminement de conscience et du maintien de la motivation à poursuivre.

L'action entreprise n'a pas besoin d'avoir une allure révolutionnaire. Elle sera d'autant plus efficace qu'elle correspondra au niveau de conscience de ceux qui l'entreprennent, qu'ils pourront la contrôler réellement et en faire le bilan. Des actions apparemment très limitées, pour faire face à des problèmes concrets de conditions de vie ou de travail, constituent le support de politisation qui s'offre le plus souvent à nous dans notre société. À l'alphabétisation dans le Brésil des années 60 correspondent dans le Québec d'aujourd'hui les luttes sur le logement, la sécurité du revenu, la protection des consommateurs, etc.

On met parfois en opposition dans les groupes militants les exigences de la formation (prendre le temps d'organiser des activités de formation, de faire exprimer le vécu des gens, ...) et les impératifs de l'action (contraintes de disponibilité des gens, du caractère d'urgence de certaines activités, du manque de ressources, ...) pour expliquer la difficulté à obtenir des résultats satisfaisants en terme de renforcement des organisations et de cheminement des militants. Cette tension entre les deux pôles "réflexion" et "action" est toujours présente mais, comme nous avons tenté de le montrer en racontant nos expériences, la conscientisation incite à vivre différemment le quotidien, à saisir toutes les occasions qui offrent des opportunités de formation. L'information sur la loi d'aide sociale, les vacances dans une maison collective, la fabrication d'un journal populaire, la préparation d'une manifestation offrent toutes des occasions de greffer un contenu politique à une formation technique.

C'est principalement dans la façon d'organiser ces activités, dans l'attention qui est apportée au cheminement de la conscience des participants, dans les outils qui seront employés pour favoriser l'expression de leur expérience et la réalisation de leurs propres synthèses que résideront les possibilités de succès. De plus, il importe de se réserver des temps privilégiés pour faire la planification et le bilan de ses activités: temps forts pour préciser les acquis collectifs et tenter de régler les difficultés de fonctionnement (cf. chapitre 7). Ainsi, il apparaît clairement qu'un trait marquant de la conscientisation est la stimulation et l'attention au cheminement de la conscience qui s'opère en relation dialectique avec l'action sur les causes de l'oppression et de l'exploitation. Mais cette action vise quels changements au juste? La conscientisation ouvre-t-elle une troisième voie entre le réformisme social-démocrate et le radicalisme révolutionnaire?

Un projet de société, mais aussi des alternatives à vivre maintenant

Faisant remonter l'explication jusqu'aux causes structurelles profondes, la conscientisation reconnaît les liens entre les situations d'exploitation, de domination, d'aliénation, et l'existence d'une société de classes où une minorité accapare les pouvoirs économiques, politiques et de l'information, afin de défendre ses intérêts propres. Elle reconnaît aussi l'existence d'oppressions spécifiques (fondées sur le sexe, l'orientation sexuelle, l'ethnie, la couleur de la peau,etc.) qui traversent les classes et se surajoutent pour diviser et rediviser les groupes dominés. Partant de là, sa visée à long terme est donc l'abolition de la société de classes et la libération personnelle et collective des exploitations économiques, des dominations politiques et organisationnelles, des aliénations culturelles et religieuses et de l'idéologie dominante. *Il n'y a donc pas de conscientisation sans analyse de classe, sans option de classe et sans praxis révolutionnaire visant la transformation dialectique des structures et des mentalités.*

La conscientisation vise à bâtir plutôt une société où pourra s'exercer le pouvoir populaire, où l'on inventera des mécanismes permettant un réel contrôle de la population à tous les niveaux, une société à visée autogestionnaire. Elle évite cependant d'en proposer un modèle tout fait à appliquer uniformément dans toutes les formations sociales. Elle préfère impliquer dans chaque cas les masses populaires dans une démarche de créativité collective afin d'inventer, à partir des principes généraux, des modalités d'application adaptées à l'histoire, à la culture et à la conjoncture spécifique en cause. Elle est ouverte aussi à profiter des acquis historiques d'autres expériences afin de ne pas répéter les erreurs qui ont pu être faites.

Une telle visée comporte des implications pour l'action immédiate. D'abord, l'action de conscientisation ne peut pas se situer en dehors de l'action politique, laquelle est déterminante pour la transformation des structures sociales. Une démarche de conscientisation ne se mène pas en circuit fermé dans une société, elle ne doit pas ignorer sa dimension et son impact politique. Aborder ouvertement la dimension politique de toute action de transformation sociale ne se fait pas toujours simplement: les préjugés, les peurs, la conception péjorative de "la" politique rendent difficile le traitement de cette question. Il est cependant possible de débloquer la réflexion sur cet aspect en prenant le temps d'échanger sur ces préjugés et ces peurs. Les deux cas que nous avons présentés au chapitre 8 tendent à le démontrer. Malgré tout, une des difficultés importantes au Québec jusqu'à maintenant dans le travail de conscientisation est justement l'absence de liens entre les diverses expériences et le manque d'enracinement d'une organisation politique porteuse du projet de société dont il est question.

Une seconde exigence est sûrement de s'efforcer de vivre maintenant, dans les limites du possible, en cohérence avec les principes de société alternative pour laquelle on se bat. Mieux vaut ne pas attendre le lendemain du "grand soir" pour y penser, car on risque d'être pris au dépourvu! De nouveaux rapports plus égalitaires, de nouvelles structures plus autogestionnaires peuvent s'expérimenter dans nos organisations. Nous en avons fourni quelques exemples dans les chapitres précédents; dans ce domaine, la plus grande créativité est permise. Le mot d'ordre ne devrait pas être de "rester dans les limites du possible", mais de faire l'effort d'aller "jusqu'à la limite du possible".

La conscientisation n'est jamais terminée

Finalement, nous devons ajouter que, pour nous, la conscientisation n'est pas un état, une sorte de nirvana qu'on atteint après une série de prises de conscience essentielles et qui procure une clairvoyance infaillible sur son sort et celui de la société. Au contraire, c'est un processus qui n'est jamais terminé, car la conscience critique n'est jamais acquise une fois pour toutes et la réalité sociale se modifie sans cesse. La force de l'idéologie dominante et de la pression sociale font que personne n'est exempt du risque de reproduire les modèles dominants. La conscientisation est plutôt un processus jamais terminé, qui comporte avancées et reculs sur différents plans. Le prochain chapitre sera consacré à une présentation sommaire de ces différents plans ou "axes" de conscientisation ainsi que des principaux "niveaux" que franchit la conscience dans son cheminement.

CHAPITRE 11

LA CONSCIENTISATION, PROCESSUS DIALECTIQUE:
AXES ET NIVEAUX DE CONSCIENCE

Comme processus collectif de libération à tous les niveaux et comme processus permanent non-linéaire, la conscientisation se préoccupe du cheminement de la conscience qui s'opère en relation dialectique avec l'action. Afin de mieux appréhender le fonctionnement de ce processus et d'en tirer des indications pour guider l'action des intervenants, des tentatives ont été faites pour le décortiquer. Freire lui-même, puis l'INODEP, ont suggéré de distinguer quelques "niveaux" ou seuils qualitatifs que franchit la conscience dans son cheminement. L'INODEP a aussi mis en lumière les principaux "axes" qui constituent l'ossature d'une démarche de conscientisation. Ces niveaux et ces axes méritent des explications plus détaillées.

Niveaux de conscience

Chez Freire, dans *L'éducation: pratique de la liberté* (1967), la conscientisation réfère au passage d'une conscience magique ou primaire à une conscience critique. La définition formelle de ces niveaux a déjà été donnée au chapitre 9.

Dans *Pédagogie des opprimés*, Freire donne un exemple de conscience magique en racontant comment des habitants des mocambos (bidonvilles) de Recife expliquent les conditions de misère absolue dans lesquelles ils se trouvent: "Qu'y pouvons-nous? C'est la volonté de Dieu, il faut nous y faire.[1]." C'est sans doute là une modalité très répandue de ce que Colette Humbert nomme la "conscience soumise"[2]. On peut cependant concevoir que la conscience soumise puisse exister en-dehors d'une référence à la religion, à la magie, à la superstition et aux autres explications de caractère surnaturel. L'adhésion aveugle à la discipline d'une organisation pourrait très bien, par exemple, susciter une conscience soumise chez des personnes étrangères à toute croyance surnaturelle.

L'autre forme de la conscience non-critique (Freire n'utilise pas comme telle cette expression), la conscience primaire, caractériserait très bien, selon nous, la conscience de bien des professionnels qui ne doutent pas qu'ils soient capables de dominer les faits de l'extérieur, à partir d'un savoir institutionnalisé où le champ des réponses possibles aux multiples situations sociales est réduit à un schéma d'interventions standardisées et bureaucratisées. La croyance en l'efficacité et la pertinence des schémas déjà connus les exempte de s'interroger sur la nature réelle et la spécificité des situations devant lesquelles ils se trouvent placés. Ils ne sont pas disponibles mentalement pour se laisser insécuriser et interpeller par les choses et les faits, "tels qu'ils existent concrètement, dans leurs relations logiques et circonstancielles[3]", ce à quoi correspond la conscience critique.

Freire ne spécifie guère sa définition de la conscience critique au delà des lignes précitées. Colette Humbert distingue trois niveaux de conscience critique: pré-critique, critique intégratrice et critique libératrice. Elle caractérise la conscience pré-critique comme une "conscience "alertée" émergeant parfois en conscience révoltée mais déterminée par le système établi". La conscience critique intégratrice signifie "volonté de se poser en partenaire des pouvoirs dominants mais acceptation de structures hiérarchiques autoritaires"; alors que la conscience critique libératrice s'inscrit dans une "recherche de nouvelles relations interpersonnelles et de nouveaux rapports sociaux.[4]"

Dans ce continuum qui va de la conscience non-critique (avec ses multiples formes) à la conscience critique (avec ses sous-niveaux), nous intercalerions volontiers un niveau intermédiaire que nous appellerions "conscience révoltée" et qui recouperait en bonne partie la conscience pré-critique de Colette Humbert. Il nous apparaît important de référer explicitement à un niveau de cette nature, parce que l'histoire nous montre que c'est très souvent le niveau de conscience dans lequel entrent les masses populaires sans organisation politique, quand elles atteignent le seuil de saturation face à l'exploitation et à la domination dont elles sont les victimes. Qu'on pense aux révoltes d'esclaves, aux jacqueries et aux émeutes qui jalonnent l'histoire.

Un deuxième type de définition des niveaux de conscience est celui auquel en arrive Freire, au terme d'un cheminement de politisation dont nous avons fait état au chapitre 9. La conscientisation est le passage de la conscience des "nécessités de classe" à la conscience de classe. La conscience des nécessités de classe réfère à la perception par les masses de leur état d'oppression, sans "qu'elles soient en mesure de comprendre de façon critique leur antagonisme vis-à-vis des élites". Freire parle à ce sujet d'une attitude d'"adhérence" à l'oppresseur. Le passage à la conscience de classe se réalise une fois que les masses "ont acquis une vue claire ou demi-claire de l'oppression, et qu'elles parviennent à situer l'oppresseur au-dehors d'elles-mêmes", quand "elles acceptent la lutte pour dépasser la contradiction dans laquelle elles vivent.[5]"

L'OPDS a déjà utilisé un troisième type de définition et toute l'histoire du mouvement des assistés sociaux et assistées sociales a été relue sur ce continuum. Il s'agit du passage de la conscience individuelle (je vis tel problème) à la conscience de groupe ou communautaire (nous sommes plusieurs à vivre le même problème, nous pouvons nous entraider) et de la conscience communautaire à la conscience de classe (les problèmes que nous vivons sont liés aux autres problèmes vécus par l'ensemble des travailleurs; la solidarité dans la lutte s'impose). Ce type de définition rend bien compte du double mouvement de socialisation et de politisation qui se réalise dans une organisation populaire de lutte.

La combinaison de niveaux appartenant à des types différents de définition pourrait éventuellement contribuer à la clarification et à l'approfondissement des passages dans la conscientisation. Par exemple, la conscience individuelle révoltée nous renvoie à la déviance, à des comportements de vandalisme, etc.: je pille, je casse, je vole, etc. La conscience communautaire critique intégratrice sous-tend des actions collectives, éventuellement très inventives et agressives au plan des tactiques, mais inévitablement vouées au compromis avec les autorités en place, et ne remettant pas fondamentalement en cause le système établi. On pensera volontiers ici, par exemple, à l'action libérale radicale d'Alinsky[6].

Le tableau des niveaux de conscience proposé ici ne se présente pas comme une typologie fermée mais comme un outil à développer pour une observation plus judicieuse et plus critique des changements culturels qui se passent dans les organisations où nous sommes impliqués.

TABLEAU DES NIVEAUX DE CONSCIENCE

1er type de définition

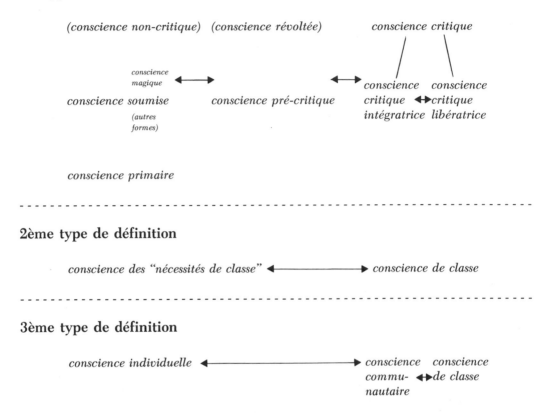

2ème type de définition

conscience des "nécessités de classe" ◄────────► conscience de classe

----

3ème type de définition

conscience individuelle ◄────────► conscience   conscience
                                    commu- ◄►de classe
                                    nautaire

Note: *Les trois types ne s'excluent pas mutuellement et les différents niveaux qui les composent pourraient sans doute être combinés dans une typologie qui aiderait à cerner avec plus de clarté les multiples dimensions du cheminement de la conscience politique.*

Axes de conscientisation:

Les axes constituent les principales lignes de force d'une démarche de conscientisation. Ils sont constitués de deux pôles bien identifiés entre lesquels l'action doit nous amener à établir un fort courant qui doit circuler de l'un à l'autre de façon continue. En plus de l'axe fondamental déjà identifié (action◄────►réflexion), nous en clarifions cinq qui jouent un rôle essentiel dans une démarche qui vise à allier le développement de la conscience et l'action de transformation des structures sociales. Notre réflexion s'inspire des travaux de l'INODEP auxquels notre pratique nous a amené à faire quelques ajouts.

1- *action* ←————→ *réflexion*

Le passage dialectique continu entre l'action et la réflexion constitue vraiment l'axe fondamental du processus de conscientisation. Comme nous l'avons souligné au chapitre 10, la réflexion collective doit tirer les acquis de l'action passée pour orienter celle qui doit suivre. Ce mouvement perpétuel permettra de dépasser deux faiblesses souvent observées.

D'une part, chez ceux qui se complaisent dans les palabres intellectuels interminables, il y a bien souvent incapacité à sortir du verbalisme pour passer à l'action. D'autre part, parmi ceux qui sont engagés à fond dans l'action, certains manifestent une "allergie à la théorie". Ce refus de la réflexion, qui est bien souvent une réaction à l'excès de verbalisme, confine cependant à l'activisme. Comme l'a montré Freire, cet axe est essentiel pour mettre en place un mode différent d'acquisition des connaissances qui se fonde sur un regard critique sur la réalité.

2- *Information* ←————→ *Systématisation* ←————→ *Analyse*
   Phénomènes ←————→ *Mécanismes* ←————→ *Structures*
   Problèmes ←————→ *Conflits* ←————→ *Contradictions*

Le second axe est celui de la recherche de la causalité derrière les faits. Il amène à dépasser l'information brute pour en faire une systématisation nécessaire à l'analyse. Il implique le passage de la perception des phénomènes d'exploitation et d'aliénation au repérage des mécanismes de domination socio-économico-politique jusqu'à la découverte des structures profondes qui déterminent le fonctionnement de la société. Il incite à voir derrière les problèmes quotidiens les conflits d'intérêts entre groupes sociaux qui eux-mêmes sont le reflet de contradictions fondamentales.

Au plan de l'action, cet axe incite à partir du vécu des gens, de leur perception et de leur explication de la réalité afin d'en venir, par un questionnement progressif, à établir des liens de causalité et à découvrir les explications profondes des situations vécues. À leur tour, les explications élaborées doivent être confrontées aux faits pour en vérifier la validité. Cet axe est le moteur intellectuel du développement de la conscience, il est aussi condition essentielle pour progresser dans l'action et pour maintenir sa motivation.

3- *Services / luttes ponctuelles* ←————→ *Stratégie à long terme*

Cet axe vise à articuler les actions pour régler des problèmes immédiats avec la visée de transformation de la société à long terme. Les gens se mobilisent autour de besoins et d'intérêts par rapport auxquels il importe de mener des actions ponctuelles afin d'obtenir des améliorations à court terme. Ainsi a-t-on vu naître au Québec, au cours des dernières années, de nombreux services sous contrôle populaire: coopératives alimentaires, coop d'habitation, garderies, maisons d'accueil pour femmes battues, pharmacies et centres de santé populaires, services d'entraide matérielle et psychologique, services de dépannage et d'information sur les lois sociales, etc.). De multiples luttes ponctuelles ont été menées aussi pour obtenir des gains économiques, législatifs ou autres: luttes syndicales, féministes, écologiques, urbaines, rurales, etc. Cet axe montre la nécessité de resituer ces actions et leurs résultats dans un ensemble plus large qui permette de percevoir la nécessité de la stratégie à long terme. Dans le sens inverse, la visée à long terme doit imprégner les actions ponctuelles en incitant l'expérimentation de nouveaux rapports égalitaires et la critique des comportements aliénants.

Il arrive, dans les organismes populaires, que l'on mette en opposition les activités de service (dépannage, information, entraide, services coopératifs) et les activités de lutte (pressions pour obtenir des gains économiques, législatifs ou autres). Cet axe nous invite au contraire à les lier l'un à l'autre et à saisir leur complémentarité dans l'optique de leur articulation à une stratégie à long terme. Le dépannage et l'information constituent d'excellentes occasions pour identifier des problèmes et inciter les gens à passer à l'action (cf. session sur la loi d'aide sociale au chapitre 2). L'engagement dans des luttes particulières peut amener à découvrir la possibilité et l'importance de mettre sur pied de nouveaux services sous contrôle populaire (cf. la mise sur pied d'un journal populaire par les groupes de citoyens à Québec, chapitre 5). En lien avec la stratégie à long terme, les luttes ponctuelles et les divers services sous contrôle populaire sont des lieux qui peuvent permettre l'expérimentation de nouveaux rapports sociaux.

4- *Personnel* ←————→ *collectif*

S'il est un domaine où se manifestent actuellement de fortes tensions dans les groupes militants, c'est bien celui des rapports entre les exigences de l'action collective et d'autre part le cheminement personnel et la vie privée des individus. C'est un thème qui a été soulevé sous plusieurs angles et qui commence à être discuté ouvertement. Des groupes de femmes ont dénoncé le fait que le travail militant est organisé sans prévoir les conditions minimales pour faciliter leur participation (horaire, garde des enfants, etc.). On a assisté aussi à l'expression d'un malaise par de nombreuses personnes qui critiquent le fait que les exigences imposées dans la vie militante ne tiennent pas suffisamment compte du vécu "privé".

Trop souvent aussi jusqu'à maintenant, des groupes de lutte ont fonctionné uniquement en fonction des tâches à accomplir sans accorder trop d'attention aux personnes en cause: comment vivent-elles? quelle est leur situation économique? quels sont leurs préjugés, leurs peurs? comment perçoivent-elles le groupe et son action? quelles expériences ont-elles de l'action collective? quelles conditions peuvent faciliter leur participation à la démarche collective? Ne pas tenir compte de ces dimensions explique en partie les difficultés de mobilisation rencontrées par plusieurs. Dans la conjoncture actuelle, un effort semble s'imposer pour remettre en valeur le pôle personnel. On a besoin de se redire que l'on ne travaille pas avec des robots, mais avec des êtres humains.

On devrait tout d'abord se préoccuper de l'atmosphère dans laquelle se déroulent les activités et la vie de l'organisation. Si les gens se sentent accueillis chaleureusement, si l'on porte attention à ce qu'ils vivent, ils auront davantage le goût de poursuivre une démarche. Il importe de créer un climat et des occasions pour favoriser les échanges informels. La fête et la fantaisie doivent aussi faire partie de l'action militante. Si l'on veut durer longtemps, il importe de se faire plaisir.

L'organisation peut ainsi devenir un milieu de vie agréable, où l'on a le goût de se retrouver. On y célèbre ensemble les victoires, les joies des libérations individuelles et collectives. On y partage aussi les déchirements, les tensions ressenties dans la vie militante. Par exemple, des relations amicales ou familiales deviennent parfois plus tendues à cause d'incompréhension ou d'intolérance à l'égard des actions que nous entreprenons. Il fait bon alors pouvoir compter sur la compréhension et le support des collègues pour passer au travers.

L'attention au pôle personnel implique aussi que la démarche collective soit préoccupée de favoriser le cheminement individuel des militant-e-s. Tous les individus ne sont pas au même point: chacun est à un niveau de conscience donné, chacun a ses habiletés, son bagage culturel, ses désirs d'épanouissement particuliers. Pour chacun, l'implication dans une organisation doit être un moyen pour accéder à une plus grande autonomie, pour se former techniquement et politiquement, pour faire des tâches conformes à sa capacité et à ses désirs. L'organisation doit donc, dans l'établissement collectif de ses priorités, tenir compte des besoins des membres, de leur disponibilité et, dans la répartition des tâches, de leurs goûts et de leurs capacités. L'organisation doit aussi se demander si son mode de fonctionnement est vivable, c'est-à-dire s'il ne demande pas des efforts surhumains aux militant-e-s et si les conditions sont en place pour favoriser la participation de chacun (garde des enfants, horaire des rencontres, transport, etc.).

La démarche de libération de l'individu ne devrait exclure aucun champ de son vécu. L'attention à la personne exige que l'on ne s'interdise pas d'aborder les diverses dimensions du vécu des militant-e-s, lorsque cela s'avère nécessaire. Souvent on a pu observer dans les groupes militants que l'échange collectif se faisait uniquement sur une portion du vécu des participants. On met volontiers en commun ce qui concerne les conditions de travail, les problèmes de rareté et de prix des logements, d'aménagement du quartier, des revenus insuffisants, de mauvaise administration des dirigeants, etc... mais on évacue toute une partie de la vie des participant-e-s, qualifiée de vie privée, comme s'il y avait une coupure entre ces deux volets de leurs activités et que ceux-ci ne s'influençaient pas réciproquement.

Cette coupure peut être une cause importante de démobilisation, quand des personnes n'arrivent pas à faire saisir au groupe les autres aspects de leur vie qui influencent leur participation à la démarche militante. On a déjà vu des cas de femmes qui se retiraient des démarches collectives parce que leur conjoint leur interdisait de sortir, ou bien de personnes qui se sentaient mal à l'aise de parler "d'ennemis" et de s'impliquer dans des actions de confrontation à cause de leur culture religieuse. Des échanges sur le vécu privé peuvent permettre d'expliquer des comportements, de déceler des blocages, de mettre en lumière des incohérences personnelles et de libérer les zones aliénées que chacun porte. Le groupe militant ne doit-il pas, par exemple, jouer un rôle pour ébranler les trop nombreux hommes qui se font les défenseurs de l'expérimentation des nouveaux rapports sociaux dans leur organisation, mais qui n'ont pas commencé à questionner leurs attitudes dominatrices à l'intérieur de leur couple ou famille?

Cet axe nous invite à porter attention à toutes les dimensions du vécu de la personne. Cette personne, c'est d'abord un individu avec son histoire, sa personnalité, son fonctionnement et ses difficultés psychologiques propres. Elle appartient aussi à un collectif de base (couple, famille, communauté, groupe social) qui compte beaucoup pour elle, qui a des implications majeures dans sa vie et qui l'influence grandement. Elle se situe de façon plus large dans un milieu et une classe sociale qui déterminent sa condition d'oppression, sa culture, ses habitudes de vie. Elle porte aussi une culture religieuse qui influence les autres sphères de sa vie et qui est vécue de façon plus souvent aliénante que libératrice. Elle chemine vers une implication nouvelle qui aura un impact sur le reste de son vécu. Une véritable démarche de conscientisation exige qu'aucune de ces dimensions ne soit niée et que l'on soit disponible pour les aborder lorsque la nécessité s'en fait sentir.

Cette attention à la personne ne doit pas nous entraîner cependant dans le "nombrilisme collectif" où comptent exclusivement les relations sociales et l'attention au psychologique. On en vient alors à ignorer les conditions sociales dans lesquelles on évolue et à mettre de côté toute action de transformation. La démarche collective, tout en favorisant l'épanouissement des personnes, ne doit pas non plus se mettre à la remorque d'intérêts personnels. On ne doit pas perdre de vue ce pôle collectif, bien que, dans notre société, tout concourt à nous faire poser des actes individuels. Il faut favoriser l'apprentissage du travail collectif (faire les corvées ensemble au local plutôt que chacun chez soi, préparer et partager des repas communautaires, etc.). Cet axe nous invite à rechercher un équilibre heureux entre l'attention accordée à la démarche collective et celle accordée aux personnes qui vivent l'action.

5- *Masses populaires* ◄————————► *organisations populaires*
   militant-e-s politisé-e-s ◄————————► *organisations politiques*

Au Québec, dans la conjoncture de crise actuelle, la confiance des masses populaires dans les organisations syndicales est à la baisse; la crédibilité des organisations politiques de gauche n'a jamais réussi à s'imposer. Il faut bien se rendre à l'évidence: les militant-e-s les plus politisé-e-s ont beaucoup de difficulté à rallier l'adhésion de portions significatives des masses populaires. Pourtant, de grandes quantités d'énergies sont dépensées en production et diffusion de contre-information, en organisation d'activités de toutes sortes destinées à la population. Que se passe-t-il donc pour que ce soit si difficile?

Une fois admise l'emprise de l'idéologie dominante qui a un effet démobilisateur important, il importe de jeter un regard critique sur nos pratiques pour nous demander si nos actions sont bien appropriées pour rejoindre ces masses. Tient-on suffisamment compte du niveau de conscience et des caractéristiques socio-culturelles des gens qu'on veut rejoindre quand on organise des activités? Est-on suffisamment préoccupé de l'impact que peut avoir sur des gens de la classe populaire qui commencent leur cheminement de formation politique la participation à des activités où les débats sont monopolisés par un nombre restreint de militant-e-s politisé-e-s qui maîtrisent bien l'expression et les procédures? Se donne-t-on des moyens pour permettre l'établissement de liens fructueux entre groupes qui se situent à des niveaux de conscience différents? De façon similaire se pose aussi le problème des relations entre les militant-e-s petit-e-s bourgeois-e-s et les militant-e-s de la classe populaire, quel que soit le degré de politisation des uns et des autres. Comment surmonter les différences socio-culturelles pour créer une réelle solidarité dans l'action?

Cet axe, dont les pôles sont les masses populaires et les organisations politiques, nous invite à nourrir ces préoccupations. Il propose de bâtir une chaîne à plusieurs maillons qui permette de relier les deux pôles. D'abord des organisations populaires bien implantées dans les masses populaires. Ces organisations assurant la formation de militant-e-s politisé-e-s, ceux-ci étant en lien avec les organisations politiques. Jusqu'à maintenant, il faut bien l'admettre, nombre d'organisations populaires ont été initiées et dominées par des militant-e-s petit-e-s bourgeois-e-s politisé-e-s, sans qu'ils-elles réussissent à s'implanter véritablement dans les masses et à former des militant-e-s populaires politisé-e-s. La conscientisation nous incite à forger cette chaîne de libération.

6- *Local / sectoriel* ◄———► *régional* ◄———► *national* ◄———► *international*

"Charité bien ordonnée commence par soi-même!" entend-on souvent dans les milieux populaires lorsqu'on propose une activité de solidarité. Nos actions, si limitées soient-elles au départ, ont cependant intérêt à se situer progressivement dans un ensemble plus large. Le dépassement de sa problématique locale ou sectorielle est nécessaire pour approfondir l'analyse de la situation, mais aussi pour établir ses stratégies et tactiques, repérer ses alliés possibles et bâtir des fronts communs. Cet élargissement est plus stimulant quand il s'appuie sur des supports bien concrets et bien vivants, comme des rencontres avec des militant-e-s d'autres milieux, des voyages, etc.

Au niveau de la solidarité internationale, on a intérêt à faire preuve de créativité, car c'est un domaine face auquel les préjugés sont très forts dans les milieux populaires. Le sondage sur le journal Droit de Parole, par exemple, a révélé que les articles sur la solidarité internationale étaient les moins lus, et de loin, malgré les efforts faits pour présenter les thèmes dans un langage accessible et en les reliant aux réalités d'ici. On a pu voir un exemple d'activité intéressante de solidarité internationale (au chapitre 5), lorsqu'on a parlé de l'envoi collectif de vêtements aux familles de prisonniers politiques chiliens accompagné d'une soirée de solidarité. Généralement, il est très stimulant de découvrir les luttes qui se mènent ailleurs: on se sent moins seuls, on sent qu'on fait partie d'un mouvement large, on ressent la solidarité dans nos tripes.

Tous ces axes s'interinfluencent, bien sûr, entre eux aussi. La recherche de la causalité derrière les faits aide à dépasser la problématique locale, par exemple. L'attention apportée aux personnes par rapport aux tâches devrait faciliter la prise en compte des différents aspects de leur vécu, et ainsi de suite. L'important cependant dans une démarche de conscientisation nous semble être de ne pas oublier un de ces axes, de travailler sur toutes ces pistes. Peut-être en découvrirez-vous d'autres, en plus de ceux qui nous ont semblé importants!

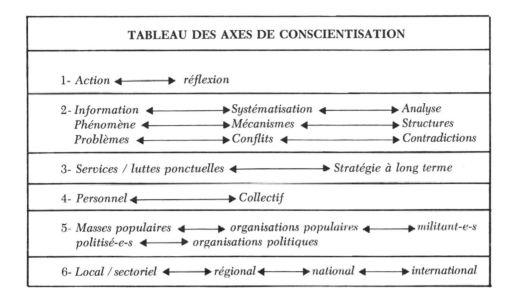

TABLEAU DES AXES DE CONSCIENTISATION

1- *Action* ⬌ *réflexion*

2- *Information* ⬌ *Systématisation* ⬌ *Analyse*
   Phénomène ⬌ *Mécanismes* ⬌ *Structures*
   Problèmes ⬌ *Conflits* ⬌ *Contradictions*

3- *Services / luttes ponctuelles* ⬌ *Stratégie à long terme*

4- *Personnel* ⬌ *Collectif*

5- *Masses populaires* ⬌ *organisations populaires* ⬌ *militant-e-s*
   politisé-e-s ⬌ *organisations politiques*

6- *Local / sectoriel* ⬌ *régional* ⬌ *national* ⬌ *international*

CHAPITRE 12

RÔLES ET ATTITUDES DES INTERVENANT-E-S

Tout au long des expériences que nous avons racontées, des individus ou des groupes ont joué un rôle moteur dans la progression des démarches de conscientisation. Après avoir examiné les composantes du processus, il importe aussi de considérer les caractéristiques de l'approche des intervenant-e-s. Il est facile de constater que l'intervention conscientisante diffère de l'animation sociale, que l'on a connue au Québec au cours des années soixante, qui espérait aider les opprimés à se tailler une place au soleil dans le système actuel.

Elle se démarque aussi du type de pratique de l'organisation communautaire qui consiste à apporter une aide technique, bureaucratisée et neutre, à des démarches qui associent la participation populaire à des projets contrôlés par les élites locales ou par l'État. La pratique conscientisante a, selon nous, des exigences particulières qui caractérisent les attitudes à développer et les rôles à jouer par les intervenant-e-s.

Qui sont les intervenant-e-s?

Nous considérons comme intervenant-e-s, non seulement les militant-e-s petit-e-s bourgeois-e-s qui agissent comme personnes-ressources alliées auprès de groupes ou d'organisations d'opprimés, mais aussi les militant-e-s de la classe populaire politisé-e-s qui assument des responsabilités à l'intérieur de ces organisations. L'intervention de conscientisation n'est pas l'apanage de professionnels petits-bourgeois spécialisés, mais elle devrait être assumée par tous les militant-e-s les plus politisé-e-s dans les organisations.

Les personnes-ressources alliées doivent justement éviter le piège de se poser en experts en conscientisation pour éviter l'instauration d'une dépendance des gens avec qui ils travaillent à leur égard. À ce sujet, l'INODEP insiste beaucoup sur la constitution de groupes conscientiseurs, ce qui permet les interactions de groupe à groupe entre les militant-e-s politisé-e-s et les organisations populaires. Ainsi, les débats sont facilités, les confrontations sont permises entre les membres du groupe conscientiseur de telle façon qu'ils ne soient pas perçus comme des experts infaillibles. La constitution d'un tel groupe d'intervention est presque indispensable dans la mesure où elle permet les échanges sur les perceptions des situations à analyser et des gestes à poser, dans la mesure aussi où l'intervention en conscientisation nécessite des habiletés multiples. Ceci ne signifie pas que l'intervenant-e qui se retrouve seul-e dans un milieu donné doive renoncer à intervenir, mais il-elle devrait se donner comme tâche première d'identifier ou de constituer un groupe en compagnie duquel il-elle pourra déclencher une intervention.

Attention à la culture!

La caractéristique fondamentale de l'intervention en conscientisation, est-il nécessaire de le rappeler, est sûrement l'attention apportée à la culture des gens avec qui l'on milite. L'éducation politique se faisant à partir de leur langage propre, de leur perception de la réalité, de leur façon de vivre, elle présuppose une connaissance de la culture du milieu. Par là, elle diffère radicalement autant de l'animation sociale centrée sur la rationalisation des tâches que des pratiques d'endoctrinement politique qui visent à imposer un savoir théorique totalement décroché du vécu des gens.

S'impliquer d'abord soi-même

Une autre attitude de base très importante chez les intervenant-e-s est sûrement celle de considérer leur propre implication dans le processus de changement comme essentielle. Ceci implique qu'ils ne se considèrent pas comme des êtres "libérés" qui ont à se charger de la libération des autres dans une sorte d'abnégation d'eux-mêmes. Il n'est pas question de ce genre de "missionnariat", quand on accepte le fait que les aliénations produites par le système en place nous atteignent aussi. Toute démarche constitue alors un jalon de notre propre libération.

Comme l'affirme Colette Humbert,

> *"le groupe intervenant doit mettre à jour ses propres aliénations, car la pédagogie de la conscientisation s'adresse tout autant aux conscientiseurs qu'à la population concernée. Il s'agit pour eux, ni plus ni moins, en se mettant aux côtés des classes populaires, de travail-*

*ler à leur propre libération. C'est ainsi seulement qu'ils pourront sortir
du paternalisme et de la mauvaise conscience, signes d'une position
sociale ambiguë entre l'aménagement du système et la lutte avec les
opprimés.[1]"*

En effet, il importe de mettre en lumière que les petit-e-s bourgeois-e-s militant-e-s qui s'engagent dans une action de changement en solidarité avec la classe populaire réalisent en même temps un intérêt qui leur est propre. Ils-elles collaborent à changer une situation d'oppression, mais ils-elles favorisent en même temps l'instauration de conditions d'exercice de leur métier plus conformes à la conception qu'ils-elles défendent. D'où leur intérêt spécifique à s'impliquer dans une action de transformation.

Développer une solidarité effective avec les opprimés

Bien avant la maîtrise de techniques et d'outils, ce qui compte dans le travail de conscientisation, c'est la volonté de développer une solidarité effective avec les opprimés. Le travail de conscientisation, c'est un engagement, une option qui se fonde sur la révolte face aux situations d'oppression, l'espoir de transformer ces situations et la confiance dans les capacités créatrices des opprimés. Le premier témoignage de solidarité que peut fournir l'intervenant-e est probablement de travailler de façon responsable, de respecter ses engagements, de ne pas prendre à la légère une intervention qui, pour le groupe en lutte, revêt toujours une importance très grande.

Une véritable solidarité ne se réduit pas seulement au cadre restreint de l'organisation et de l'exécution de tâches avec les gens avec qui l'on milite. Elle implique de saisir les occasions qui se présentent pour découvrir d'autre facettes de leur vécu, pour apporter collectivement de l'aide face aux difficultés de l'un ou de l'autre, pour donner de sa personne, plutôt que seulement de l'argent, quand c'est nécessaire, et pour fêter ensemble les gestes significatifs.

Il n'est pas question pour les militant-e-s petit-e-s bourgeois-e-s de s'auto-proclamer comme alliés de la classe populaire. Ce sont plutôt les militant-e-s populaires qui, ayant ressenti dans la pratique une solidarité effective de leur part, les reconnaissent comme des alliés véritables. Pour ces derniers, la solidarité implique une conscience claire de leur propre situation et des contradictions qu'ils portent.

Agir avec ses contradictions

Une attitude importante chez les militant-e-s petit-e-s bourgeois-e-s est sûrement la volonté de parvenir à une conscience claire des contradictions entre leur mode de vie, leurs valeurs, leurs privilèges et leur affirmation de solidarité avec les classes populaires, puis d'avoir le courage de s'engager avec leurs contradictions. Ceci implique de mettre au clair leur situation de classe, leurs motivations, et leurs intérêts par rapport à l'engagement envisagé, ainsi que de prendre conscience des différences socio-culturelles qui les séparent des populations qu'ils veulent rejoindre. Une fois identifiée sa propre condition, il importe d'approfondir sa connaissance des groupes opprimés avec lesquels on veut travailler: leur langage, leurs habitudes de vie, leurs modèles culturels, leur univers symbolique, etc. La conscience des contradicitons qui en résulte ne doit pas paralyser, ni donner mauvaise conscience. Elle permet de situer de façon juste les intérêts respectifs de chaque partie, leurs apports souhaitables dans l'action et les difficultés que pose le travail en commun; ce qui constitue les exigences fondamentales d'une alliance véritable.

Dépasser le travail au "pif"

La conscientisation exige des intervenants d'approfondir leur connaissance de la population avec laquelle ils travaillent. Pour percevoir les sujets qui lui tiennent à coeur, les éléments potentiels de libération, les blocages face au changement, les ressorts complexes qui peuvent provoquer le passage à l'action, les intervenants doivent se donner les moyens d'une recherche continue en rupture avec la façon de voir les choses proposée par le pouvoir dominant. L'enquête conscientisante, proposée par l'INODEP[2], est un outil qui peut être utile pour aborder un nouveau milieu ou un nouvel enjeu en réalisant une démarche de recherche conjointement avec une partie de la population visée. Il importe de maintenir une pratique de recherche de façon continue, en se donnant un outillage pertinent pour les fins de l'action.

Cette recherche doit porter autant sur la situation objective que subjective de la population visée. Par situation objective, nous entendons le degré de développement du milieu, sa plus ou moins grande intégration au capitalisme (analyse de structure), l'état des rapports de force existants (analyse de conjoncture) ainsi que les principales caractéristiques de la culture de la population. Par situation subjective, nous voulons désigner la perception que la population exprime de sa situation et la façon dont elle l'explique (niveau de conscience). Freire nous rappelle toute l'importance de cette vision du monde, dans laquelle "on peut trouver, implicites ou explicites, ses désirs, ses doutes, ses espérances, sa façon de considérer les leaders, sa perception de lui-même et de l'oppresseur, ses croyances religieuses presque toujours syncrétistes, son fatalisme, sa réaction de révolte.[3]"

Cette recherche fournit des intuitions pour l'action, permet de découvrir des personnes avec un potentiel de mobilisation, d'identifier des leviers pour enclencher l'action, même dans des cas où, à première vue, tout apparaissait bloqué. Elle permet de dépasser le travail au pif, d'adopter une approche systématique et rigoureuse qui empêche parfois de grossières erreurs.

Échanger plutôt que faire des discours

Une attitude primordiale chez les intervenant-e-s en conscientisation est de ne pas imposer leur vision des choses, de ne pas apporter un "message de salut" sous la forme d'un "dépôt" à faire chez ceux qui l'ignorent. Trop souvent a-t-on essayé de mobiliser des opprimés en commençant par leur expliquer tout le fonctionnement du système, en leur présentant des analyses sans d'abord vérifier leur appétit pour les entendre, en leur imposant une vision des choses complètement coupée de leurs perceptions. Cela peut être fait avec la meilleure des intentions, mais c'est une pratique d'imposition idéologique inacceptable. Et ce n'est pas très efficace.

Ce n'est pas d'abord l'analyse qui amène dans la rue, c'est avant tout les tripes. Pour éveiller le désir et la volonté de changement, ne faut-il pas d'abord écouter ce que les gens disent de ce qu'ils vivent? C'est seulement sur cette base que nous pourrons amorcer un véritable dialogue qui sera raccroché à leur vécu. Ce dialogue doit servir, selon Freire, à rechercher ensemble des moyens de transformer les situations d'oppression.

> *"Ce que nous devons faire, à la vérité, c'est proposer au peuple, par le biais de certaines contradictions essentielles, sa situation présente comme un problème qui le met au défi et donc exige de lui une réponse non seulement au niveau intellectuel, mais à celui de l'action.*
>
> *Nous ne devons jamais disserter sur la situation, ni déposer en lui ce qui n'a rien à voir avec ses désirs, ses doutes, ses espérances, ses craintes. De tels "dépôts", souvent, augmentent en fait ses craintes qui sont des craintes de conscience opprimée. Notre rôle n'est pas de parler au peuple de notre vision du monde ou d'essayer de la lui imposer, mais de dialoguer avec lui sur la sienne et sur la nôtre.[4]"*

Pour les implications concrètes, rappelons-nous la session de formation sur la loi d'aide sociale (cf. chapitre 2) où l'on demandait aux assistés sociaux de dire pourquoi ils avaient fait une demande d'aide sociale. Après la mise en commun, l'animatrice a, par ses questions, amené les gens à constater la contradiction entre les raisons mentionnées (besoins essentiels) et les préjugés véhiculés. Ceci a permis de prendre conscience que l'aide sociale n'est pas un choix, mais un droit. Si c'est un droit, il doit être défendu. Déjà elle présentait un défi exigeant une réponse au niveau de l'action.

Partir du vécu des gens ne signifie pas que l'action doit toujours rester limitée aux aspirations qu'ils retirent de leur vision du monde. S'il en était ainsi, les conscientiseurs finiraient par accepter passivement cette vision du monde et s'y adapter. L'approche proposée invite plutôt à adhérer à l'aspiration revendicative manifestée, et, par le questionnement, la mise en lumière de contradictions, les bilans d'action, à contribuer à élargir leur vision du monde et à permettre de découvrir d'autres piste d'action. C'est dans ce sens qu'on peut affirmer que la conscientisation favorise le développement d'une conscience critique en s'appuyant sur les dimensions libératrices du vécu des gens.

Créer des méthodes et des outils appropriés

Faciliter l'expression du vécu d'oppression, favoriser la mise en lumière des contradictions, soutenir la réalisation de synthèses par les participant-e-s, réaliser des bilans et des relances d'activités collectivement, tout cela nécessite des outils appropriés. On ne peut prétendre à la conscientisation avec les méthodes de l'éducation bancaire. Comme l'a justement constaté Freire,

> *"une grande partie des obstacles qui se dressent sur le chemin d'une action politico-révolutionnaire correcte découle de la contradiction entre l'option révolutionnaire et l'utilisation de méthodes d'action qui correspondent à une pratique de domination.*[5]*"*

Il faut plutôt s'inspirer de la méthode de Freire fondée sur la codification/décodification. Les milieux populaires utilisent déjà beaucoup les codes (images, chants, sketches, ...); ils y résument leur perception de la réalité et y trouvent un stimulant pour la mobilisation. C'est à la création de tels codes qu'il faut s'adonner pour ensuite les analyser avec les gens.

Tous les récits de nos expériences ont été faits avec la préoccupation de présenter concrètement quelques-uns des outils qui y ont été développés. Certains d'entre eux ont été empruntés à d'autres courants d'intervention et légèrement modifiés (ex: brassage d'idées, photo-langage), d'autres ont été inventés de toutes pièces. Nous ne les avons pas proposés comme des modèles, mais comme des sources d'inspiration, car s'il est un domaine où la créativité doit être maîtresse, c'est bien celui-là. Les outils demandent à être adaptés à chaque situation particulière en fonction des objectifs visés, des caractéristiques des personnes avec qui on les emploie, etc. Et face à des situations nouvelles, on sent souvent le besoin de créer de nouveaux outils. C'est là un aspect passionnant du travail de conscientisation.

Et finalement s'auto-critiquer régulièrement

Parce qu'il n'y a pas de modèle détaillé de l'intervention en conscientisation, parce qu'il y a toujours le risque de tomber, soit dans le manque d'organisation (spontanéisme), soit dans la trop grande direction (autoritarisme), il importe de réviser régulièrement ses attitudes et ses pratiques à la lumière des principes énoncés. La voie à suivre n'est pas tracée à l'avance, il faut l'élaborer en s'appuyant sur nos bilans d'action.

En résumé, la conscientisation exige des intervenant-e-s qu'ils-elles s'impliquent à plein dans l'action, qu'ils-elles développent des attitudes de dialogue et de solidarité et qu'ils-elles s'outillent pour remplir un rôle "d'éducateurs-trices véritables".

CONCLUSION

Le retour sur nos pratiques, le contact avec la pensée de Freire, les échanges avec l'INODEP nous ont amené à cerner les principales composantes de ce que nous appelons la conscientisation. L'INODEP définit actuellement la conscientisation comme "l'éveil et la maturation de la conscience de classe des milieux populaires, dans des organisations populaires, pour une militance de plus en plus active dans les luttes de classes, au niveau national et international et dans les luttes contre certains pouvoirs dominants de l'État. Elle est formation à l'engagement politique et vise au développement de la solidarité des milieux et groupes opprimés. C'est une pédagogie politique, pour une action politique, à partir des problèmes vécus par les milieux populaires, des luttes locales ou sectorielles qu'ils mènent et dont il est essentiel d'identifier avec eux les enjeux dans le champ politique, les solidarités et alliances à promouvoir."

Si nous nous permettions d'y aller de notre propre définition, nous dirions volontiers que: la conscientisation est un processus d'apprentissage et d'interinfluence entre des groupes de personnes de la classe populaire, immergées dans des situations d'exploitation, de domination et d'aliénation, et des intervenant-es intérieurs-es ou extérieurs-es à la classe populaire, interpellés-es par ces situations et visant à les changer dans une interaction dialectique avec un processus plus global de transformation politique de la société. Cette définition met l'accent sur le rôle de l'intervenant-e et les changements culturels qu'il doit accepter de vivre quand il s'engage dans un processus de conscientisation.

"La conscientisation implique un engagement avec les classes opprimées" comme le rappelait Freire en réponse à ceux qui la rétrécissent aux dimensions d'une intervention psycho-sociale sans perspective politique. Ceux qui abordent la conscientisation avec une attitude véritablement critique et dialectique "savent aussi que la réalité ne peut être transformée à l'intérieur de la conscience des êtres humains, mais dans l'histoire, à travers une praxis révolutionnaire. Non seulement ne nient-ils pas l'existence concrète d'un conflit de classes, mais ils reconnaissent aussi que ces conflits sont les sages-femmes de la conscience.[2]"

La lutte est une école de conscientisation. Nous avons vu comment la taxe d'eau, d'objet de lutte est devenue moyen de pression, puis catalyseur d'une reconnaissance par les assistés sociaux de ce qu'ils vivent, et d'une recherche des causes de leur situation dans les structures sociales. Un des buts essentiels de la lutte, indissociable des objectifs économiques et politiques, a été de contribuer à transformer la vision que les assistés sociaux avaient d'eux-mêmes et du monde. La poursuite d'un but de cette nature suppose une attention active à la culture des milieux populaires dans lesquels on intervient. Les collectivités avec qui on agit ont des genres de vie et des activités qui déterminent des manières d'être et de se comporter, soutiennent des interprétations de la réalité et une vision du monde à partir desquels on doit apprendre à travailler. Pour interpeller la conscience populaire, il faut se rendre constamment attentif aux manifestations multiples du champ de cette conscience.

La tension entre les deux pôles de "réflexion" et "action" est toujours présente mais, comme nous avons tenté de le montrer en racontant nos expériences, la conscientisation incite à vivre différemment le quotidien, à saisir toutes les occasions qui offrent des opportunités de formation.

C'est un peu de cette manière que nous avons vécu la production collective de ce livre: un temps fort de "réflexion" sur notre pratique, sans rompre les liens avec les terrains de notre "action". Nous avons mis deux ans à réaliser cette synthèse de nos expériences des dernières années, en intercalant des périodes intensives de rencontre où nous nous retrouvions ensemble pour donner une orientation et un cadre communs à nos réflexions, à travers les engagements de notre militance et les exigences de notre gagne-pain et de notre vie personnelle et familiale. Nous nous sommes rencontrés à dix reprises, à raison d'un ou plusieurs jours, pour articuler nos analyses dans la perspective que nous partageons. Nous avons mis dans ce livre dix-neuf jours de travail collectif, coupé de périodes de travail individuel où chacun chez soi polissait son morceau de la production commune. Nous nous sommes souvent offert le plaisir de nous retrouver à la campagne, dans un endroit qui nous plaît, pour goûter aussi bien le plaisir d'être ensemble que les joies chèrement acquises de la création collective.

Lieu d'échanges, de questionnement, de systématisation de nos pratiques diverses d'engagement dans le champ de l'éducation populaire, dans une ligne de pédagogie politique, le collectif que nous avons constitué a été pour nous l'occasion d'une démarche de formation dynamisante.

Cette réflexion, passionnante et utile en soi, a donné lieu à la production du présent livre, dont nous souhaitons qu'il suscite des initiatives sur le terrain de l'action. En effet notre récit ne se veut ni le panorama figé d'un travail modèle, ni un recueil de recettes: nous aimerions qu'il provoque des questions et inspire aux lecteurs et lectrices le goût de forger leurs propres outils, dans une approche qui tienne toujours compte de la réalité concrète, de la culture, et de l'histoire des masses populaires avec lesquelles ils-elles s'impliquent.

La conscientisation n'est pas un état, mais un processus qui exige la mise sur pied de collectifs à tous les niveaux pour agir, réfléchir, et agir encore, en vue de contribuer à faire reculer l'exploitation, la domination et l'aliénation.

Forts de la richesse de l'expérience qui s'achève, nous espérons que ces lignes inviteront bien des militants et militantes à se regrouper pour partager des réflexions et des actions, tant il est vrai que les collectifs sont à la fois stimulants et facteurs de changement.

Les conditions de la pratique sur le terrain ne sont pas toujours faciles, nous le savons. Une des difficultés importantes auxquelles s'est heurté jusqu'à maintenant le travail de conscientisation au Québec est l'absence de liens entre les diverses expériences et le manque d'enracinement d'une organisation politique porteuse du projet de société que vise la conscientisation. Des actions très limitées, pour faire face à des problèmes concrets de conditions de vie ou de travail, constituent le support de politisation qui s'offre le plus souvent à nous dans notre société. Au terme de cette démarche de réflexion et de synthèse sur notre pratique, une phrase de Freire nous frappe particulièrement:

> *"On ne doit pas renoncer à agir plus modestement là où l'on est engagé, du moment où cet effort plus modeste apparaît comme le seul historiquement viable. Dans l'histoire, l'on fait ce qui est historiquement possible et non pas ce qu'on aimerait faire.[3]"*

Notes de l'introduction

1- Nous utilisons l'expression "classe populaire" pour désigner l'ensemble des salarié-es non-cadres et non-professionnels ainsi que tous les exclus-es du marché du travail. On retrouve cette définition dans les cahiers du Groupe de Recherche en Action Populaire (GRAP, Université Laval, Québec).

2- Nous utilisons l'expression "petits-bourgeois" pour désigner l'ensemble des cadres et professionnel-les salariés qui, sans avoir le contrôle des moyens de production, exercent des fonctions d'encadrement du travail et de circulation des idées nécessaires au fonctionnement et à la reproduction du système. Pour nous, cette expression n'a pas une connotation péjorative; elle désigne l'appartenance à une classe sociale spécifique, la petite bourgeoisie salariée.

3- Freire, Paulo, *Conscientisation-Unveiling and Transforming Reality*. A talk given at Cuernavaca, Mexico, in 1971, revised by the author August, 1974, p.3.

4- Au moment où ce travail a été entrepris, il s'agissait du local Mercier de l'Association pour la Défense des Droits Sociaux du Montréal Métropolitain (ADDSMM). Le local Mercier a quitté l'ADDSMM en 1980 et a fondé avec deux autres locaux un nouveau regroupement d'assistées sociales et assistés sociaux: l'OPDSRM (Organisation Populaire des Droits Sociaux de la Région de Montréal).

Notes du chapitre 1

1- Pour une analyse plus élaborée de cette lutte au plan économique et politique en même temps qu'idéologique, ainsi que pour une consultation des sources des faits cités, voir:
- VENTELOU, Denise, *La lutte des assistés sociaux de Montréal contre la taxe d'eau: enjeu, conjoncture et impact*. Thèse de maîtrise en Service Social, Université Laval, 1981.
- VENTELOU, Denise, *La lutte des assistés sociaux de Montréal contre la taxe d'eau: d'une autoréduction à l'éveil d'une conscience politique*. Cahier no 8, GRAP - Québec, 1982.

2- ADDS-Mercier. Bilan 1974 - Taxe d'eau. pp. 3-6

3- Forget et Lazure sont les noms de ceux qui ont occupé successivement le poste de Ministre des Affaires Sociales. Le premier de 1974 à 1976 et le second de 1976 à 1981.

4- Cité dans le journal: *Organisation Populaire*. Vol. 1, no. 1, février 1975, p. 6.

5- Expression populaire qui signifie: devenir bénéficiaire d'Aide Sociale.

6- "Dans la vision "bancaire" de l'éducation, le "savoir" est une donation de ceux qui jugent qu'ils savent, à ceux qu'ils jugent ignorants (...). Le rôle qui revient aux élèves (...) est simplement d'archiver le discours ou les "dépôts" que leur confie l'éducateur." Paulo Freire, *Pédagogie des opprimés*, pp. 51 et 63.

7- Cité dans: Bilan 1974 d'un local ADDSMM. p. 12.

8- Bilan ADDS, 1978, p. 50.

9- Au sens strict, cette expression s'emploie pour désigner une forme de théâtre développée par un militant brésilien, Augusto Boal. Voir: BOAL, Augusto. *Le théâtre de l'opprimé*. Paris, Maspero.

10- Bilan 1976-1977 d'un local ADDS, p.50

11- Bilan taxe d'eau, 1978, p. 51.

Notes du chapitre 4

1- Cette expérience de formation a été entreprise avec des membres du local Mercier de l'Association pour la défense des droits sociaux du Montréal métropolitain (ADDSMM). Le local Mercier a quitté l'ADDSMM en 1980 et a fondé avec deux autres locaux un nouveau regroupement d'assistées sociales et assistés sociaux: l'OPDSRM (Organisation populaire des droits sociaux de la région de Montréal).

2- *Manifeste*. Regroupement des organisateurs communautaires du Québec, (C.P. 25, Limoilou, Québec, G1L 4T8), mai 1977, articles 98 et 99.

3- En particulier, dans la première systématisation de sa pensée, publiée au Brésil en 1967 et en France en 1971: *L'éducation: pratique de la liberté*. Paris, Cerf.

4- Freire, Paulo. *Pédagogie des opprimés*. Paris, Petite collection Maspéro, 1974, pp. 62-66.

5- "Le "codage" d'une situation existentielle est une représentation figurative de cette situation qui fait voir certains de ses éléments constitutifs et leur interaction. Le "décodage" est l'analyse critique de la situation codée." dans Freire. *Pédagogie des opprimés*, p.92.

6- Freire, Paulo. *Pédagogie des opprimés*, p. 13

7- L'INODEP (Institut oecuménique au service du développement des peuples) est une organisation internationale non-gouvernementale de formation dans une perspective de conscientisation. Les membres de son conseil d'administration appartiennent à quatorze nationalités et représentent cinq continents. Le Brésilien Paulo Freire en a été le premier président et le Chilien Jacques Chonchol, ancien Ministre de l'Agriculture de l'Unité populaire, en est le président en exercice. L'INODEP bénéficie du statut consultatif auprès de l'UNESCO.

8- Freire, Paulo. *Lettres à la Guinée-Bissau sur l'alphabétisation*. Paris, Maspéro, 1978, p. 108.

9- Freire, Paulo. *Pédagogie des opprimés*. pp.74-75

10- Freire, Paulo. *Conscientisation - Unveiling and Transforming Reality*. Communication donnée à Cuernavaca, Mexique, en 1971, revisée par l'auteur en août 1974, p. 4.

Notes du chapitre 6

1- ADDSQM: Association pour la Défense des Droits Sociaux du Québec Métropolitain.

2- Ce chapitre sera au féminin, la presque totalité des personnes qui militent à l'ADDSQM étant des femmes.

3- Militantes alliées: ce sont des petites-bourgeoises, permanentes ou membres, qui sont peu nombreuses et qui ont été acceptées par les militantes assistées sociales de l'organisation.

Notes du chapitre 7

1- Ce chapitre sera au féminin, la presque totalité des personnes qui militent à l'ADDSQM étant des femmes.

Notes du chapitre 8

1- Dans *Mon Syndicat: école de combat, de pensée, de vie.* Document de travail du Conseil central des syndicats nationaux de Québec, 1979, pp. 13-14 (nous soulignons).

Notes du chapitre 9

1- *Conscientisation. Recherche de Paulo Freire.* Paris, Document de travail INODEP, 1971, p. 20.

2- Freire, Paulo, "Cultural Action and Conscientization", *Harvard Educational Review*, vol. 40, no. 3, August 1970, p. 453. Nous traduisons.

3- Freire, Paulo. *L'éducation: pratique de la liberté.* Paris, 1971, pp. 109-110.

4- Freire, Paulo. *Pedagogy of the Oppressed.* New York, The Seaburg Press, 1970, p. 19. Nous traduisons.

5- Freire, Paulo. *Conscientization-Unveiling and Transforming Reality.* A talk given at Cuernavaca, Mexico, in 1971, revised by the author August 1974, pp. 2 et 3. Nous traduisons et nous soulignons.

6- *Conscientisation et révolution. Entretien avec Paulo Freire.* Genève, Institut d'action culturelle (IDAC), 1973.

7- Freire, Paulo. *Pédagogie des opprimés.* Paris, Maspéro, 1971, pp. 156-157.

8- Freire, Paulo. *Lettres à la Guinée-Bissau sur l'alphabétisation*. Paris, Maspéro, 1978, 181 pp.

9- "Entretien avec Paulo Freire, 19 juin 1978, Genève", propos recueillis par Yvon Minvielle, dans *Pourquoi?*, no. 151, janvier 1980, p. 52.

10- Freire, Paulo. *Educaçâo e mudança*. Rio de Janeiro, Paz e Terra, 1981, p. 56. Nous traduisons.

11- *Conscientisation. Recherche de Paulo Freire*, p. 39.

12- Freire, Paulo. *L'éducation: pratique de la liberté*, pp. 117-118 et *Conscientisation. Recherche de Paulo Freire*, p. 32.

13- Jarbas, Maciel, "A fundamentâo téorica de sistema Paulo Freire de educaçâo", Estudos universitarios, Revista de cultura, no IV 1963. Universidade do Recife, Cité dans *L'éducation: pratique de la liberté*, p. 120.

14- Freire, Paulo. *Pédagogie des opprimés*. pp. 82,87 et 88.

15- "Dans la vision "bancaire" de l'éducation, le "savoir" est une donation de ceux qui jugent qu'ils savent, à ceux qu'ils jugent ignorants (...) Le rôle qui revient aux élève (...) est simplement d'archiver le discours ou les "dépôts" que leur confie l'éducateur." *Pédagogie des opprimés*, pp. 51 et 63.

16- *Pédagogie des opprimés*, p. 96.

17- Ibid, p. 114.

18- Ibid, p. 101.

19- Ibid, p. 102.

20- Ibid, p. 92, note 20.

21- Ibid, pp. 103, 108-109, 112-113 et 150.

22- Ibid, p. 92.

23- Ibid, p. 108.

24- Ibid, p. 85.

25- Ibid, p. 102.

Notes du chapitre 10

1- Voir note 7 du chapitre 4.

2- Humbert, Colette, *Conscientisation*, Paris, l'Harmattan, 1976, pp. 83-84.

3- Freire, Paulo, *Pédagogie des opprimés*, pp. 72-73.

4- Freire, Paulo, *L'éducation: pratique de la liberté*, p. 109.

5- *Conscientisation et révolution*, Entretien avec Paulo Freire, publié avec *Pédagogie des opprimés*, pp. 189-190.

Notes du chapitre 11

1- Freire, Paulo. *Pédagogie des opprimés*. Paris, Maspéro, 1974, p. 157, note 38.

2- Humbert, Colette. *Conscientisation: expériences, positions dialectiques et perspectives*. Paris, L'Harmattan, 1976, pp. 128-137.

3- Freire, Paulo. *L'éducation: pratique de la liberté*. Paris, Cerf, 1971, pp. 109-110.

4- Ibid, pp. 132-134.

5- Freire, Paulo. *Pédagogie des opprimés*. pp. 157-158.

6- Alinsky, Saul, *Manuel de l'animateur social*, Paris, Seuil, 1976, 248 pages.

Notes du chapitre 12

1- Humbert, Colette, *Conscientisation*, p. 61.

2- Humbert, Colette et Merlo, Jean, *L'enquête conscientisante*. Paris, L'Harmattan, 1978, 86 pp.

3- Freire, Paulo, *Pédagogie des opprimés*, p. 178.

4- Freire, Paulo, idem, pp. 80-81.

5- Freire, Paulo, *Conscientisation et révolution*, p. 197.

Notes de la conclusion

1- Voir note 7 du chapitre 4. Définition donnée par Colette Humbert dans ses
échanges avec les auteurs.

2- Freire, Paulo. *Conscientization-Unveiling and Transforming Reality*. A talk
given at Cuernavaca, Mexico, in 1971, revised by the author. August 1974,
pp. 2 et 3. Nous traduisons.

3- *Freire-Illich*. Genève, Institut d'action culturelle, document 8, p. 29.

INDEX DES OUTILS PÉDAGOGIQUES

Page

TABLE DES MATIÈRES

Photocomposition et montage : Coopératives Les Nuages. Couverture : Danielle Denis

Achevé d'imprimer au mois de Mars 1983
par l'Imprimerie commerciale Le Courrier de Saint-Hyacinthe